의대생과 전공의를 위한

문제중심 임상소화기학

Problem - Oriented
Clinical Gastroenterology

문제중심
임상소화기학

첫째판 1쇄 인쇄 | 2022년 12월 07일
첫째판 1쇄 발행 | 2023년 01월 02일

지 은 이 은종렬
발 행 인 장주연
출 판 기 획 김도성
출 판 편 집 이민지
편집디자인 양은정
표지디자인 김재욱
일 러 스 트 신윤지
제 작 담 당 이순호
발 행 처 군자출판사(주)
　　　　　등록 제4-139호(1991. 6. 24)
　　　　　본사 (10881) 파주출판단지 경기도 파주시 회동길 338(서패동 474-1)
　　　　　전화 (031) 943-1888　　　팩스 (031) 955-9545
　　　　　홈페이지 | www.koonja.co.kr

ISBN 979-11-5955-947-1

정가 40,000원

은 종 렬

1997	영남의대 졸업
1997–2002	영남대학교병원 인턴, 레지던트
2002–2003	군위군보건소 공중보건의 1년차
2003–2005	안동 성소병원 내과과장(공중보건의 2–3년차)
2005–2013	영남대학교병원 소화기내과 전임의, 전임강사, 조교수, 부교수
2012–2014	미국 UC Davis 줄기세포연구소, 소화기내과 클리닉, 내시경센터 연수
2014–현재	명지병원 소화기내과 임상교수, 소화기내과장 및 소화기센터장

학력

영남대학교 학사, 석사
경북대학교 박사수료

자격

2002	내과전문의
2006	소화기내시경세부전문의
2007	소화기내과분과전문의
2013	ECFMG certificate

머리말

제가 내과 전문의를 취득한 것이 2002년이므로 올해 20주년이 되는 해입니다. 평범한 봉직의로 진료에 매진해 왔다고 생각합니다. 20주년을 기념하여 진료하고 있는 흔한 소화기질환들을 정리하면서 제 진료행태를 돌아보고, 소화기학에 입문하는 의대생이나 본격적으로 진료를 시작하는 전공의와 전임의 후배들에게 도움이 될까 하여 책으로 내게 되었습니다.

의과대학에서 배워야 할 소화기학은 내용이 실로 방대합니다. 해리슨 교과서는 한 문장, 한 문장이 주옥같아 임상경험이 어느 정도 쌓인 후 다시 읽어보면 감동으로 다가오기도 합니다. 그러나 짧은 학부과정에 천천히 읽을 만한 물리적 시간이 부족한 것이 현실입니다. 그래서 해리슨 교과서 내용을 한글로 요약하고 제가 경험한 임상증례들을 소개하는 방식으로 정리하였습니다. 우리나라에 드문 질환들은 과감히 제외하거나 간략히 하고, 해리슨에 짧게 소개되었으나 흔히 접하는 질환들은 참고문헌과 함께 추가하였습니다. 소화기 분야에 많은 진단과 치료 도구들이 있는데 CT와 내시경이 많이 사용되고 있습니다.

소화기내과 의사로 병원에 근무하게 되면 내시경에 능숙해야 하고, CT 등 사진을 판독하고 해석하는 능력도 필요합니다. 영상의학과의 도움을 받기도 하지만, 결국 clinical correlation과 decision-making은 문진과 진찰을 통해 환자로부터 얻은 정보, 즉 임상문제를 종합, 분석하여 임상의가 해야 합니다. 자기가 전공하는 분야의 영상검사는 스스로 볼 줄 알아야 하는 것은 어느 분야든 마찬가지일 것입니다. 그런 이유로 normal CT and endoscopy anatomy를 마지막에 소개하였으니 도움이 되길 바랍니다.

의업에 종사하게 될 후배들에게 한가지 조언을 하자면 병원에 근무하게 되면 소화기내과 의사는 혼자서 존재할 수 없습니다. 이는 어느 분야의 의사에게도 마찬가지일 것입니다. 외과와 인터벤션 영상의학과 등 타과의 도움 없이는 존재할 수 없습니다. 항상 동료와 좋은 관계를 유지해야 하는 이유입니다. 의사가 아닌 여러 직종의 사람들과도 협력해야 할 일들도 많습니다. 동료와 좋은 관계를 유지하지 못하면 결국 환자의 치료에 영향을 미치게 됩니다. 주변 사람들과 항상 원만하고 좋은 관계를 유지하시기 바랍니다. 장래에 대형병원에서 근무하는 것도 좋겠으나 좋은 분위기의 병원에서 근무하는 것도 중요합니다.

감사를 드릴 많은 교수님들이 계시지만 소화기 관련 모든 시술을 언제라도 기꺼이 도와주시는 인터벤션 영상의학과 김현범 교수님께 특히 감사드립니다. 좋은 소화기내과 분위기를 만들어주는 정현정, 송병준 교수님, 3년전 합류하여 불출주야 연구와 진료에 매진하시는 김상윤 교수님 감사합니다. 함께 근무하다가 자리를 옮기신 김정호, 이홍섭, 김희진 교수님도 항상 발전을 기원합니다. 수년간 나의 전담간호사로 도와주고 있는 장빛나 선생에게도 감사를 전합니다. 마지막으로 2015년 서울대병원에서 명지병원 간센터장으로 옮기셔서 멘토로 지도해 주시는 이효석 교수님께 감사드립니다.

2022.11.

은 종 렬

명지병원 소화기내과 교수

추천사

근대의학의 시조인 William Osler(1849-1919) 이래로 수십년 동안 의대학생들이 임상교육 과정을 시작할 때 알려주는 금언이 있다. 즉 "진단의 90%는 병력(medical history)이고, 나머지의 90%는 신체검진(physical examination)으로, 오직 1%만 검사들(laboratory tests)로 진단된다."는 것이다. 그런데 1980년대 들면서 ultrasonography, CT 등의 사용이 보편화되었음에도 불구하고 1990년도 이후에도 이러한 경향에는 큰 변화가 없어 병력으로 76%, 신체검진으로 13%, 그리고 나머지 11%는 검사와 영상검사로 확진되고 있는 실정이다. 즉, 소화기질환의 확진에는 내시경과 CT가 기본이긴 하지만, 환자의 임상소견(병력, 신체검진)과 clinico-radiologic correlation을 통해서 decision-making해야 함을 알 수 있다.

그런데 최근 우리나라 의료 진료행태는 고가의 의료장비를 이용한 검사를 많이 시행하는 의사들에게 경제적, 학문적 혜택이 더 주어지는 경향이 있다. 이러한 상반된 상황에 적절히 대처하는 방법은 문진과 신체진찰을 통해 얻은 임상소견(clinical problems)과 내시경 및 영상소견을 잘 연관시켜(clinico-radiologic correlation) 최종 확진 및 치료(decision-making)하는 능력을 키우는 것이다. 그런데 현재 우리나라 의과대학 임상교육 체계하에서는 학생들이 직접 환자의 돌봄에 참여하여 직접 문제해결 능력을 충분히 쌓을 수 없는 실정이어서 간접경험이 절실히 요구되고 있다. 특히 최근 2년간에는 국내외적으로 만연하고 있는 COVID-19로 인하여 의과대학생들의 직접 경험으로 이러한 능력을 습득하는 것이 더욱 어렵게 되었다. 이에 시기 적절하게 의대생들에게 간접교육을 통해서 이 난관을 타개하는 데 큰 도움이 될 귀중한 소화기질환 증례에 대한 옥고가 드디어 출판에 이르게 되었다.

저자인 명지병원 은종렬 교수가 지난 20년간 임상에서 경험한 소화기 환자들의 임상증례들에서 임상소견, 검사소견, 그리고 내시경 및 영상소견을 상호연관지어 진단에 접근하여 decision-making하는 능력을 훈련하고 향상시킬 수 있도록 체계적으로 집필된 의대생을 위한 "문제중심 임상소화기학"이다. 환자 진료에 바쁜 중에 시간을 내어 후학들을 위해 심혈을 기울이신 은 교수께 경의를 표하는 바이다.

저는 33년간 서울대병원 소화기내과 교수로서 근무를 마치고 7년전에 명지병원 소화기내과에 은 교수와 합류하여 가까이서 함께 일하면서 환자 진료 시 은교수의 섬세함, 자상함, 성실함을 익히 보아 왔는데, 이러한 자세의 결실이 본서 곳곳에 배어 있음을 본다. 또한 본서의 내용에는 만성질환을 주로 관리하는 대형종합병원에서 진료하는 의사들은 흔히 접할 수 없는, 그러나 우리나라 지역병원에서는 비교적 흔한 급성 소화기질환 증례들이 다수 포함되어 있어, 본서는 의과대학생뿐만 아니라 대형병원에서 수련을 마치고 지역의료현장으로 향하는 소화기전공 선생들께서도 전에 경험 못했던 질환들에 대해 참고함으로써 새로운 통찰력을 얻을 기회가 된다고 생각하여 추천하는 바이다.

이 효 석

명지병원 간센터장

(전) 서울대학교병원 소화기내과 교수

(전) 서울대학교간연구소장

(전) 대한간학회이사장

도와주신 분들

김 정 호   서울송도병원 소화기내과 부장

이 홍 섭   부산백병원 소화기내과 부교수

이 경 구   명지병원 외과과장 및 임상교수

송 병 준   명지병원 소화기내과 임상부교수

정 현 정   명지병원 소화기내과 임상부교수

김 상 윤   명지병원 소화기내과 임상조교수

김 희 진   창원경상대학교병원 소화기내과 조교수

목차

목차

I 증상별 접근

01

구역과 구토
Nausea and vomiting

구역과 구토에 관여하는 주요 기관은 뇌간(brainstem)이다. Medulla oblongata(연수)의 area postrema (4th ventricle의 floor)에 chemoreceptor trigger zone (CTZ)이 있다(**그림 1-1**). 각종 neurotransmitter의 자극을 받아 vomiting center에 신호가 전달되면 somatic and visceral muscles로 신호를 보내어 실제적 구토가 일어나게 된다. 구역과 구토에 관여하는 neurotransmitters에는 acetylcholine, dopamine, histamine (H1 receptor), substance P (NK–1 receptor), serotonin (5–HT3), opioid receptor 등이 있다. 그 외 toxins과 drugs도 직접 CTZ를 자극하여 구역과 구토를 일으킬 수 있다.

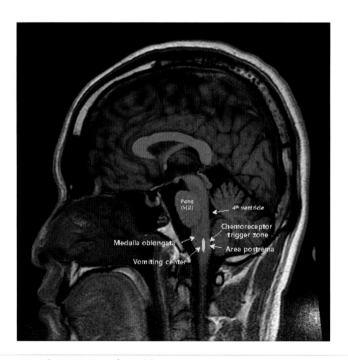

그림 1-1. Chemoreceptor trigger zone and vomiting center

1. 구토 유발 원인

1) 뇌신경

- 불쾌한 생각을 하거나 냄새를 맡게 되면 대뇌피질을 통해 뇌간으로 신호가 전달되어 구역이나 구토를 할 수 있다. 정신과 환자(anorexia nervosa & bulimia nervosa)에서도 구역과 구토를 흔히 볼 수 있다.
- 혀 깊숙한 곳을 자극(gag reflex)하면 cranial nerve를 통해 뇌간으로 신호가 전달되어 구역질하게 된다.
- 내이 이상(예: labyrinthine disorder) 때에도 vagal afferent를 통해 motion sickness(멀미)가 일어날 수 있다.

2) 위, 대장 및 복강 내 이상

- 위장 질환 또는 위 폐색(gastric obstruction)으로 위가 팽창하면 vagal afferent nerve를 자극하여 신호가 뇌간으로 전달된다.
- Gut sensory motor dysfunction으로 위마비가 일어날 수 있는데, 이때 위운동성 저하로 delayed gastric emptying 및 gastric retention으로 구역, 구토가 일어날 수 있다. Gastroparesis를 일으키는 대표적 질환은 당뇨인데, 가장 흔한 원인은 idiopathic(뚜렷한 기질적 원인 질환 없음)이다.
- Intestinal obstruction, mesenteric ischemia 같은 경우에도 미주신경(non-gastric afferent)을 통하여 신호가 뇌간으로 전달된다.
- 담석, 담낭염에 의한 biliary colic 때 local afferent nerve를 자극한다.
- Intestinal pseudoobstruction: colon motor dysfunction으로 음식이 저류하고 bacterial overgrowth, malabsorption 등의 복합기전으로 구토가 일어날 수 있다.
- 복강내 염증(appendicitis, pancreatitis, cholecystitis 등): 신체 염증이 있을 때 visceral irritation으로 ileus와 vomiting을 일으킨다.

3) 심장질환 및 수술 후

- Myocardial infarction, CHF
- Postop: 주로 개복수술, 정형외과 수술 환자에서 잘 일어난다(약 25%).

1997년 저자가 인턴을 시작하자마자 로컬병원에 파견을 갔다. 3월 2일부터 응급실에 야간당직으로 배치되었다. 임상경험이 전혀 없었다. 간단한 suture와 감기약 처방하는 수준이었다. 의외로 중환도 왔는데 바로 전원시키곤 하였다. 첫 주 어느 밤이었다. 50대 남자가 식은땀을 흘리고 구토를 심하게 하면서 내원하였다. 속을 좀 가라앉혀 달라고 하며 안절부절 못하였다. 의학지식과 경험은 없었으나 단순 위장병 환자가 아니라는 것은 분명해 보였다. EKG 찍을 개념도 없었다. 바로 대학병원으로 가라고 하였다. 돈이 없다고 하였다. 2만 원을 차비로 주고 빨리 대학병원 응급실로 보냈다. 며칠 후 형이라는 사람으로부터 병원으로 전화가 왔다. 병원 도착 전에 사망하였다고 하였다. 병원에서 뭔가 잘못한 것은 없는지 알아보는 중이었다. 차비 2만 원 주고 빨리 대학병원 보냈다는 사실로 나에게는 아무 일도 일어나지 않았다. 지금이라면 조용히 넘어가지 않았을 수도 있겠다. 심근경색으로 사망했을 것임을 직감하였다. 지금까지 그 일은 잊히지 않는다. 구토의 많은 원인들 가운데 심근경색은 가장 무서운 원인이다. 심근경색이 광범위하게 일어날 때 구토가 발생한다. 곧 arrest가 생긴다는 뜻이다. 내과의사는 하루하루 교도소 담장을 걷는다는 말이 괜한 말이 아니다.

4) 혈류를 통한 CTZ 직접 자극

- Bacterial toxins, uremia, hypoxia, ketoacidosis는 뇌간의 CTZ을 직접 자극하여 구역과 구토를 일으킨다.
- 임신 1st trimester에 입덧(hyperemesis gravidarum)이 흔한데 호르몬 영향이다.

5) 약제들

- 많은 약제들이 위장을 자극하거나 CTZ을 직접 자극하여 구토를 일으킬 수 있다. 대표적 약제로 항암제, analgesics(특히 opiates), 파킨슨약(dopamine), 항생제, 부정맥약제, 항우울제(serotonin), 금연치료제(varenicline, nicotine), 알코올(ethanol intoxication), 피임약 등이 있다.

2. 치료

탈수가 심하고 경구로 수분섭취를 할 수 없는 경우 입원하여 수액(hydration)이 필요할 수 있다.

1) Motion sickness(멀미) & inner ear disease

Scopolamine (anticholinergics)와 dimenhydrinate, meclizine (antihistamine)이 사용된다.

그림 1-2. 시판 중인 멀미약들

2) Chemotherapy-induced vomiting

5-HT3 antagonists (ondansetron, granisetron)와 NK1 antagonist (aprepitant; Emend®)
가 많이 사용된다.

3) Gastroparesis

Metoclopramide (5-HT4 antagonist + dopaminergic D2 antagonist)가 구역, 구토에 매우
효과적인 약물이지만 anti-dopaminergic side effect에 주의해야 한다. Tardive dyskinesia
(지연성 운동장애, 비가역 손상, 특히 고령)가 발생할 수 있다. 드물지만(0.2%) seizure와 같은
extrapyramidal reaction이 생길 수 있다. 참고로 필자는 전공의 때 환자에게 macperan® IV
직후 seizure & dystonic reaction이 발생하여 매우 놀랐던 기억이 있다. 다행히 잠시 후 회복되
었으나 metoclopramide의 부작용을 몸소 경험하였다. Metoclopramide는 장기간 사용하면
안 된다. Domperidone (peripheral dopaminergic D2 antagonist) 역시 효과적 약물이나 안
전성 문제(cardiac side effect; QTc prolongation)로 미국에서 퇴출되었고, 우리나라에서는 사
용 중이나 주의가 필요하다.

4) Functional or cyclic vomiting

우울/불안증과 관련 있다. Amitriptyline (tricyclic antidepressant, TCA)는 functional (idio-
pathic) N/V, 당뇨 환자에서 도움이 될 수 있다. 기타 항우울제(mirtazapine, olanzapine)가 도
움이 되는 경우도 있다.

5) 기타

Erythromycin IV는 motilin (GI stimuli receptor)를 자극하는데, refractory gastroparesis에 사용해 볼 수 있다. Glucocorticoid는 항암치료 후 delayed vomiting 예방 목적으로 효과적이다(기전은 불분명하나 다른 antiemetics와 병용할 때 booster effect로 작용한다고 생각된다).

Tardive dyskinesia(지연성운동이상증)

D2 antagnoists의 중대한 부작용이다. 혀를 날름거리거나 턱을 반복하여 움직이는 등의 비자발적 운동이상을 보이며, 영구적 장애를 남긴다. 주로 정신과에서 antipsychotics 사용으로 생기는 부작용이나 metoclopramide 사용으로 생길 수 있는 중대한 부작용이다.

QTc prolongation

Cardiac arrest로 이어질 수 있는 중대한 이상이다. 항부정맥약제의 부작용으로 나타날 수 있으나, 그 외 많은 약제들의 부작용으로 나타날 수 있다. 과거 cisapride라는 효과적인 prokinetics가 QTc prlongation으로 퇴출된 바 있다.

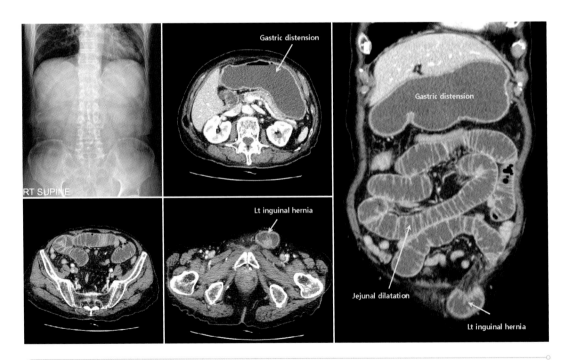

그림 1-3. 장폐색에 의한 구토

84세 남성. 구역과 구토로 내원하였다. Lt inguinal hernia에 의한 proximal jejunal obstruction 때문이었다. KUB에서는 특이소견 없다. CT에서 보인다.

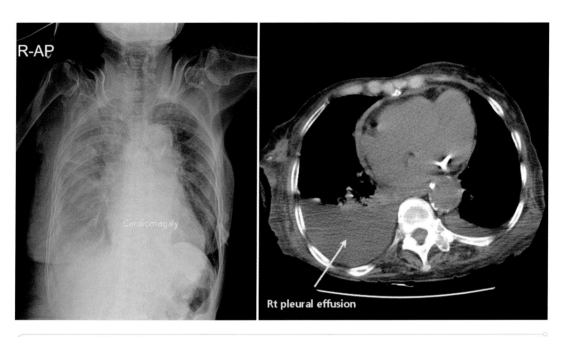

그림 1-4. 심부전 환자에서의 구토

89세 여성. 구토로 내원하였다. Cardiomegaly와 pleural effusion이 발견되었다. 심부전에서 구토가 생길 수 있다.

02

설사
Diarrhea

하루 ~9 L 정도의 액체가 위장관을 통과한다. 이 가운데 ~1 L 정도가 colon에 도달하고, 대부분 흡수되고 0.2 L 정도가 대변으로 배출된다. 설사는 하루 > 200 g/day의 liquid or unformed stools로 정의한다. 환자가 설사로 표현하지만 자세히 문진하면 "변을 소량씩 자주 찔끔찔끔 보고, 변의가 느껴지나 화장실가면 별로 나오지는 않는다"고 하는 경우가 있는데, 이와 같은 경우는 진짜 설사가 아닌 pseudodiarrhea이다. Pseudodiarrhea는 < 200 g/day로 rectal urgency or tenesmus를 설사로 표현한 경우이다. "변을 지린다"고 하는 fecal incontinence는 ano-rectal structural problems인 경우가 많다. Overflow diarrhea는 요양원 거주자에서 fecal impaction 때문에 rectal examination하다가 쏟아지는 경우가 있다. 설사기간에 따라 acute (< 2주), subacute(2-4주), chronic diarrhea (> 4주)로 분류한다.

1. 급성설사

급성설사의 90% 이상은 감염성 원인(infectious diarrhea)으로 구토, 열, 복통을 동반하는 수가 많다. 나머지 10% 이하는 non-infectious causes로 medications, toxin ingestions, ischemia 등이다. Infectious diarrhea는 fecal-oral transmission으로 감염된다. 덜 익은 닭고기 섭취로 *Salmonella, Shigella, Campylobacter* 등이 감염될 수 있다. 항생제 사용 시 *C. dfficile* overgrowth가 일어난다. Uncooked hamburger로부터 *Enterohemorrhagic E. coli* (O157:H7)가 감염될 수 있다. 심한 설사는 small bowel hypersecretion을 의미한다. 음식을 섭취하고 수시간 내에 열은 별로 없으면서 설사와 심한 구토가 생긴다면 이는 preformed bacterial toxins 때문이다. 구토는 별로 없이 심한 복통(cramping or bloating)과 고열이 나면 cytotoxin-producing & invasive microorganisms에 의한 것이다. Preformed toxins에 의한 대

표적 질병이 Staphylococcal food poisoning이다. *S. aureus*는 정상인의 피부와 코에 존재하는데, 면역기능이 정상인 사람에서는 감염증이 일어나지 않는다. 그러나 toxin은 다르다. 씻지 않은 손으로 음식을 조리하면 음식에 *S. aureus*가 증식하여 Staphylococcal toxin을 분비하는데, 고열로 살균하여도 toxin은 없어지지 않는다. Toxin에 오염된 음식을 섭취하면 30분–8시간 사이에 토사곽란(토하고 설사하며 배가 심하게 아픈 증상)이 일어난다. Yersiniosis는 Yersinia enterocolitica에 의한다. 덜 익은 돼지고기를 섭취하거나, 취급자와의 접촉을 통하여 감염된다. 감염 4–7일 후에 증상이 발생하고 1–3주 또는 그 이상 지속할 수 있다. Terminal ileum & proximal colon에 장염을 일으켜 fever & severe RLQ pain으로 appendicitis로 오인되기도 한다. 대부분 항생제 치료 없이 치료가 가능하나 severe or complicated infection에서는 항생제 치료가 필요하다. 장염과 관련하여 systemic manifestations (reactive arthritis, arthritis, urethritis, conjunctivitis)가 동반되기도 한다(*Salmonella, Campylobacter, Shigella, Yersinia*). *Enterohemorrhagic E. coli* (O157:H7), *Shigella*는 hemolytic uremic syndrome과 같은 중대한 합병증을 초래하기도 한다. 감염성 장염 후에 과민성장증후군(post–infectious IBS)이 발생하기도 한다. 50세 이상에서 하복통 + bloody diarrhea를 보이는 경우에는 ischemic colitis를 고려해야 한다. 대부분의 급성설사는 mild and self–limited이므로 증상을 치료하면 된다. 검사와 치료가 필요한 경우는 심한 설사로 인한 탈수, bloody stools, fever > 38.5℃, 최근 항생제 치료받은 경우, 50세 이상에서 심한 복통, > 70세, immunocompromised, new community outbreaks 등이다. 치료는 탈수가 있는 경우 fluid & electrolyte replacement하고, 증상이 비교적 경미(moderately severe nonfebrile nonbloody diarrhea)한 경우 antimotility & antisecretory agents를 사용해 볼 수 있다. Bloody dysentery에서는 증상을 악화시킬 수 있으므로 지사제는 피한다. 심한 경우(moderately to severely ill patients with febrile dysentery)는 항생제 치료를 한다. 균증명과 관계없이 꼭 항생제를 사용해야 하는 경우는 immunocompromised, mechanical heart valve, elderly이다.

2. 만성설사

흔한 원인들은 IBS, IBD (Crohn's disease, UC), malabsorption syndrome (lactose intolerance, chronic pancreatitis), 약제(NSAIDs, antibiotics, antacid), 내분비질환(DM, hyperthyroidism), 만성음주 등이다. Alarm symptoms (bloody diarrhea, fever, dehydration, weight loss or abdominal pain)이 있는 경우에는 기질적 질환을 의심한다. 기본검사로 blood & stool test를 시행할 수 있다. 기질적 원인을 배제하기 위해 colonoscopy 등 내시경검사를

할 수 있다. 특수검사로 breath test (lactose intolerance, small intestinal bacterial overgrowth)를 할 수 있다. 기질적 원인이 없는 경우 가장 흔한 원인은 irritable bowel syndrome (IBS)이며, 감염 후에 IBS가 생기기도 한다(post–infectious IBS). 치료는 원인 치료가 우선이다. Lactose intolerance의 경우 유당섭취를 피하도록 한다.

증례 2-1

54세 남성. 어제 열, 오한, 복통, 설사로 응급실 내원하여 AGE impression으로 입원을 권유받았으나 외래 진료하기로 하고 귀가하였다가 복통이 계속 심하여 소화기내과 외래 방문하였다. 전날 응급실 혈액검사에서 CRP 4.47 mg/dL이었다. 외래 진료 시 급성병색을 보였고, 장음은 증가되었으며 전반적 압통이 심하여 입원을 권유하였다. 입원하여 CT 촬영하였다(그림 2-1).

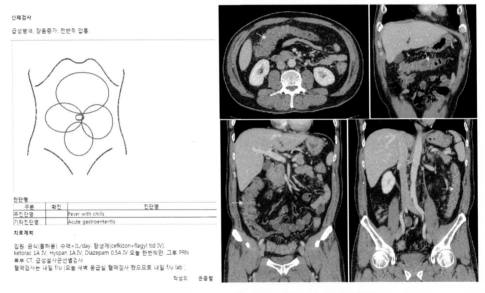

그림 2-1. 외래기록지와 CT. 전 대장에 걸쳐 부종이 심한 severe pancolitis 소견이다.

수액과 항생제 등 보존 치료하여 증상과 혈액검사 결과가 호전되어 3일째 퇴원하였다. 외래 방문 시 증상 거의 소실된 상태였고 CRP 정상으로 치료 종결하였다. 입원 중 시행한 급성설사균선별검사에서 *Campylobacter*가 검출되었다.

외부의뢰 -Stool	급성설사균 선별검사(PCR)	
외부의뢰 -Stool	_Salmonella spp.	Negative
외부의뢰 -Stool	_Shigella spp.	Negative
외부의뢰 -Stool	_E. coli O157:H7	Negative
외부의뢰 -Stool	_VTEC	Negative
외부의뢰 -Stool	_Campylobacter spp.	Positive
외부의뢰 -Stool	_Vibrio spp.	Negative
외부의뢰 -Stool	_Aeromonas spp.	Negative
외부의뢰 -Stool	_Clostridium perfringens	Negative
외부의뢰 -Stool	_Sapovirus	Negative
외부의뢰 -Stool	_Astrovirus	Negative
외부의뢰 -Stool	_Adenovirus	Negative
외부의뢰 -Stool	_Rotavirus	Negative
외부의뢰 -Stool	_Norovirus GII	Negative
외부의뢰 -Stool	_Norovirus GI	Negative
외부의뢰 -Stool	급성 설사바이러스 선별검사	
외부의뢰 -Stool	_Yersinia enterocolitica	Negative
외부의뢰 -Stool	_Clostridium difficile tox	Negative

그림 2-2. 급성설사균선별검사

증례 2-2

32세 여성. 2일간의 복통, 설사, 열(38.5℃)로 응급실 통해 입원하였다. CT에서 pancolitis 소견을 보였고, CRP 14.06 mg/dL이었다. 입원하여 수액, 항생제(triaxone 2 g qd IV + metronidazole 500 mg tid IV) 치료하였다. 증상이 호전되어 3일째 퇴원하였다 퇴원 후 대체로 괜찮고 잘 지냈다고 하여 치료 종결하였다. 입원 중 급성설사균선별검사에서 *Campylobacter*가 검출되었다.

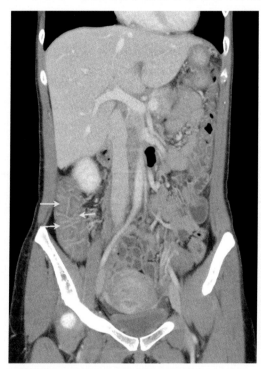

그림 2-3. CT에서 우측 대장에 부종이 심하다. 이 환자도 전 대장에 심한 부종을 보이는 pancolitis 소견을 보였다.

캄필로박터 장염

캄필로박터 장염은 대부분 *C. jejuni*에 의한다. 주로 덜 익은 닭고기나 돼지고기 섭취를 통해 발생한다. 잠복기는 3일 정도이고(1-7일), 복통과 설사를 시작으로 고열, 오한, 전신근육통이 심하다. 때로는 혈변을 동반하기도 한다(15%).

UpToDate, Harrison

증례 2-3

58세 남성. 유통기한이 지난 샌드위치를 먹은 다음날 새벽 복통, 구토, 설사가 지속되어 응급실 통해 입원하였다. WBC 19.5K, K 3.1 mg/dL, CRP 21.62 mg/dL였다. CT에서 enterocolitis 소견이었다(그림 2-4). Fluid hydration하고 전해질 교정하며 항생제 치료(ceftriaxone 2 g qd IV + metronidazole 500 mg tid IV) 시작하였다. 입원 3일째 열이 완전히 내리고 복통이 호전되었다. 급성설사균선별검사에서 *Salmonella spp.* 검출되었다.

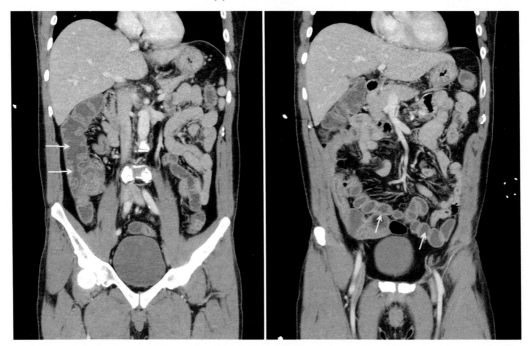

그림 2-4. 소장과 대장 내에 액체가 고여 있고 벽이 두꺼워 enterocolitis 소견이다.

Nontyphoidal salmonellosis

Nontyphoidal salmonellosis (NTS)는 *S. typhi*와 *S. paratyphi* 이외의 살모넬라 감염증을 말한다. 이 둘은 human reservoir(인간을 숙주로 함)인데 반해, NTS는 오염된 물과 음식(달걀, 조류, 덜 조리된 고기, 유제품)을 섭취하여 생기는 감염병이다. 대표적으로 gastroenteritis를 일으킨다. 섭취 6-48시간 사이에 구역, 구토, 설사가 생기고, 복통, 고열(38-39℃)이 동반된다. 탈수에 대하여 수액 등의 보존치료로 자연 회복되므로 일반적으로 항생제 치료는 권고되지 않는다. 그러나 신생아(< 3개월), 고령(> 50세), 면역억제자, 심장판막이상자, systemic joint disease에서는 항생제 치료를 고려한다. 항생제는 3세대 cephalosporin or fluoroquinolone을 선택한다.

03

변비
Constipation

변비는 소화기 대표 증상이다. 배변 횟수 등 객관적으로 정의하기 어려우며, 과도한 힘주기(excessive straining), 단단한 변(hard stools), 아랫배 팽만감(lower abdominal fullness) 또는 불완전 배출감(a sense of incomplete evacuation)과 같은 주관적 증상이다. 섬유질과 수분 섭취부족, colon transit or anorectal 기능이상, 약제, 고령, systemic disease 등이 원인이다. 최근 발생한 변비라면 colon obstruction, anal sphincter spasm(예: painful hemorrhoids, anal fissure), 약제 등을 의심하고, 만성변비라면 IBS, medications (antidepressants, Ca^{2+} blockers), colonic pseudoobstruction (slow-transit constipation), psychiatric (depression), 내분비(hypothyroidism, hypercalcemia, pregnancy), 신경과질환(Parkinsonism) 등의 원인을 찾아본다. 약물 치료로는 bulky, osmotic, prokinetic, secretory agents 등이 있다. Stimulant laxatives (fiber, psyllium, milk of magnesia, lactulose, PEG), lubiprostone, linaclotide, bisacodyl, prucalopride (5-HT4 agonist)가 있다. Pelvic floor dysfunction의 경우 biofeedback training(성공률 70-80%)을 할 수 있다. 3-6개월 치료 실패 시 laparoscopic colectomy가 필요할 수 있다.

증례 3-1

63세 남성. 당뇨, 고혈압, Parkinsonism 등으로 요양원에 거주하였다. 잦은 흡인성 폐렴으로 입원을 반복하였다. 열과 혈압저하로 호흡기내과 입원하였고 입원 중 배변하지 못하였다.

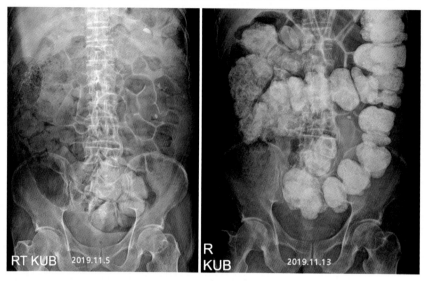

그림 3-1. Swallowing test 때 사용한 조영제가 8일째에도 그대로 대장에 남아 있다. Slow-transit constipation 으로 볼 수 있다.

Magmil® 2T tid, prucalopride 2 mg qd 사용하고 바로 설사를 하여, 이후 magmil만 PRN으로 전환하고 호전되었다. 이후 허리통증과 복부팽만으로 소화기내과 입원하였다.

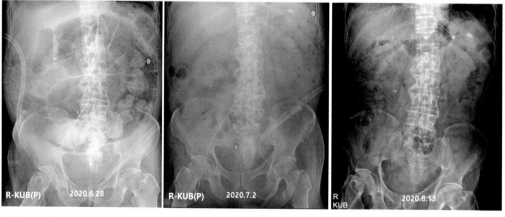

그림 3-2. 대장의 팽창과 변이 많이 차 있는데, magmil 2T tid 사용하고 설사를 하면서 배변이 쉽게 이루어지고 사진도 호전되었다. 이후 마그밀로 PRN 사용하면서 조절되었다. 이 환자는 변비는 쉽게 조절되었으나 여전히 폐렴으로 반복 입원치료하였다.

해설 신경과(파킨슨병), 정신과(우울증), 고령에서 변비는 흔한 문제이다.

04

복통
Abdominal pain

과거부터 'acute or surgical abdomen'이라는 표현을 써 왔는데 이는 잘못된 느낌을 줄 수 있다. 환자가 심한 복통을 호소하여도 수술이 필요 없는 경우가 많고, 증상이 경미하여도 urgent op가 필요한 신호일 수 있다. 대부분 복통은 self-limited 경과를 보이고 symptom severity와 disease severity가 비례하거나 일치하지 않는다.

1. 원인

1) Parietal peritoneum의 염증성 자극
자극되는 복막 위치에 지속적인 통증을 일으킨다. 누르면 압통을 호소하고, 자세변화 또는 기침, 재채기로 심한 통증이 유발되므로 움직이지 않고 가만히 누워 있으려고 한다. 자극물질의 종류와 양에 따라 통증 정도가 다르다. 예를 들어 gastric juice는 contaminated feces보다, pancreatic juice는 bile보다 통증이 심하다. Blood는 mild irritant이다.

2) Hollow viscera obstruction
Small bowel obstruction 때는 복막 자극과 달리 위치가 잘 특정되지 않고, periumbilical or supraumbilical area에 intermittent or colicky pain을 일으킨다. Biliary trees의 sudden distension 때는 colicky pain보다는 점점 심해지는 steady pain이다. 그러므로 biliary colic이란 표현은 사실 적절하지 않다. Acute GB distension 때는 RUQ pain과 함께 우측 어깨로 방사되기도 하고, CBD distension 때는 epigastric pain과 함께 upper lumbar로 방사될 수 있다.

3) Vascular

SMA embolism or thrombosis, impending rupture of AAA 때 diffuse and severe pain을 일으킨다.

4) Abdominal wall

Rectus sheath hematoma와 같은 복벽이상에서 지속적인 통증을 일으킨다.

5) Referred pain

Myocardial or pul. infarction, pneumonia, pericarditis, esophageal diseases 등의 thorax 이상이 복부 쪽으로 통증이 방사될 수 있다. 압박골절과 같은 spine 질환에서 신경자극으로 복부 쪽으로 통증이 방사될 수도 있다. Testis 또는 seminal vesicle 같은 genitalia로부터도 방사될 수 있다.

6) Metabolic abdominal crises

HyperTG는 pancreatitis를 일으킬 수 있다. C1 esterase deficiency (angioneurotic edema)와 porphyria도 복통을 일으킬 수 있다. Surgical abdomen으로 오인하여 불필요한 수술을 하게 될 수도 있으므로 복통 환자에서 대사이상을 고려해야 한다. DKA는 acute appendicitis or intestinal obstruction으로 촉발될 수 있으므로 DKA 환자에서는 이를 확인해야 한다.

7) Immunocompromise

Splenic abscess (LUQ or Lt flank pain) 시 candida or salmonella infection을 고려한다. AIDS 환자에서 CMV infection으로 acalculous cholecystitis가 생기기도 한다. CTx 후 BM suppression으로 neutropenic enterocolitis가 생길 수 있다.

8) Neurogenic

Spinal nerve 자극 시 lancinating pain을 일으킨다. 대표적으로 Herpes–Zoster가 있다. 당뇨, 매독과 같이 신경침범 시에 통증을 일으킨다.

증례 4-1

50세 여성. 5일 전부터 걸을 때마다 왼쪽 아랫배가 당기고 아파 소화기내과 외래 방문하였다. 통증 강도는 6/10 정도로 심한 편으로, 지속적이며 점차 심해진다고 하였다. 이런 통증이 처음이며, 식사 여부와 관련없이 아프고 배변은 잘 한다고 하였다. 진찰상 복부는 부드럽고 장음은 정상적이나 좌하복부에 압통이 매우 심하였다. 게실염을 먼저 의심하고 4일분의 약(Apex® 1T bid, Paramacet® 1T bid, Suprax® 1 c bid, Eswonamp® 40 mg qd) 처방과 함께 CT와 혈액검사를 시행하였다. 4일 후 외래에서 결과를 보았는데, 혈액검사는 이상이 없었고, CT상 주렁염(epiploic appendagitis)로 진단되었으며(그림 4-1), 통증이 완전 소실된 상태로 진료 종결하였다.

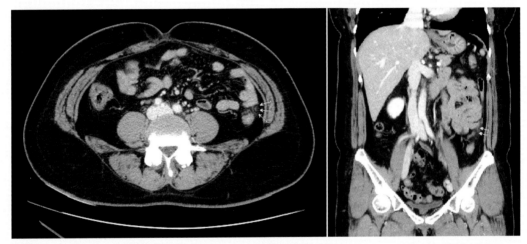

그림 4-1. About 1.5 cm sized ovoid shaped fat density lesion with peripheral rim and perilesional infiltration abutting to descending colon consistent with epiploic appendagitis.

Epiploic appendagitis

Epiploic appendagitis는 colon & rectum 표면을 따라 있는 지방조직의 염증으로, torsion 또는 venous thrombosis로 급성염증이 생겨 통증이 유발하는 것으로 알려져 있다. 위치에 따라 급성충수염, 게실염, 담낭염으로 오인될 수 있다. CT로 우연히 진단되는 수가 많고 self-limiting disease이다. 소염제로 치료하며 수술이 필요한 경우는 매우 드물다.

증례 4-2

48세 여성. 내원 당일 새벽 심한 명치통증으로 응급실 통해 입원하였다. 응급실에서 촬영한 CT에서 심한 위 부종 소견을 보여 gastric ulcer 의심하에 소화기내과로 입원하였다. 전날 회를 먹었다고 하였다. 입원 후 내시경을 시행하였다. 전반적으로 위 부종이 심한 상태였고, 고래회충을 의심하고 부종 사이사이를 찾은 결과 고래회충을 발견하고 내시경으로 제거하였다(그림 4-2). 내시경 제거 후 점심식사하고 통증 사라져 오후에 퇴원하였다.

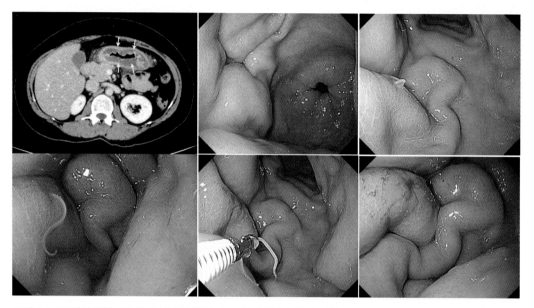

그림 4-2. CT에서 위벽 부종이 심하다(화살표). EGD에서 위벽 부종이 심하고, anisakis가 점막에 박혀 있다. Biopsy forcep으로 제거하였다.

고래회충증

고래회충증(gastric anisakiasis)은 내시경의사가 드물지 않게 접하는 질환이다. 고래를 숙주로 하고 다양한 회에 기생한다. 회를 먹은 후 발생한 심한 명치통증인 경우 고래회충증을 의심하고 내시경을 하는데, 내시경 시 주의점은 크기가 작아 놓칠 수 있으므로 부종과 발적 부분을 자세히 살펴보아야 한다. 구충제는 의미 없고 내시경 제거가 치료이다.

동일한 환자 외래에서 시행한 혈액검사에서 eosinophilia (eosinophil 21.2%)가 발견되었다. 3개월간 추적관찰에서 15% 정도로 감소하다가 다시 18%로 증가되어 기생충 관련 항체검사를 시행하였는데, Toxocara Ab 양성이었다. 알벤다졸 400 mg bid × 5 days(약국에서 자가구입하여 복용토록 안내함) 처방하였다. 3개월 후 eosinophil 20%로 지속 증가되어 있었고 약은 잘 복용하였다고 하였다. 1년 후 eosinophil 4.7%로 정상화되었다.

Eosinophilia

Eosinophilia의 가장 흔한 원인은 기생충과 알레르기다. 기생충 질환을 꼭 의심해보아야 한다. Toxocariasis(개회충)이 흔하다. 알벤다졸 치료 후 호산구 수치로 추적검사하는데 1년 여에 걸쳐 서서히 떨어지는 것으로 되어 있다(평균 12.3±11.5개월, median 6.4개월).

호산구증가증으로 내원한 환자에서 개회충증이 가지는 임상적 의미. Korean J Asthma Alllergy Clini Immunol 2005;25:299-304.

증례 4-3

49세 남성. 3일간의 우하복부 통증으로 내원하였다. 진찰상 압통이 심하였다. Apex® 1T bid, suprax® 1 c bid, Flasinyl® 2T bid 하루분을 처방하고 CT와 lab 시행 후 다음날 결과를 확인하였다(그림 4-3). CT에서 A-colon에 여러 개의 게실과 게실염 및 주변으로의 염증 침윤이 심하였고, 여전히 복통과 압통이 심하여 입원치료하였다. 3일간의 항생제(triaxone 2 g qd IV + metronidazole 500 mg tid IV) 사용 후 통증이 완화되어 경구항생제로 전환하고 퇴원하였다.

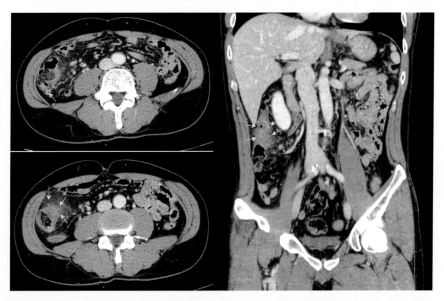

그림 4-3. 게실과 주변부 염증침윤(화살표)이 보인다.

게실염

게실염은 복통으로 내원하는 환자에서 흔히 접하는 질환이다. A-colon과 S-colon에 흔하다. 우하복부 통증인 경우 acute appendicitis와 감별이 필요하다. 흔히 항생제 치료로 빠르게 좋아진다.

증례 4-4

42세 여성. 회를 먹은 후 쥐어짜는 듯한 통증으로 응급실 내원하였다. CT 촬영(2018.4.29. 18:29)하고 소화기내과로 입원하였다(그림 4-4). CRP 0.01, WBC 8.1K 등 혈액검사에서 특이사항은 없었다.

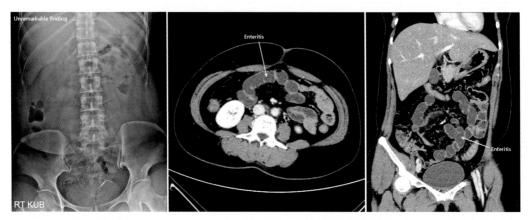

그림 4-4. KUB에서 약간의 소장 가스가 보이나 비특이적이다. 골반에 피임기구(루프)가 보인다. CT에서 소장이 소시지 모양으로 늘어나 있고, 소장벽의 조영증강과 내강에 액체가 고인 enteritis 소견이다.

Anisakiasis 가능성 생각하고 다음날 오후 EGD 시행하였는데, 전반적인 발적 소견을 보이나 고래회충은 발견되지 않았다. L-tube 위치를 antrum으로 조정한 후 내시경을 종료하였다(그림 4-5).

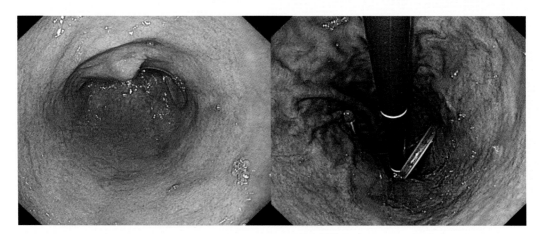

그림 4-5. 담즙에 착색되고 전반적 발적을 보이는 비특이적 소견을 보인다.

Pethidine으로 조절되지 않는 극심한 통증이 지속되었다. 5월 1일 8AM경 회진 시 환자는 급성 병색을 보이고, 복부팽만 매우 심하며 fluid wave도 느껴졌다. 응급으로 CT follow-up하였다 (10:47AM)(그림 4-6). 외과 연락하여 응급수술이 결정되었다. 수술 시 mesenteric torsion으로 진단되었다.

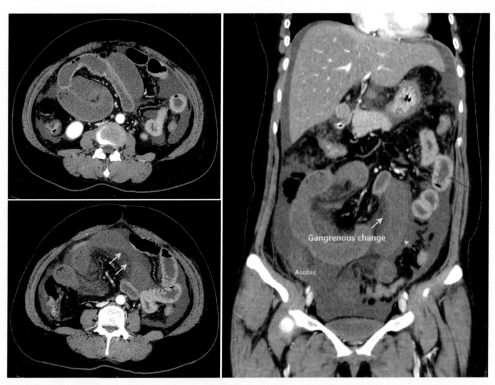

그림 4-6. 복수가 생겼다. 소장이 소시지처럼 심하게 부풀었는데, ileum에는 조영증강되지 않아 gangrenous change를 보이고 있다(노란색 화살표). 빨간 화살표의 조영되는 부분은 혈류가 통한다는 의미이고, 노란 화살표의 조영증강되지 않는 부분은 gangrenous change가 생긴 것이다.

해설　Anisakiasis로 생각하고 내시경을 하였는데 발견되지 않아 당황하였다. 내과의로서 원인진단을 하지 못했을 때 무척 난감하다. 내시경 후 일시적으로 증상이 완화되는 듯 하였으나 pethidine 반복 투여에도 통증이 계속 심하여 매우 긴장하였다. 다음날 아침 회진 시 환자의 복강내 심각한 문제가 발생하였을 것으로 판단하였다. 이틀 전 CT를 촬영하였음에도 즉시 CT follow-up하였다. 외과의가 즉시 봐주었고, 빠른 판단으로 응급수술을 시행하여 회복되었다. 조금만 늦었으면 환자가 사망으로 이어지게 되는 불행한 사태를 맞이했을 것이다. 환자의 생명이 좌우되는 아찔한 순간을 경험하였다.

Mesenteric torsion

Mesenteric torsion은 mesentery twisting으로 bowel obstruction을 야기하여 strangulation, gangrene을 초래하는 surgical emergency이다. 동물들에서의 torsion은 많이 검색되는데 사람에서의 보고는 잘 찾기 어렵다. Risk factors로는 birth defect, abdominal adhesion, pregnancy, Hirschsprung disease 등이 있다고 한다. 이 환자는 mesenteric root가 나오는 입구에 hernia가 관찰되었다고 하는데, 이 공간에서 twisting이 일어난 것 같다고 외과의가 설명하였다.

42세 남성. 통풍 병력이 있는 환자로 2일간의 오한과 복통으로 응급실 통해 입원하였다. CT에서 SMA와 SMV 주변부 지방층을 따라 침윤을 보이는 mesenteric panniculitis 소견을 보였다. CRP 27.76, WBC 12.1K였다. 항생제(ceftriaxone 1 g qd, metronidazole 500 mg tid IV), 소염제 (apex® 1T bid), prednisolone 10 mg qd 사용하였다. 치료를 시작하면서 통증이 완화되었으며, CRP 24.46 → 2.5로 감소하고 WBC 12.1K → 10.9K → 6.4K로 감소하였다. 외래에서 시행한 혈액 검사에서 CRP 0.02로 정상화되었고 통증이 소실되었다. Follow-up CT에서 염증 침윤 소견이 소실되었다(그림 4-7).

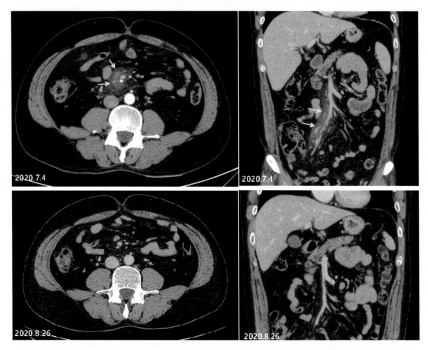

그림 4-7. Mesenteric root 주변으로 염증성 침윤이 관찰된다. Mesenteric panniculitis 소견이다. 6주 후 소실되었다.

장간막 지방층염

장간막 지방층염은 mesenteric adipose tissue의 염증성 질환으로 일반적으로 unknown etiology이나 다양한 질환들(cancer, abdominal trauma, surgery, autoimmune disease, obesity)과 관련성이 보고된다. 보통 CT나 MRI로 진단한다. 통상의 혈액검사는 이상 없고, ESR 또는 CRP가 증가될 수 있다. 이때 치료반응을 보는 데 참고할 수 있다. 무증상인 경우는 치료 없이 경과를 볼 수 있다. 증상이 있는 경우 증상치료를 한다. NSAIDs ± antibiotics를 사용할 수 있다. Prednisolone이나 면역억제제를 사용하기도 한다.

Clinical and radiological features of mesenteric panniculitis: a critical overview. Acta Biomed 2019;90(4):411-22.

증례 4-6

76세 여성. 3일 전 갑자기 발생한 심한 명치통증으로 응급실 통해 입원하였다. 응급실에서 촬영한 CT에서 심한 위 부종이 관찰되었다. 최근 타병원에서 EGD 시행한 것 외에는 특이사항 없었다. 환자는 골다공증 외 기저질환은 없었다. 통증 발생 3일 전 타병원에서 위내시경을 받았는데 궤양이 있다고 들었다고 하였다. 입원 다음날 EGD 시행하였는데 AGML 소견이 관찰되었다(그림 4-8). Eswonamp® 40 mg bid, Algigen® 1 p qid 처방하였다. 입원 3일째 퇴원하였고, 1주일 후 외래 진료 시 통증 완화된 상태였다. CLO 양성이었으나 고령으로 치료의 이득이 없을 것으로 생각하여 제균치료를 권하지 않았다. Esomeprazole 40 mg qd, Rebamipide 1T tid 한달분을 처방하고 진료 종결하였다. 대부분의 AGML은 잘 치유되므로 별도의 추적 내시경은 시행하지 않았다.

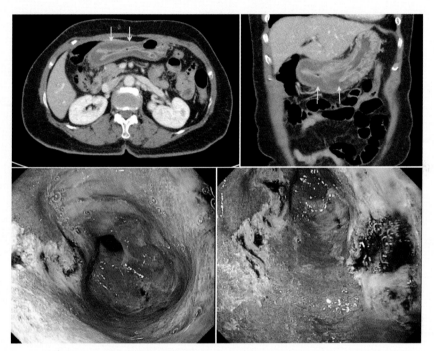

그림 4-8. CT에서 위벽의 심한 부종이 관찰된다(화살표). 내시경에서 antrum에 크기가 다양한 급성 위궤양이 관찰된다. 궤양저부에는 출혈(black spot)도 보인다. 전형적 AGML (acute gastric mucosal lesion) 소견이다.

급성위점막병변

급성위점막병변은 위벽에 궤양과 미란, 출혈이 동시에 나타나는 급성 병변이다. 심한 복통과 구토, 또는 토혈/흑색변과 같은 출혈로 내원한 환자에서 내시경으로 진단된다. 발적, 부종, 궤양, 출혈과 같은 내시경 소견을 보인다. 심한 정신적 또는 신체적 스트레스, 약제(NSAIDs 등), 음주, 장기부전 등이 원인이 된다. EGD 후에 약 0.8%의 빈도로, 검사일로부터 3–10일 후에 발생한다고 알려져 있다. CT에서는 위벽이 광범위하게 균질한 저음영의 비후 소견으로 보이는 경우가 많다. 대부분 금식과 경정맥영양공급, H2 blocker나 PPI 등 보존치료를 통해 회복된다.

Gastroenterol Endosc 1985;28(4):717-22.

증례 4-7

26세 남성. 직전 발생한 극심한 상복부 통증으로 응급실 내원하였다. 응급실 혈액검사에서 amylase 252 U/L, lipase 340 U/L, AST/ALT/GGT 17/18/56 U/L, TG 1,070 mg/dL, CRP 14.87 mg/dL였다. CT에서 심한 지방간 소견과 췌장 두부와 체부 주변으로 심한 염증성 침윤이 관찰되었다. 초기 massive hydration과 pethidine으로 pain control 및 fibrate (Lipidil®)를 사용하였다. 뚜렷한 감염의 증거는 없으나 항생제도 사용하였다. 입원 6일째 퇴원하였다.

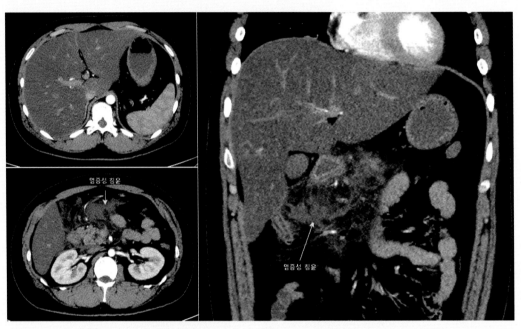

그림 4-9. 간이 시커멓다. 심한 지방간 소견이다. 만성음주자임을 추정할 수 있다. 췌장주변 및 복강으로 염증성 침윤이 심하다. 염증성 침윤으로 심한 복통과 압통을 호소하게 된다.

급성췌장염

급성췌장염의 3대 원인은 알코올, 담석, 고중성지방혈증이다. 이 환자는 alcohol + hyperTG가 원인으로 생각된다. 중증 췌장염에서는 massive hydration + pain control이 치료의 기본이다. Normal saline or Lactated Ringer's solution을 사용한다. 20 cc/kg(약 1 L) bolus hydration하고 이후 200-250 cc/h(대략 4-6 L/day) 사용하여 소변량이 유지되도록 관찰한다. BUN을 수액의 적정량을 보는 지표로 한다. BUN이 감소하면 hydration이 적절하다는 의미이고, BUN이 증가하면 hydration이 부적절하다는 의미일 뿐만 아니라, in-hospital mortality가 증가하는 예후지표이다. TG > 1,000 mg/dL는 췌장염의 high-risk이다. hyperTG에 대하여는 lipid-lowering agent를 사용한다.

증례 4-8

48세 여성. 4일간의 우하복부 통증과 가스 참, 구토로 응급실 내원하였다. 39.4℃의 고열이 동반되었다. CT상 ileus 소견이 동반되어 소화기내과로 입원하였다(그림 4-10).

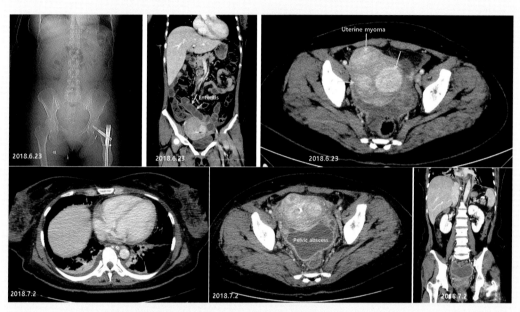

그림 4-10. Small bowel 내 액체가 고여 있고 wall enhancement를 보이는 enteritis 소견을 보인다. 자궁에는 여러 개의 크고 자궁근종(uterine myoma)이 관찰된다. 자궁 뒤쪽으로 액체가 저류된 abscess 소견 보이는데 pelvic abscess 소견이다(빨간색 화살표). Small bowel ileus는 골반염증에 의한 2차 변화로 생각된다. 9일간 항생제 치료 후 follow-up CT에서 pelvic abscess 크기가 커졌고 폐와 간표면으로 염증이 번져 있다(2018.7.2.).

항생제 치료하였다. Follow-up CT에서 악화된 것처럼 보이나 임상적으로는 많이 호전되었다. 산부인과 협진 시 영상의학과 협진하여 drainage하자고 하였으나, 환자 상태 매우 호전된 상태이므로 배액 시행치 않고 항생제 계속 사용하기로 하였다. Suprax® 변경 후 퇴원하였다(2018.7.3.). 외래에서 시행한 follow-up CT에서 abscess 매우 호전되고 폐로 번진 염증성 침윤도 소실되었다(2018.8.10.).

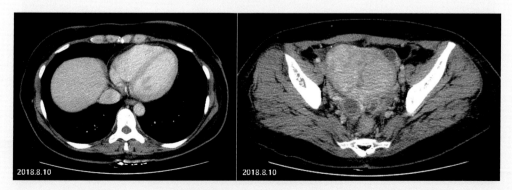

그림 4-11. 1개월 후 follow-up CT. 항생제 치료로 abscess 매우 호전되고 폐로 번진 염증성 침윤도 소실되었다(2018.8.10.).

<table>
<thead>
<tr><th>Lab 요약</th><th></th><th></th><th></th><th></th><th></th><th></th><th></th><th></th></tr>
</thead>
</table>

	6/23	6/25	6/26	6/28	7/2	7/6	7/20	8/10
WBC	11.7	23	15.4	11.5	10.5	13.5	6.1	–
CRP	14.4	40.6	29.4	13.4	2.7	1.6	0.03	0.01

외래에서 산부인과 협진하여 시행한 vaginal discharge culture에서 *Mycoplasma hominis*, *Candida albicans*, *Ureaplasma*, *Gardnella vaginalis* 검출되었다.

Pelvic inflammatory disease (PID)

기본적으로 STD이다. 산부인과 질환이지만 복통으로 소화기내과로 내원하는 경우가 많다. Harrison에는 PID regimen으로 ① 외래환자에서 triaxone 250 mg IM qd + Doxycycline 100 mg bid + metronidazole 500 mg bid (14일), ② 입원환자에서 주사제로는 i) cefotetan 2 g IV bid (or cefoxitin 2 g IV qid) + doxycycline 100 mg qd IV or bid PO 또는 ii) clindamycin 900 mg tid IV + Gentamicin (2 mg/kg IV or IM loading 후 1.5 mg/kg tid), ③ pelvic abscess 생긴 경우 posterior colpotomy로 drainage를 시행할 수 있다. 이 환자에서는 항생제만 사용하였다.

이 환자에서는 간피막 주변의 조영증강이 약간 되고 있어 Fitz–Hugh–Curtis syndrome도 동반된 것으로 생각되었다(그림 4–12).

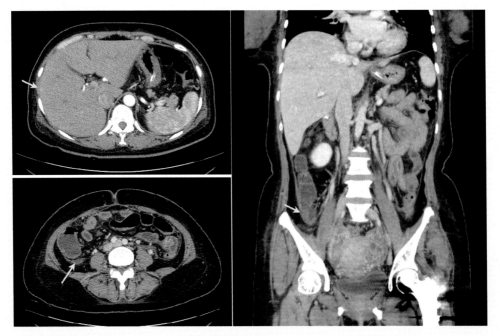

그림 4–12. 간피막에 약간 조영증강이 보이는데 Fitz–Hugh–Curtis syndrome 소견이다. Parietal peritoneum의 wall thickening도 관찰된다.

Fitz‑Hugh‑Curtis syndrome (perihepatitis)

젊은 여성에서 PID로 발생하는 심한 우상복부 통증을 특징으로 한다. PID 환자의 3‑10%에서 발생하고 pleuritic RUQ pain이 심하여 cholecystitis로 오인되기도 한다. 골반의 염증이 visceral & parietal peritoneum 사이에 exudate with fibrinous adhesions을 일으키면서 염증이 번져 올라가 간 피막에 염증을 일으킨다. 예전에는 gonococcal salpingitis가 가장 흔한 원인으로 생각되었으나 현재 대부분의 원인은 Chlamydial salpingitis (C. trachomatis)이다. 간기능 및 초음파는 정상소견을 보인다. PID에 대한 항생제 치료로 흔히 좋아진다. Refractory pain에서는 laparoscopy로 fibrinous adhesion에 대한 lysis가 필요할 수 있다.

증례 4-9

73세 여성. 어젯밤 심한 우상복부 통증으로 내원하였다. 4일 전 조수석에 타고 가던 중 차량이 파손되는 교통사고를 당하여 동네 정형외과에 입원하였다. 입원 중에도 통증은 있었으나 전날 밤부터는 통증이 극심하여 담낭염/담관염 의심하에 전원 의뢰되었다. 고혈압으로 약을 복용하고 있었다. 진찰상 상복부에 간이 촉지되었고 압통이 있었다. 입원하여 즉시 시행한 CT에서 심한 지방간에 의한 간비대가 있었고, 담낭과 담도계는 특별한 이상이 발견되지 않았다(그림 4-13). AST/ALT/GGT 64/77/70 U/L, Glu 240 mg/dL였다. BMI 28 (151.2 cm, 64.2 kg), HbA1c 9%였다. 환자는 당뇨 병력이 없었는데 이번에 진단되었다.

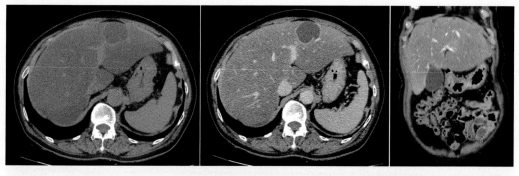

그림 4-13. 간 내 지방침착이 심하여 조영 전 사진에서 비장보다도 어둡게 보이고 주변 문맥혈관들이 잘 보인다. 중등도 이상의 지방간이다. 간 비대도 있고 간좌엽에는 simple cyst도 보인다. 내부 장기손상은 없다.

해설 처음에는 교통사고로 인한 장기 손상을 걱정하였다. 그런데 CT를 보니 지방간이 매우 심하였다. 단순 타박상에 의한 통증이었을 수도 있으나 심한 지방간에 의한 간비대 통증의 가능성을 생각하였다. 지방간의 흔한 원인은 비만, 당뇨, 고지혈증이며, 이 환자는 이번에 당뇨가 진단되었다. 비만과 당뇨에 의한 지방간으로 진단하였다. 지방간은 일반적으로 통증이 없으나, 급성지방간으로 간비대가 생기면 Glisson's sheath를 팽창시켜 통증을 일으킬 수 있다.

증례 4-10

79세 여성. 3일 전부터 아랫배와 좌측복통 심하여 내원하였다. 가라앉지 않고 통증 매우 심하였다.
방귀가 나오지 않는다고 하였다. 급성병색이었고 진찰상 몸이 뜨거웠다(37.9℃). 전반적 압통이 있
었는데 특히 좌하복부가 심하였다. 입원하여 CT와 혈액검사, 소변검사를 시행하였다(그림 4-14).

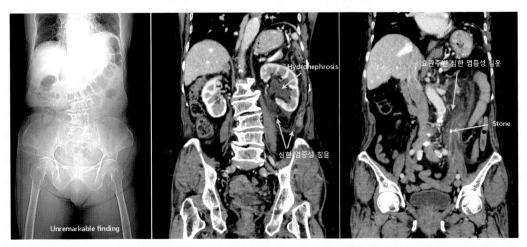

그림 4-14. 단순사진에서는 특이소견 없고, CT에서 Lt ureteral stone with hydronephrosis와 요관 주변에 심한
염증침윤이 관찰된다.

비뇨기과로 전과되었다. Lt PCN 시행하고, ESWL #1 시행하였다. Follow-up CT에서 Lt UVJ로 내
려가고 수신증이 호전되어 Lt PCN 제거 후 퇴원하였다. 2020.9.7. f/u CT에서 요로결석은 소실되
었다(그림 4-15).

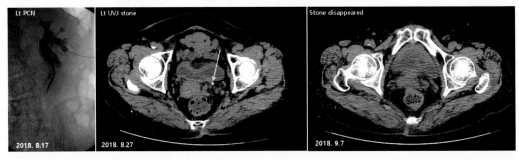

그림 4-15. Lt PCN 시행하였다. ESWL 시행 후 follow-up CT에서 Lt UVJ에 작은 돌이 걸려 있다. 이 돌은 자연배출
되고 follow-up CT에서 보이지 않는다.

해설 요로결석은 극심한 복통의 대표적 원인이다.

31세 남성. 2일간 기침과 열로 응급실 통해 불명열로 입원하였다. 응급실에서 촬영한 chest CT에서 이상 없었고, abdomen CT에서 mesenteric lymphadenitis 소견을 보였다(그림 4-16). WBC 13.9K, CRP 12.97 mg/dL였다. 사진 결과 본 후 회진 시 진찰을 하였는데 RLQ tenderness 저명하였다. 항생제 사용하고 호전되어 퇴원하였다.

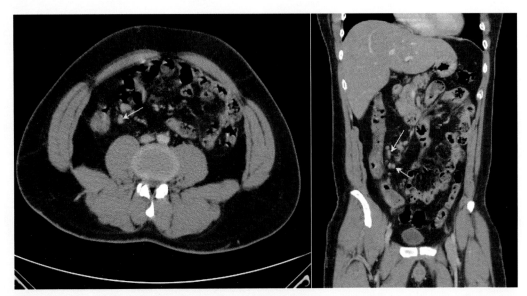

그림 4-16. RLQ에 다발 림프절 비대 소견이 보인다. 대표적 원인질환은 mesenteric lymphadenitis이다.

해설 이 환자는 발열로 내원하여 검사 중 mesenteric lymphadenitis로 진단되었다. 보통 RLQ pain & fever로 내원하게 된다.

Mesenteric lymphadenitis

Mesenteric lymphadenitis는 RLQ pain & tenderness, fever, LN enlargement를 특징으로 한다. 가장 흔한 원인은 바이러스 감염이다(viral gastroenteritis). 그 외 bacterial infection (Salmonella, Staphylococus, Yersinia enterocolitica), IBD, lymphoma 등이 원인이다. RLQ pain & tenderness를 일으키므로 appendicitis와 감별이 필요하다. Yersinia enterocolitis에 의한 mesenteric lymphadenitis는 children에서 가장 흔하다. 진단은 CT에서 LN enlargement로 한다. 혈액검사와 대변 검사를 통하여 감염 원인을 찾아볼 수 있다. 증상이 경미한 경우 대증치료하고 경과를 볼 수 있으나, moderate to severe bacterial infection인 경우는 항생제 치료를 한다.

57세 남성. 내원 전날 시작된 심한 우하복부 통증으로 타병원 진료 후 충수염 의심하에 본원 응급실로 전원되었다. CT와 혈액검사 시행하였다. CRP 2.84 mg/dL, WBC 12.5K였다(그림 4-17).

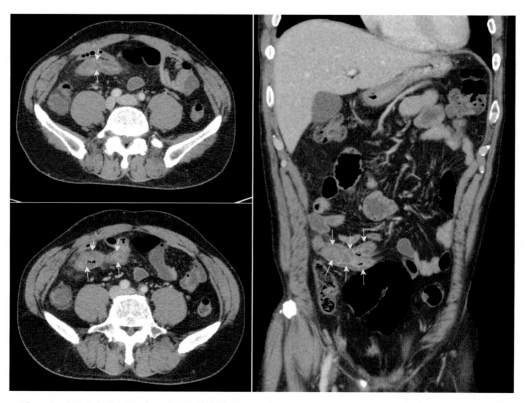

그림 4-17. 배꼽 우측에 놓여 있는 아래쪽 회장벽 약 7 cm가 매우 두껍고 점막하 부종이 심하며 소장 주위에 침윤이 보인다. 또한, 그 소장에 2 cm의 게실이 붙어 있고 그 주위로 1 cm 정도 두꺼운 염증 침윤이 보인다. 이러한 두 가지 소견은 소장염과 게실염 소견이다. 게실은 메켈게실 가능성이 많다.

메켈게실

메켈게실은 소장 끝부분이 바깥으로 돌출(outpouching)된 것으로 주로 선천적으로 생기는 경우가 많다. 인구의 2% 정도에서 발생한다고 하는데 증상을 일으키는 경우는 매우 드물어 대부분 평생 모른 채로 지내는 경우가 많다. 위, 췌장세포를 포함할 수 있으므로 위산 분비로 인한 궤양출혈이 생길 수 있다. 주로 5세 미만의 어릴 때 증상이 나타나는 경우가 많고, 성인에서도 증상이 생길 수는 있다. 출혈, 게실염이 대표적 합병증이다.

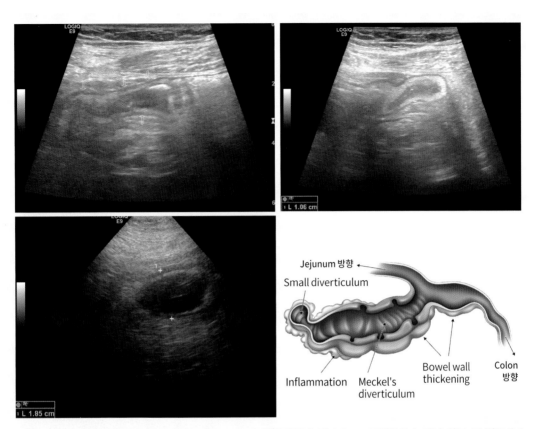

그림 4–18. 우하복부에 dilated tubular structure가 확인되었다. 약 1.5 cm 직경으로 늘어나 있고, 그 벽은 0.5 cm 두께로 wall thickening 있는 상태였다. Tubular structure는 왼쪽으로 막혀 있는 구조물이며, 막혀 있는 끝에 small diverticulum이 있었다. Small diverticulum 주위의 fat에 inflammation이 심하였다. Meckel's diverticulum에 diverticulitis 있는 소견이며, Meckel's diverticulum에 달려 있는 small diverticulum에도 diverticulitis가 있다.

05

복부팽만과 복수
Abdominal swelling and ascites

복부팽만의 원인은 6Fs이다; Flatus, Fat, Fluid, Fetus, Feces, Fatal growth (neoplasm etc.)

1) Flatus (Gaseous distension)

소장은 정상적으로 약 200 mL의 가스를 포함한다. Nitrogen (N_2), oxygen (O_2)은 흡입한 것이고, CO_2, hydrogen (H_2), methane (CH_4)는 장내 세균에 의해 생성(bacterial fermentation)된 것이다. 과민성장증후군(IBS) 환자에서의 bloating은 실제 가스량보다는 impaired gas transit으로 인한 복압의 주관적 느낌이다.

2) Fat

복부비만은 insulin resistance와 cardiovascular disease risk가 증가한다.

3) Fluid (Ascites)

4) Fetus (Pregnancy)

임신 12–14주부터 배가 불러오기 시작한다.

5) Feces

Severe constipation or intestinal obstruction–pain, N/V가 흔히 동반된다.

6) Fatal growth

복강 내 장기가 커지는 경우 liver, spleen이 만져지기도 한다. Bladder distension되어 복부팽만하기도 하고, abscess, huge cyst로 배가 불러오기도 한다.

1. 진단적 접근

병력청취와 진찰이 중요하다. 악성질환(weight loss, anorexia, night sweats), constipation or intestinal obstruction(배변여부, N/V, pain), 간질환 병력과 위험인자를 확인한다. 진찰에서는 LN enlargement (Virchow's node 등), 심부전(JVP, Kussmaul's sign), 간질환(spider angioma, palmar erythema, caput medusae, gynecomastia) 여부를 확인한다. 복수인지 가스팽만인지(타진에서 tympanic하면 gaseous distension, wave and shifting dullness는 복수 소견. 진찰로 복수 확인을 위해서는 1,500 mL는 되어야 함) 확인한다. X-ray로는 ileus 여부를 확인할 수 있다. 초음파로는 복수가 100 mL만 되어도 확인할 수 있고 hepatosplenomegaly를 확인할 수도 있다. 그러나 복강 내 공기로 림프절 등을 자세히 관찰하기 어렵다. CT는 복강내 많은 정보를 알 수 있어 유용하다.

2. 복수

크게 portal hypertension에 의한 경우와 아닌 경우로 나눌 수 있다.

1) Portal hypertension: cirrhosis, heart failure, Budd–Chiari syndrome, veno–occlusive disease (VOD)

2) Other causes: peritoneal carcinomatosis (stomach or colon cancer, breast or lung cancer metastasis), peritoneal infection, pancreatic disease, Tbc peritonitis.

복수 진단의 첫 순서는 diagnostic paracentesis이다. 색깔도 중요하다. Turbid (infection or tumor cells), milky & white (TG > 200 흔히 >1,000인 경우 chylous ascites), dark & brown(빌리루빈 증가 의미, biliary tract perforation), black (pancreatic necrosis, metastatic melanoma). Albumin, total protein, cell count 등 복수분석을 한다. 감염이 의심될 때는 Gram stain & culture (blood culture bottle)를 시행한다. 진단이 어려울 경우 laparotomy or laparoscopic peritoneal biopsy가 gold standard이다.

(1) albumin: SAAG (serum ascites albumin gradient)를 확인한다.

> ≥ 1.1 g/dL: portal hypertension에 의한 ascites를 의미하고, cirrhosis, cardiac ascites, Budd–Chiari syndrome, VOD, massive liver metastasis가 원인이다.

> < 1.1 g/dL: Tbc peritonitis, carcinomatosis, pancreatic ascites

(2) protein: SAAG ≥ 1.1 g/dL인 경우 감별진단에 유용하다.

> ≥ 2.5 g/dL: hepatic sinusoid가 정상으로 단백질이 복수로 유출된다.
Cardiac ascites, early Budd–Chiari syndrome, sinusoidal obstruction이 원인이다.

> < 2.5 g/dL: hepatic sinusoid의 손상(scarring)으로 단백질이 복수로 빠져나가지 못한다.
Cirrhosis, late Budd–Chiari syndrome, massive liver metastasis가 원인이다.

(3) pro–BNP: 심장에서 분비되는 natriuretic hormone으로 volume overload 시 ventricular wall stretching으로 발생한다. BNP 증가는 heart failure를 의미한다.

(4) glucose & LDH: SBP 말고 secondary peritonitis 때 ascites glucose < 50 mg/dL, ascites LDH > serum LDH 된다.

(5) amylase: pancreatic ascites 때는 ascites amylase > 1,000 mg/dL 된다.

(6) cytology: carcinomatosis 진단에 유용하다.

(7) ADA: Tbc peritonitis는 lymphocyte–dominant하고 AFB stain sensitivity는 0–3%로 도움이 안 되고 culture sensitivity는 35–50%이다. ADA sensitivity > 90%로 유용하고 cut-off는 30–45 U/L이다.

3. 복수치료

간경변 복수는 염분제한하고 이뇨제를 사용한다. Spironolactone (aldactone®)이 기본인데, hyponatremia, hyperkalemia, painful gynecomastia가 생길 수 있다. 여성형 유방 때는 amiloride로 대체한다. Furosemide (lasix®)로 전해질 균형을 맞춘다. 통상 라식스/알닥톤 40/100으로 사용하고 최대용량은 160/400이다. 난치성 복수일 때는 large volume paracentesis (LVP)를 할 수 있는데, 복수천자 후 circulatory dysfunction이 생길 수 있으므로 알부민을 보충한다(6–8 g/L, 20% 알부민 100 cc 1병이 20 g이므로 복수 3 L 배액할 때 한 병씩 알부민 보충). TIPS를 고려할 수 있다. LVP보다 우수한 치료효과를 보이나 간성뇌증의 위험성이 있다. 시술로 생존율이 향상되지는 않는다. 난치성 복수는 통상 간이식이 필요하다. 그 외 원인별 치료한다. 결핵성복막염은 통상의 항결핵치료를 한다.

증례 5-1

62세 여성. 고혈압, 심방세동 및 심부전으로 심장내과 다니는 환자로, 6년 전 심장판막(MS, AS) 수술 및 CABG를 받은 병력이 있었다. 전신부종으로 심장내과 입원하였다. 심장초음파에서는 severe TR에 의한 right heart failure 있었으나 수술 위험성으로 흉부외과에서 수술하지 않고 경과 보기로 하였다. CT에서 복수 많이 발견되어 소화기내과 의뢰되었다(그림 5-1).

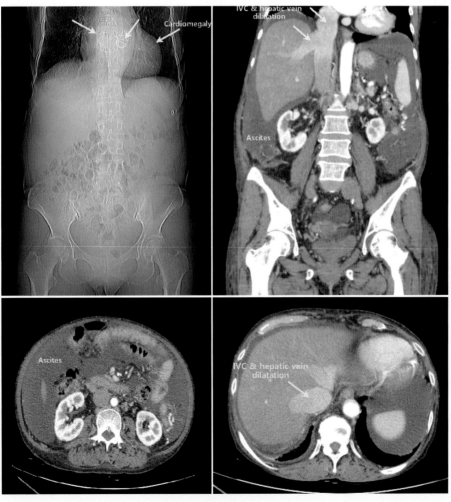

그림 5-1. KUB에서 심비대, 개흉수술 및 심장판막수술의 흔적이 보인다. CT에서 대량의 복수 관찰되고, IVC & hepatic veins congestion 심하여 right heart failure 있음을 알 수 있다.

복수천자하였다. 복수결과는 다음과 같다. Cell count RBC 1,760, WBC 156 (mono 96%), cytology malignant cell(–), ascites albumin 1.9 g/dL (serum alb 3.4), ADA 7.1 IU/L, CA125 1,087 IU/L. serum CA19–9 59.3 IU/L, CA125 260.6 IU/L. 산부인과 검진에서는 이상이 발견되지 않았다.

문제	이 환자에서 CA125가 증가한 이유는?

복수가 발견되었을 때 진단을 위한 복수천자 및 분석은 기본이다. 크게 portal hypertensive ascites와 non–portal hypertensive ascites로 구분할 수 있다. 이 환자는 임상적으로 심부전에 의한 복수로 생각하였다. 그런데 tumor marker가 증가되어 진단에 혼동을 줄 수 있다. CA125가 증가하는 경우는 ovarian cancer가 대표적이지만, Tbc peritonitis와 heart failure 때 증가할 수 있다. 이 환자는 heart failure 때문에 증가된 경우였다.

Attila Frigy, "Elevated CA–125 as Humoral Biomarker of Congestive Heart Failure: Illustrative Cases and a Short Review of Literature", Case Reports in Cardiology, vol. 2020.
J R Soc Med. 2001;94(11):581–2. Ascites and a raised serum Ca 125–confusing combination.

증례 5–2

55세 여성. 기저질환 없던 환자로 4일 전부터 복통과 함께 몸이 붓는 것 같다가 당일 구역, 구토, 설사 발생하였다. 먼저 타병원 응급실 내원하였다가 sepsis due to liver abscess, pneumonia로 본원으로 전원되었다(2021.3.2.). 동봉한 CT를 참고하면 pyogenic liver abscess with sepsis로 생각되었다. Imipenem + metronidazole IV 사용하였다. Liver abscess와 Rt pleural effusion에 대하여 PCD를 시행하였다.

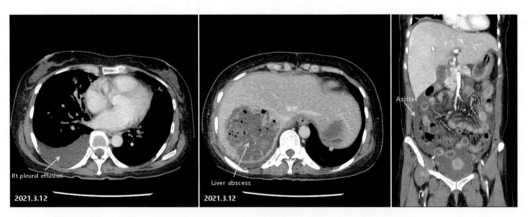

그림 5–2. 간우엽에 liver abscess 보이고, right pleural effusion and ascites가 관찰된다.

Pleural fluid: WBC 2,736/uL (poly 74%)
Liver abscess culture: K. pneumoniae, 항생제 모두 감수성 있음.

항생제 사용하면서 혈소판수치 회복되고, CRP 33.3→9.1로 호전되었으나 follow-up CT (noncontrast)에서 복수가 증가하여 추가 PCD 시행하고 fluid analysis하였다(3/16).

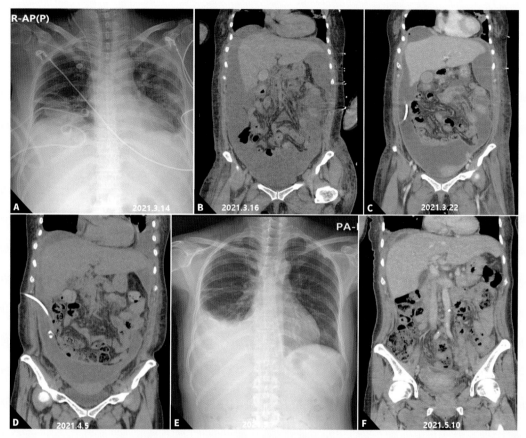

그림 5-3. 우측에 PCD 2개가 보인다. 하나는 right pleural effusion, 하나는 right liver abscess에 시행한 것이다 (A). Follow-up CT에서 복수가 증가되어 추가 PCD 시행하였다(B, C).

Peritoneal fluid: WBC 7,780/uL (poly 14%, mono 86%), ADA 145.6 IU/L.
Quantiferon (INF-γ) - indeterminate

재검에서도 ADA 189 IU/L check되어 anti-Tbc medication (INH 300 mg, Rifampin 600 mg, Ethambutol 800 mg, Pyridoxine 50 mg, Avelox 400 mg qd IV) 시작하였다. Ascites PCD 양 줄어 제거하고 퇴원하였다(4/16). 외래 follow-up 중에 Chest PA에서 Rt pleural effusion 증가하여 CT follow-up 및 PCD 시행하였다. 복수는 소실되고 간농양은 호전되었다. 6개월 결핵치료하고 종료하였다.

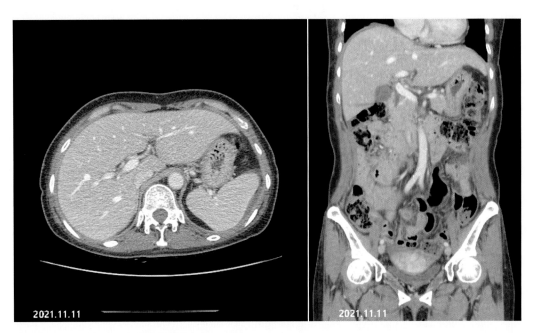

2021.11.11   2021.11.11

그림 5-4. **간농양과 복수가 완전 호전되었다.**

해설 때로는 질환들이 combine되어 있는 경우가 있다. 이 환자는 pyogenic liver abscess with sepsis 외에 결핵성 복막염이 병발해 있었던 경우이다. Retrograde review 해보면 처음에 보였던 복막염은 애초에 결핵성 복막염이었을 것이다. 세균성 복막염은 복통이 극심하고 압통이 매우 심한 경우가 많다. 이 환자는 복통과 압통은 별로 없었고, 복부팽만이 주였고, 항생제 치료 및 PCD 중에 패혈증 및 혈액검사는 호전되었으나 복수가 증가하므로 PCD for ascites 시행하고 복수분석 과정에서 결핵성 복막염으로 진단하고 결핵치료로 호전되었다.

Tuberculous peritonitis

비특이적 복통, 열, 복수일 때 의심한다. 결핵균에 감염된 림프절 또는 장기(ex, genital Tbc in women)가 rupture되거나 hematogenous spread로 발생한다. 복수분석에서 lymphocyte-dominate exudate를 보인다. 균이 증명되는 경우는 매우 드물다. 확진은 peritoneal biopsy로 한다. 조직진단을 할 수 없는 경우 가장 유용한 검사는 ADA (adenosine deaminase)이다. ADA는 결핵균 항원에 대한 T cells 자극으로 생성되는 enzyme으로 결핵성 복막염에 민감도, 특이도가 90% 이상으로 우수하다. Cut-off는 > 30 U/L이다. 결핵성복막염에서 CA125도 증가하는데 ovarian cancer로 오인할 수 있으므로 주의가 필요하다. 이 경우 결핵치료하면서 CA125가 감소한다. 면역억제제, cirrhosis, CKD, 복막투석 환자 등이 위험군으로 알려져 있다. 항결핵치료 기간은 통상 6개월이다.

문제 환자에서 항결핵치료 2개월째 복수가 거의 소실되고 임상적으로 호전되는 과정에서 Rt pleural effusion이 증가하였다. 이런 현상을 무엇이라 하나? 그리고 기전은?

Paradoxical reaction

항결핵치료 중에 임상적 호전에도 불구하고 흉수가 증가할 수 있는데 이를 paradoxical reaction이라 한다. 기전은 항결핵치료로 host immunity가 회복되면서 사멸한 결핵균의 부산물에 대한 세포매개성 면역반응의 결과이다. 결핵치료 실패와 구분되어야 하고 항결핵치료를 지속하여야 한다.

Study of paradoxical response to chemotherapy in tuberculous pleural effusion. Respir Med. 19960;90(4):211–4.
항결핵 치료 도중 발생한 역설적 반응 1예. Korean J Gastroenterol Vol. 2015;65:306–11.

증례 5-3

48세 여성. 3개월 전 복통과 설사로 다른 선생님에게 입원 진료한 이후에도 계속 복부팽만과 불편감을 호소하며 본인에게 내원하였다. 진찰상 아랫배가 불룩하게 팽만하였다. 검사를 위해 입원하여 CT 촬영하였다(그림 5-5).

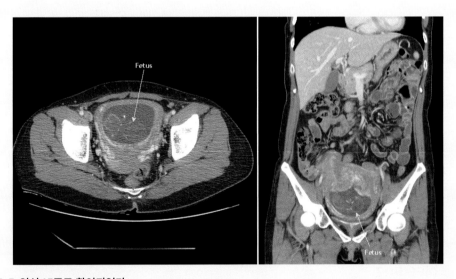

그림 5-5. **임신 15주로 확인되었다.**

해설 CT 사진을 열어보고 아찔하였다. 임신이었다. 원칙적으로 CT 찍기 전 임신가능성에 대하여 문진하고 시행해야 한다. 그런데 임신일 것이라고는 저자도 환자도 상상하지 못했다. 18년 전 불임으로 시험관시술로 아들을 출산하였다. 이후 불임으로 임신은 포기하고 살았다고 한다. 저자는 태아에게 방사선 조사된 것으로 심란하였고 환자 본인은 임신 자체로 심란하였다. 산부인과 협진하였다. 임신 중절하기로 결정하고 퇴원하였다. 1년 후 근골격계 통증으로 내원하였는데 임신 유지하고 남자아기를 건강하게 출산하였다고 하였다.

06

위장관출혈
Gastrointestinal hemorrhage

출혈 위치에 따라 Treitz ligament를 기준으로 상부위장관출혈(upper GI bleeding, UGIB)과 하부위장관출혈(lower GI bleeding, LGIB)로 나눈다. 출혈 양상에 따라 overt bleeding과 occult bleeding으로 나눈다. UGI bleeding은 식도, 위, 십이지장출혈을, LGI bleeding은 소장과 대장출혈을 말하지만, 대부분 대장출혈이고 small bowel bleeding은 별도의 카테고리로 취급하기도 한다. Overt bleeding은 hematemesis(선홍색 또는 커피색 토혈), melena (black, tarry stool) 또는 hematochezia (bright red stool)로 내원하는 경우를 말하고, occult bleeding은 환자가 출혈을 인지하지 못하고 어지럼(빈혈)으로 내원하여 검사 중 IDA or fecal occult blood (+) 발견되는 경우이다.

1. Upper GI bleeding

소화성궤양이 가장 흔하다(~50%). 그 외 Mallory–Weiss tear(~5–10%), varix(~5–40%), hemorrhagic or erosive gastropathy (NSAIDs, alcohol), cancer 등이다.

1) Ulcer bleeding

가장 흔한 원인은 Helicobacter pylori와 NSAIDs이다. Ulcer bleeding 재발을 예방하기 위해서는 H. pylori 양성인 경우 eradication을, NSAIDs 사용 시에는 중지하거나 COX2 inhibitor + PPI를 사용한다. Low-dose aspirin을 복용하는 심혈관계 질환자에서 출혈로 내원 시 가능한 빨리 아스피린을 재개해야 한다(1–7일). 빨리 재개하더라도 재출혈 위험은 높지 않고, 사용하지 않을 때 심혈관계 위험성이 증가하기 때문이다. H. pylori or NSAID와 관련 없는 ulcer bleeding 환자는 PPI를 중단 없이 사용한다.

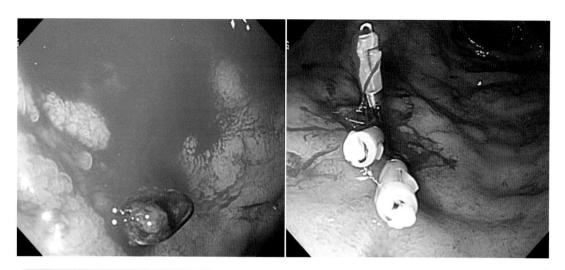

그림 6-1. Duodenal ulcer bleeding

68세 남성. Melena로 내원하였다. 내원 시 Hb 7.0 g/dL, L-tube old clot. EGD에서 duodenal ulcer bleeding이었다. Exposed vessel에 대하여 hemoclipping #3 시행하였다. CLO 양성이었고 smoker였다. 퇴원 후 H. pylori eradication 14일 치료하고, 이어 esomeprazole 40 mg qd 30일 더 치료하였다. 2개월 휴약 후 UBT 음성이었다. Hb 12.1로 회복되었고 권고에 따라 금연하였다.

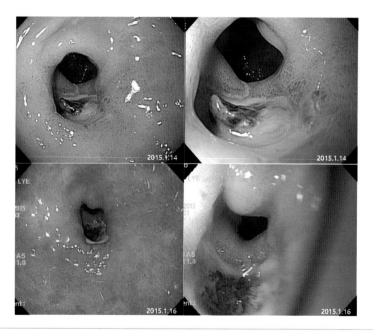

그림 6-2. Gastric ulcer bleeding

82세 여성. Peripheral arterial occlusive disease로 심장내과에서 disgren®과 pletaal®을 복용 중이었다. 외래에서 시행한 routine lab에서 Hb 7.3 g/dL였고, 병력에서 melena 있어 소화기내과로 의뢰되어 입원하여 EGD 시행하였다. Pre-pylorus (GC)에 large vessel expose된 ulcer 있었다. 혈관주변부 epinephrine injection하였고, hemoclipping 시도하였는데 2개는 튕겨져 fail하였고 한 개는 혈관에 잡혔다. PPI IV 사용하고 2일후 follow-up EGD에서 다행히 재출혈 없었다. CLO 음성으로 항혈소판제제 사용과 관련된 궤양출혈로 생각하였다. Esomeprazole 중단 없이 사용하기로 하였다.

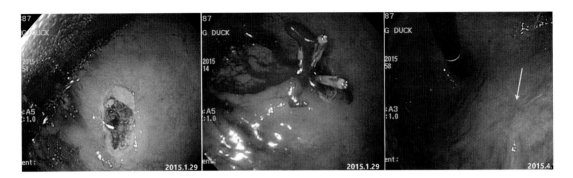

그림 6-3. Gastric ulcer bleeding

49세 남성. 갑자기 토혈하여 응급실로 내원하였다. Vital signs은 stable하였고, Hb 11.9, L-tube oozing bleeding으로 입원하여 EGD 시행하였다. Multiple gastric ulcers 있었고, exposed vessel 있어 hemoclpping #3과 혈관주변 epinephrine injection하였다. 흡연자였고 CLO 음성이었다. 2개월 이상 esomeprazole 40 mg qd 사용하고 follow-up EGD에서 ulcer scar 관찰되었다. 하루 3개피로 흡연량을 줄였다고 하였다.

해설　　궤양 출혈에서 내시경 지혈치료의 대표적인 방법으로 hemoclipping, epinephrine injection, coagulation 등이 있다. 혈관노출 시 hemoclipping을 할 때 ulcer base가 말랑하고 부드러우면 클립이 쉽게 잡히지만, 딱딱하면 클립이 튕기면서 혈관이 터져 출혈할 수 있다.

2) Mallory-Weiss tear

구토(주로 과음 후) 하다가 EG junction의 gastric side가 찢어지면서 생긴다. 천공되면 Boerhaave syndrome이 된다. 80-90% 자연 지혈된다. Active bleeding 시 내시경 지혈치료가 필요할 수 있다.

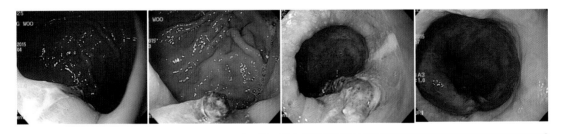

그림 6-4. Mallory-Weiss tear

33세 남성. 내원 직전 검붉은색 토혈로 내원하였다. 2일 전 음주 후 구토 수차례 하고 마지막에 검붉은색 토혈하였다. 이후 melena 있다가 다시 토혈하여 응급실 내원하였다. Hb 11.1 g/dL. 익일 EGD에서 Mallory-Weiss tear 및 혈관 노출 있었다. 보존치료 후 퇴원하였다.

해설　　M-W tear는 EG junction or gastric cardia의 mucosal laceration이다.

3) Esophageal varix bleeding

간경변 때문에 생기므로 예후가 좋지 않다. 내시경 또는 약물치료로 안되는 지속 또는 반복 출혈에서는 TIPS를 고려한다.

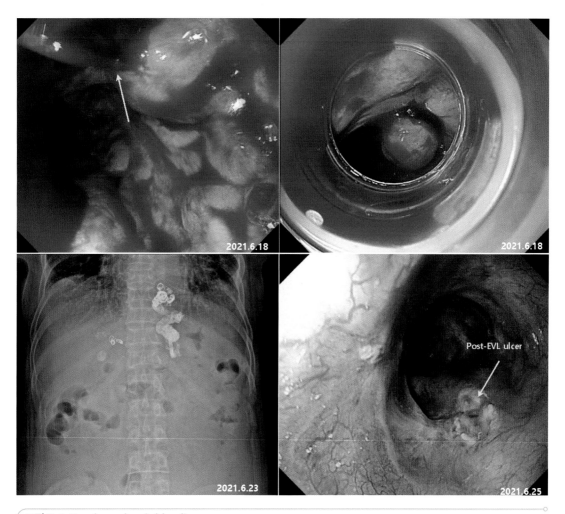

그림 6-5. Esophageal varix bleeding

72세 남성. Alcoholic cirrhosis로 진행 간경변임에도 음주를 계속하였다. Hematemesis로 내원하였다. EGD에서 spurting bleeding 있어 EVL 시행하였다. 이후 영상의학과 의뢰하여 transportal variceal embolization 시행하였다. Follow-up EGD에서 varix shrinkage와 post-EVL ulcer 관찰되었다.

4) Gastric varix bleeding

내시경적으로 adhesive (n-butyl cyanoacrylate, Histoacryl®) 주입치료를 할 수 있다. BRTO or PARTO 치료를 고려할 수 있다. TIPS를 고려할 수도 있다.

5) Portal hypertensive gastropathy – 주로 간경변 때문에 생긴다.

6) 기타 원인
(1) cancer

(2) vascular lesions

[Hereditary hemorrhagic telangiectasia (Osler–Weber–Rendu syndrome), gastric antral vascular ectasia (GAVE or "watermelon stomach")], Dieulafoy's lesion

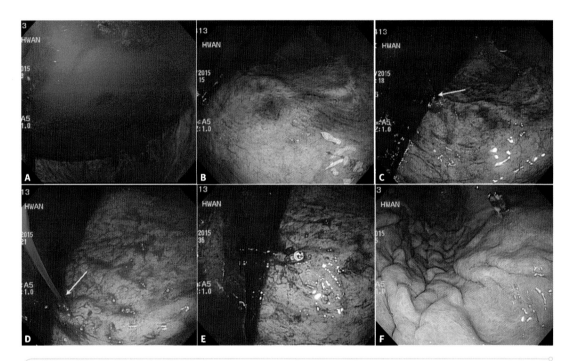

그림 6–6. Gastric Dieulafoy's lesion bleeding

86세 남성. Hematemesis로 내원하였다. Dieulafoy's lesion bleeding으로 hemoclipping 시행하였다. 출혈 환자에서의 내시경 순서는 다음과 같다. 내시경을 진입하여 active bleeding 여부를 먼저 확인하는데, 붉은 혈액은 현재 출혈이 있음을, 검을수록 출혈 후 시간이 지났음을 의미한다. 이 환자는 대량의 검은색 혈액 위에 fresh blood가 덮여 있어 현재 출혈이 있음을 의미한다(A). Bleeding focus를 찾아야 하는데, 우선 관찰 가능한 부분을 빨리 확인하고 출혈 부위가 없으면 혈액으로 고인 부분에서 출혈하고 있을 가능성이 있다(B). 공기주입과 체위 변경 등으로 기저부를 확인하는데, 출혈부위가 보이기 시작한다(C). 조금 더 출혈부위를 노출시키면 jetting bleeding 하는 것을 볼 수 있다(D). 기저 궤양 없이 노출된 혈관만 보이는 Dieulafoy's lesion으로 hemoclipping이 최선이다(E). 1–2일 후 고인 혈액이 모두 내려간 후 follow–up EGD로 지혈이 잘 되어 있음을 확인하고 지혈치료 때 관찰하지 못했던 부분들을 꼼꼼히 살펴본다(F).

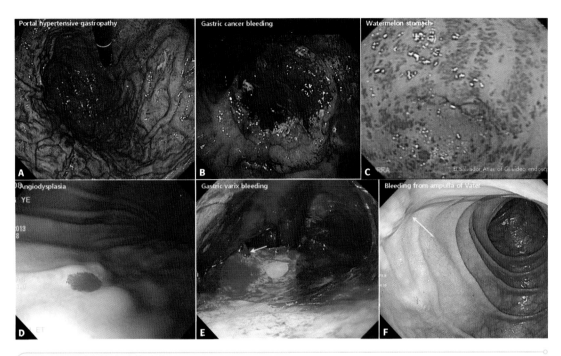

그림 6-7. 위장출혈의 기타 원인들

Portal hypertensive gastropathy도 만성출혈을 일으킬 수 있다(A). 이 환자는 황달이 심하여 위점막도 노랗게 보인다. Gastric cancer bleeding (B), Watermelon stomach (C), Angiodysplasia (D), Gastric varix bleeding (E). Ampulla of Vater에서 출혈이 관찰되는데, 담관(hemobilia) 또는 췌관에서 피가 흘러나오는 것이다(F). 이 환자는 33세 여성으로 melena (Hb 2.9)로 내원하였고, alcoholic pancreatitis 발생하면서 pseudoaneurysm rupture로 출혈하였다(= hemosusscus pancreaticus). Coil embolization으로 출혈이 멎었다.

2. Colon bleeding

전체적으로는 치핵(hemorrhoids)이 가장 흔하다. 항문 주변 출혈을 제외하고 성인에서 대장 출혈의 흔한 원인들은 diverticular, vascular ectasias (angiodysplasia), neoplasm, colitis (ischemic, infectious), post-polypectomy bleeding이다. 덜 흔한 원인들은 NSAIDs, solitary rectal ulcer syndrome이다.

1) Diverticular bleeding

게실 출혈은 통증 없이 갑작스러운 심한 혈변으로 내원한다. 60세 이상에서 가장 흔한 하부위 장관 출혈의 원인이다. 우측 대장에서 흔하다. Diverticulosis 환자의 20% 정도에서 출혈이 발생한다. 고혈압, 동맥경화, 아스피린/NSAIDs 복용이 위험인자이다. 대부분(~80%) 저절로 멎는다. Rebleeding risk는 평생 25% 정도이다. 출혈 시 mesenteric angiography를 통한 coil embolization을 시행할 수 있다(80% 성공률, colon ischemia의 합병증 생길 수 있음). 근치로 segmental resection을 고려할 수 있다. 환자가 unstable하거나 24시간 내 6-units 이상 수혈이 필요할 때는 수술을 해야 한다.

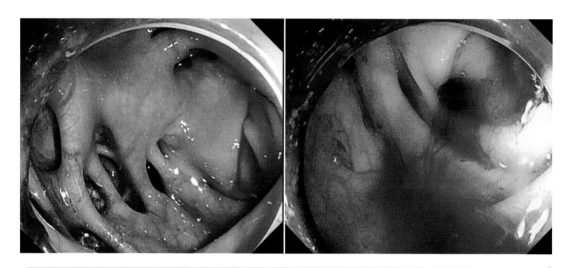

그림 6-8. **Diverticular bleeding**

2) Ischemic colitis

허혈성장염은 60세 이상의 atherosclerotic disease 환자에서 주로 일어난다. SMA (cecum~ splenic flexure)와 IMA (splenic flexure~rectum) 혈액공급 경계에 있는 watershed areas (splenic flexure, rectosigmoid)에 주로 발생한다. Blood flow 감소로 인한 nonocclusive ischemia이다. 복통을 동반한 혈변으로 내원한다. 좌측복부에 압통이 있을 수 있다. 내시경에 비교적 전형적 소견을 보인다(splenic flexure or rectosigmoid에 submucosal hemorrhage). Mild to moderate인 경우 대부분 fluid hydration ± antibiotics로 호전된다. 일부 severe (gangrene, bowel perforation) 경우에는 수술이 필요하다(**그림 6-9**).

3) Post-polypectomy bleeding

Colonoscopic polypectomy는 대장암 예방에 매우 중요한 시술이다. Post-polypectomy complications 가운데 출혈이 주요 합병증으로 0.3-6.1%에서 발생한다. 시술 직후 발생한 출혈(immediate bleeding)은 내시경의가 바로 지혈 조치할 수 있다. 귀가 후 수시간-수일 후 발생하는 delayed bleeding은 hematochezia로 내원하게 된다(**그림 6-10**).

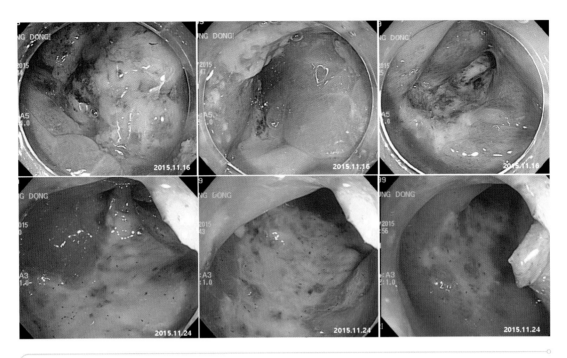

그림 6-9. Ischemic colitis

83세 남성. 당뇨, 고혈압, 고지혈증, CKD 및 old CVA 병력 있는 자로 당일 오전 복통과 함께 설사와 hematochezia로 응급실 통해 입원하였다. 혈압 102/62 mmHg, 심박수 135회/분, 호흡횟수 26회/분, 체온 37.3°C였다. WBC 14,200/uL, Hb 13.4 g/dL, BUN/Cre 38.9/2.4, CRP 4.23이었다. Ischemic colitis 의심하에 다음날 sigmoidoscopy 시행하였다. AV 20 cm 상방(RS junction부위)에 심한 부종과 출혈, 주변부 궤양이 관찰된다. Severe ischemic colitis 소견이었다. 수액과 항생제 치료하고 8일 후 follow-up에서 부종은 가라앉고 궤양이 보이는데 호전되는 소견이었다.

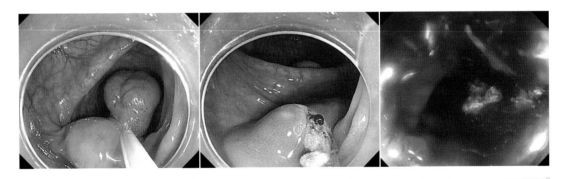

그림 6-10. Post-polypectomy bleeding. Hemoclpping 시행 후 귀가하였으나 출혈하였다.

(대장질환 그림 3-3 참조)

4) Angiodysplasia

60세 이상에서 주로 발견된다. CKD, von Willebrand disease, aortic stenosis와 관련 있다. 내시경 치료로 APC (Argon plasma coagulation)와 같은 소작술을 해 볼 수 있다.

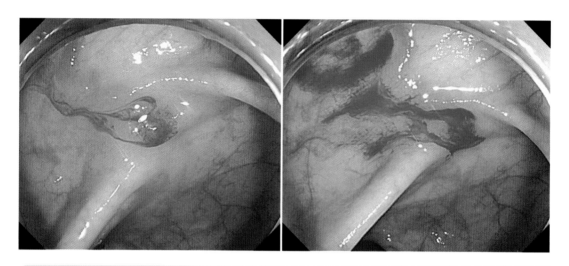

그림 6-11. Angiodysplasia bleeding

5) Solitary rectal ulcer syndrome

실제 다발 직장궤양이 많으므로 solitary 표현은 잘못된 것이다. 단단한 대변에 의한 압력 또는 손가락으로 변을 파낼 때의 local trauma 등으로 생긴다. 대부분 자연 호전된다. 변비 치료를 하거나 환자 교육을 한다.

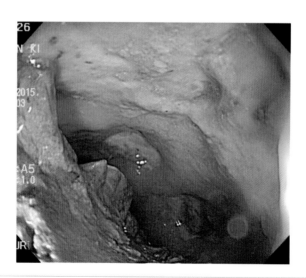

그림 6-12. Rectal ulcer due to fecal impaction. Finer enema로 변을 파내고, 변비약 처방하여 배변 조절하였다.

I
증상별 접근

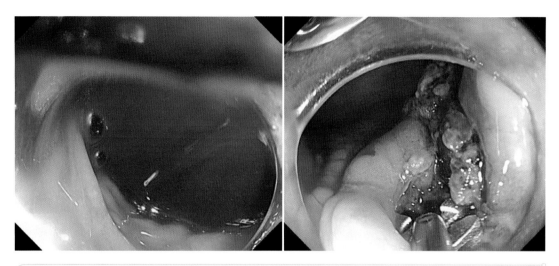

그림 6–13. Rectal mucosal laceration. Mechanical injury로 보존치료하면 된다.

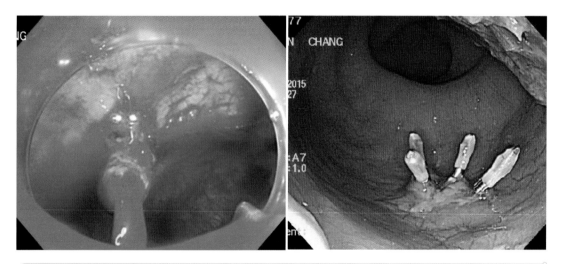

그림 6–14. Rectal Dieulafoy's lesion bleeding. Jetting bleeding에 대하여 hemoclipping 시행하였다.

3. Small bowel bleeding

소장출혈은 내시경 접근이 어려워 진단이 어렵다. 다행히도 소장출혈은 드물다. 가장 흔한 원인은 vascular ectasia, tumors, NSAID-induced erosions & ulcer이다. 어린이에서의 가장 흔한 소장출혈의 원인은 Meckel's diverticulum이다. < 40-50세는 small bowel tumors, >50-60세는 NSAIDs, vascular ectasia이다.

위장관출혈 환자에 대한 진단과 치료적 접근

1) 출혈 직후에는 Hb down이 나타나지 않는다. 초기 평가에 가장 중요한 것은 heart rate와 BP이다. Tachycardia가 먼저 생기고 이후 혈압이 떨어진다. 혈압 저하는 심각한 출혈을 의미한다.

2) IV line을 확보하고 0.9% normal saline hydration 하여 BP, HR를 안정화시킨다.

3) Hb 7 g/dL 이하일 때는 수혈을 한다.

4) L-tube irrigation하는 수가 있는데, 출혈 여부를 확인하고 내시경 전 위세척 목적이다. 상부위장관출혈이라 하더라도 십이지장출혈에서는 혈액이 안 나올 수 있다.

5) 내시경 전까지 high-risk 환자에서는 PPI infusion한다.

6) Cirrhosis 환자에서의 위장관출혈 때는 예방적 항생제(ceftriaxone or quinolone)를 사용한다.

7) Cirrhosis 환자에서 varix bleeding 가능성이 높거나, varix bleeding이 확인된 경우는 약물치료(octreotide, terlipressin, somatostatin 등)를 병행한다.

8) 진단목적과 지혈치료 목적으로 내시경을 시행한다.

9) Hematochezia에서 hemodynamically unstable한 경우에는 EGD를 먼저 확인한다.

10) LGIB일 때 CFS 전 장정결을 하는 것으로 Harrison 교과서에 되어 있으나 내시경의에 따라 이견이 있을 수 있다. 장정결하면 시야확보에는 도움이 될 수 있으나 피가 멎은 경우에는 출혈 부위를 찾지 못하는 수가 있다. 저자는 출혈 중인 혈변 환자에서는 장정결 없이 내시경을 cecum & terminal ileum까지 진입하여 전 대장을 물로 씻어가면서 출혈 부위를 찾는 것을 선호한다. 장정결없이 CFS 시행할 때는 시야가 매우 어둡고 좋지 않으므로 고도의 내시경술기가 필요하다.

11) 내시경으로 지혈치료가 어려운 경우에는 angiography를 시행한다(embolization).

12) EGD, CFS에서 bleeding focus를 찾지 못한 obscure GI bleeding에서는 캡슐내시경(capsule endoscopy)을 고려할 수 있다. 캡슐내시경에서 이상이 발견된 경우는 결과에 따라 조치하고, negative인 경우에는 우선 observation한다.

13) Fecal occult blood (+) 발견될 때 > 50세(대장암 가족력이 있을 때는 > 40세)에서 CFS를 시행한다.

07

황달
Jaundice

간담도계 이상으로 생기는 경우가 대부분이고, 간담도계 이상 없이 생기기도 한다(예: hemolysis, internal bleeding). 황달 여부를 가장 먼저 확인할 수 있는 부분이 sclera(공막)이다. 빌리루빈이 최소 3 mg/dL 이상 되어야 공막에서 황달을 확인할 수 있다. 황달은 hyperbilirubinemia를 말한다. 빌리루빈의 원재료는 적혈구(hemoglobin)의 heme이다.

Heme   →   Bilivertin   →   Unconjugated bilirubin   →   Conjugated bilirubin
(heme oxidase‑1)   (Biliverdin reductase)   (UGT1A1)

Hemolysis & internal bleeding 때 빌리루빈의 원료인 heme이 흡수되어 혈중에 많아지므로 unconjugated hyperbilirubinemia가 생긴다. Unconjugated bilirubin은 hydrophobic하므로 albumin과 결합한 상태로 간 내로 이동한다. 알부민과 결합하였으므로 신장의 glomerulus를 통과하지 못하여 소변으로 배출되지 않는다. 간 내로 이동한 unconjugated bilirubin은 hepatocyte에서 conjugation되어 bile duct를 통하여 장으로 배출된다. 대부분은 enterohepatic circulation으로 재사용되고 나머지는 대변과 소변으로 배출된다. Conjugated bilirubin은 수용성으로 소변으로 배출된다. 그러므로 소변에서의 빌리루빈 배출(urobilinogen)은 간담도계 질환을 의미한다. 빌리루빈의 정상치는 < 1 mg/dL이다. Direct (= Conjugated) hyperbilirubinemia는 D–bilirubin이 2 mg/dL 이상 또는 20% 이상일 때로 정의한다. Indirect (= Unconjugated) hyperbilirubinemia는 D–bilirubin이 20% 미만(indirect 비율이 80% 이상)일 때로 정의한다. Indirect hyperbilirubinemia의 흔한 원인은 heme이 과다한 상황으로 hemolysis, massive transfusion, resorption of hematoma가 있다. 그 외 Gilbert's syndrome이 흔하다. Crigler–Najjar syndrome은 UDPGT 효소 결핍 또는 부족에 의한 것으로 type 1은 완전결핍으

로 신생아 때 대부분 사망하게 되고, type 2는 부족하여 황달은 심하지만 성인까지 생존할 수 있다. Direct hyperbilirubinemia의 흔한 원인은 급만성 간질환 및 담도계 질환이다. 선천성대사질환으로 Dubin–Johnson syndrome, Rotor syndrome이 있는데 저자는 경험하지 못했다.

Gilbert's syndrome

UGT1A1 gene mutation으로 UDPGT activity가 감소하여 mild indirect hyerbilirubinemia가 생긴다. 유전과 관련 있다. 정상인의 3-7%에서 보이고, 평균 빌리루빈은 1.2-3 mg/dL (최대 6 mg/dL 정도)이다. Fluctuation하는데 과격한 운동, 금식, 생리와 같은 스트레스 때 빌리루빈이 좀 더 증가할 수 있다. 건강상 문제는 없으며 치료도 요하지 않는다. 환자에게 안심시켜주면 된다.

Carotenoderma (carotenemia)

외래 진료 중에 손이 노랗게 되어 황달이 아닌가 걱정하여 내원하는 경우가 있다. Carotenoderma (carotenemia)는 황달과 감별되어야 한다. β-carotene이 많은 녹황색 야채나 귤, 오렌지, 당근, 호박 등을 과다 섭취할 때 카로틴의 노란색이 피부에 침착되어 나타나는 것으로 건강상의 문제는 없고 안심시켜 주면 된다. Quinacrine (말라리아약) 복용 중에 나타나는 노란색 피부 변색은 약의 부작용이다.

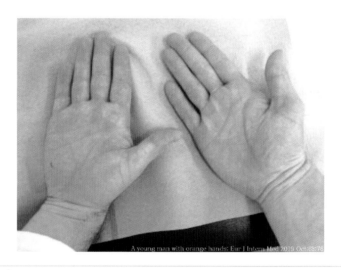

A young man with orange hands: Eur J Intern Med 2019 Oct;83:76

그림 7-1. Carotenoderma

08

피로

Fatigue

증례 8-1

48세 남성. 최근 과도하게 피곤하여 간기능 검사를 받고 싶다고 내원하였다. 그 외 특이증상 없었고 신체진찰도 이상이 없었다. 어떻게 할 것인가?

해설 소화기내과의 전문 진료분야는 아니나 많은 환자들이 "너무 피곤해서 간검사를 받고 싶다"는 이유로 찾는다. 아마도 "피로는 간 때문이야"라는 제약회사의 광고 카피가 전 국민을 세뇌시킨 것 같다. 검사만 해주고 끝낼 것이 아니라 간단하게라도 피로의 원인을 설명해 주니 진료 만족도가 높은 것 같다. 환자에게 다음과 같이 설명해 준다. 간기능이상이 있으면 피곤할 수 있지만 피곤한 이유는 매우 많습니다. 간 이외에 신장질환, 갑상선/당뇨 등 내분비질환, 혈액질환, 암 등 어떤 신체질환이 있어도 피곤할 수 있습니다. 그런데 질병에 의한 경우는 일부이고 대부분은 신체질환 없이 피곤한 경우입니다. 과로하고 일이 힘들면 피곤합니다. 잠을 충분히 못 자면 피곤합니다. 수면무호흡증이 있거나 밤에 잠을 여러 번 깨는 등의 수면의 질이 좋지 못하면 피곤합니다. 비만해도 피곤합니다. 무거운 몸을 끌고 다니는 것도 피곤하고, 비만은 목 안 공기흐름이 원활치 못하여 만성적 저산소증이 생기게 되어 피곤합니다. 스트레스나 우울증으로도 피곤할 수 있습니다. 설명한 내용 중에 해당되는 것이 있습니까? 기본 혈액검사하시고 결과보는 날 뵙겠습니다. 혈액검사를 기본으로 시행한다. CBC, LFT, BUN/Cre, Na/K, Ca/P, TFT, ESR, CRP. 그 외의 검사는 필요에 따라 추가한다.

1. 피로

'피로'는 정신적 또는 신체적 활동을 자발적으로 시작하거나 유지하기 어려운 상태로 정의한다. 피로의 원인은 많다. 내과적 질환에 의한 경우는 일부이다. 신체질환 가운데 간기능 이상에 의한 경우는 극히 일부이다. 간/신장질환, 심폐질환(CHF, COPD), 갑상선/당뇨/부신/성기능저하 등의 내분비질환, 빈혈 등 혈액질환, 암(cancer-related fatigue), 감염증, 류마티스 질환, 영양실조, 전해질이상 등 어떤 질환도 피로를 일으킬 수 있다. 그 외 복용하는 약의 부작용, 임신과도 관련 있다. 신체질환이 없는데 피로감을 호소하는 경우가 월등히 많다(그림 8-1).

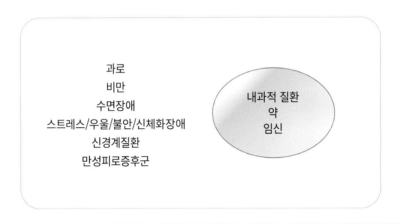

그림 8-1. 피로의 원인

2. 내과적 질환 이외의 원인들

1) 과로
한국사회는 과로 사회라고 할 만큼 피로하다. 피곤하지 않은 게 이상할 정도이다.

2) 비만
피로를 일으키는 원인은 복합적이다. 무거운 몸 자체도 있고, 수면무호흡(obstructive sleep apnea)으로 양질의 수면을 취하지 못하는 것도 원인이다. 활동량도 부족하고 우울증이 동반된 경우도 있다. Bariatric surgery로 피로가 호전된 보고가 있다. 실제 진료에서 체중감량 후 몸이 가벼워지고 피로가 좋아졌다고 하는 경우를 많이 보았다.

3) 수면장애

비만 환자에서 obstructive sleep apnea로 만성적 저산소증에 노출되어 피곤할 수 있다. 불면증이 있어도 피곤할 수 있다. 야뇨증 등으로 여러 번 깨면 낮에 피곤하다. 잠을 충분히 못 자거나 양질의 수면을 취하지 못하면 피곤하다.

4) 스트레스/우울/불안/신체화장애

정신과 환자에서 피로는 흔한 증상이다. 정신과적 진단까지는 아니더라도 스트레스가 심한 경우 피로하다.

5) 신경계 질환

중추신경 또는 말초신경계 질환 등에서 근위약감으로 피로를 호소할 수 있다.

6) 약제

많은 약제의 부작용 또는 중지하면서 피곤할 수 있다. 항우울제, 항정신병약제, 마약류, 항경련제, β-blocker 등이 대표약제이다. 감기약으로 사용하는 항히스타민제 복용하면 심하게 졸릴 수 있다.

7) 임신

임신 중에, 그리고 출산 후 피로는 흔하다.

8) 만성피로증후군

뚜렷한 신체질환이 없이 6개월 이상 과도한 피로가 지속되고, 휴식해도 호전이 없으며 다음의 inclusion criteria(집중력 감소, 인후통, 경부/액와 림프절 압통, 근육통, 관절통, 두통, 통증)과 exclusion criteria(신체질환, 우울증, 정신병, 섭식장애, 음주, 심한 비만)를 만족할 때로 진단한다. Chronic fatigue syndrome은 아직 뚜렷한 병태생리가 밝혀지지 않았고, 치료도 쉽지 않다.

09

영양과 체중감소
Nutrition and weight loss

안정 시 에너지요구량(resting energy expenditure, REE)은 900 + 10 × kg(남성), 900 + 7 × kg(여성) kcal이다. 여기에 앉아서 일하는 사람(sedentary)은 × 1.2, moderate activity × 1.4, very active activity ×1.8을 곱한다. 70 kg 남자 소화기내과 의사를 예로 들어보자. Moderate activity 활동량을 한다고 하면, [900 + 10 × 70] × 1.4 = 2,240 kcal/day의 칼로리가 필요하다. 총 칼로리의 45–55% 이상은 탄수화물로 한다. 뇌는 하루 ~100g의 포도당이 필요하다. 지방은 건강을 위해서는 < 30% 이하로 한다. 단백질은 ~0.6 g/kg/d가 적절하다. 에너지 생성량은 탄수화물과 단백질은 g당 4 kcal, 지방은 9 kcal이다. 알코올은 7 kcal/g의 에너지를 생성하지만 영양성분은 전혀 없다. 수분 소실량은 대변 50–100 mL/d, 증발/호흡 500–1,000 mL/d, 소변 ≥ 1,000 mL/d, 발열 ~200 mL/d/℃, 심한 설사 ~5 L/d이다. 비타민 관련하여 소화기분야에서 vitamin B1 (thiamine)과 B6 (pyridoxine)이 특히 중요하다. Alcoholism or alcoholic cirrhosis 환자에서 손발 저림(특히 발 저림, peripheral neuropathy)이 흔하다.

1. Vitamin B1 (thiamine)

- Peripheral nerve conduction에 중요하다.
- Poor intake, alcoholism(흡수방해, 소변배출 증가), 만성질환(cancer 등)에서 생긴다.
- 부족 시 neuropathy, muscle weakness, edema, ophthalmoplegia가 생길 수 있다.
- Alcoholism 환자에서 Wernicke's encephalopathy (CNS; nystagmus, ophthalmoplegia, ataxia, mental impairment), Korsakof syndrome (Wernicke 증상에 추가로 memory loss, confabulatory psychosis)을 일으킬 수 있다.
- 치료는 thiamine 200 mg tid IV (acute deficiency), 10 mg/d qd PO

2. Vitamin B6 (Pyridoxine)

- 결핍 시 peripheral neuropathy를 일으킨다.
- INH, L-dopa, cycloserine 같은 약이 결핍을 일으킨다.

그 외, 주요 증상과 관련한 비타민/미네랄 결핍은 다음과 같다.

- Night blindness – vit A
- Angular stomatitis & cheilosis (ulcerated lips) – riboflavin, pyridoxine, niacin
- Petechiae – vit C
- Purpura – vit C, vit K
- Tetany – calcium, magnesium

3. 영양결핍의 종류

1) Marasmus(소모증)

장기간 굶주리면 우리 몸은 에너지 소모를 최소화(hypometabolic state)하도록 적응된다. 체중은 감소하여 BMI < 18.5 이하로 떨어진다. 그러나 사망위험은 높지 않다. 영양공급은 천천히 해야 하고 갑자기 심하게 하면 refeeding syndrome (hypophosphatemia, cardiopulmonary failure)로 위험할 수 있다.

2) Cachexia(악액질)

Cancer, HIV (AIDS), COPD, kidney disease, CHF 등 말기상태에서 나타난다. 여러 이유로 섭식불량하기도 하지만 종양 등에서 염증성 물질이 분비되어 metabolism changes가 일어나 calories를 소모하게 된다. Extreme muscle wasting이 일어나고 fat loss도 일어난다. 체중감소뿐만 아니라 감염에도 취약해져 cachexia 자체로 사망에 이를 수 있다. 단순히 nutritional or calorie support만으로 회복이 어렵다.

3) Kwashiorkor

Acute trauma or sepsis에서는 에너지 소모량이 증가한다. 초기에는 저장된 지방과 근육에서 영양분을 사용하므로 임상소견이 경미하다. 예후는 좋지 않다. Wound healing 감소, skin breakdown, edema, gastroparesis, pressure sore, diarrhea, GI bleeding, infection 등의 문제를 일으킨다. Marasmus와 달리 aggressive nutritional support가 필요하다.

BMI [Body mass index, kg/키(m)^2]
    ≥ 30 obese
    25.0 - 29.9 overweight
    18.5 - 24.9 normal
    < 18.5 underweight
    < 17 significant underweight
    < 16 severely wasted로 정의한다.

Malnutriton 관련 혈액학적 지표는 다음과 같다.

- albumin 2.8–3.5 (protein depletion or systemic inflammation) < 2.8 (acute inflammation or severe inflammation)
- serum TIBC < 200 (protein depletion or inflammation)
- serum creatinine: muscle mass 반영
- 24 hr urine creatinine: muscle wasting 시 감소

Nutritional support의 목적은 자발적으로 소화, 흡수할 수 없는 환자에서 영양을 유지 또는 보충하는 것이다. Systemic hypercatabolic state 환자(severe inflammation, injury or infection)에서 영양과 대사 상태를 유지한다. 방법으로는 경장(enteral)과 경정맥(parenteral) 방법이 있다. 위장관의 소화, 흡수, 면역기능을 유지할 수 있으므로 경장영양이 정맥영양보다 선호된다. 삼킬 수 없을 때 단기목적으로는 feeding tube, 장기목적으로는 PEG (percutaneous endoscopic gastrostomy) 등의 방법을 사용한다(그림 9-1, 9-2). 급성 질환 때 경장영양 공급 시 구토, 설사, gastric retention을 일으킬 수 있으므로 주의가 필요하다. 정맥으로는 아미노산, dextrose, triglycerides, micronutrients를 공급한다. 장기적인 경정맥영양이 필요한 경우는 PICC (peripherally inserted cantral catheter)를 시행한다(그림 9-3).

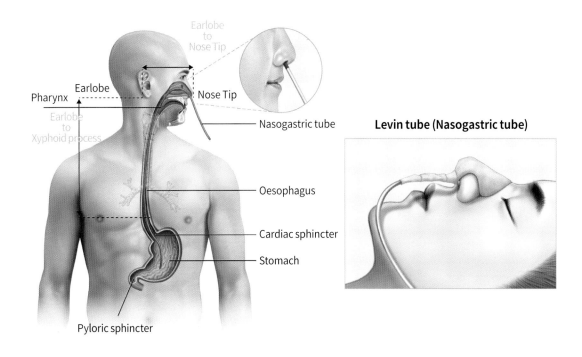

Levin tube (Nasogastric tube)

그림 9–1. L–tube

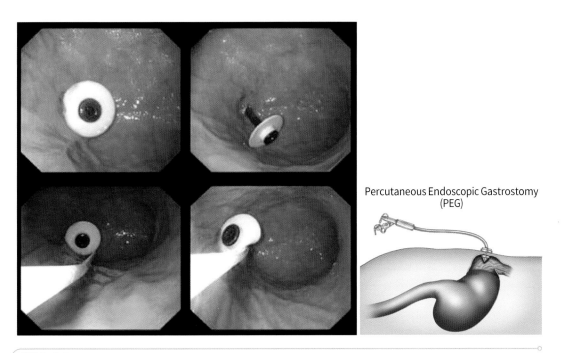

Percutaneous Endoscopic Gastrostomy (PEG)

그림 9–2. Percutaneous gastrostomy

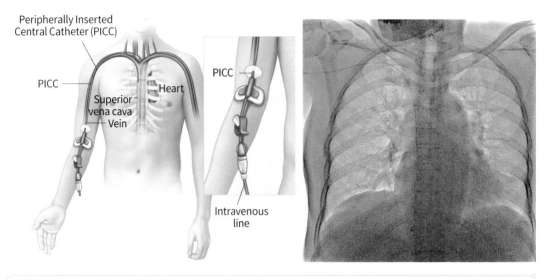

그림 9-3. **PICC**

개별영양 처방디자인은 다음과 같다.

- Fluid 량: ~30 mL/kg + loss (NG tube drainage, 자연소실분)
- Energy: ~30–35 kcal/kg (60 kg 기준 1,800–2,100 kcal)
  Chronically starved 20–25 kcal/kg (60 kg 기준 1,200–1,500 kcal)
  Extensive burn, high fever, severe multiple trauma 40–45 kcal (60 kg 기준 2,400–2,700 kcal)
- Protein: 건강한 성인에서는 0.8 g/kg (60 kg 기준 48 g).
  PEM (protein–energy malnutrition) 환자에서는 1.5 g/kg
  Critically ill patients에서는 1.5–2.0 g/kg
- Fat: 총 에너지량의 20–30%, polyunsaturated long–chain TG (e.g. soybean oil)은 속도를 0.11 g/kg or 100 g/12 hr 넘으면 안 된다(100 g = 20% fat 500 mL).

4. 비자발적 체중감소(Involuntary weight loss)

임상적으로 의미 있는 체중감소는 6–12개월 동안 > 4.5 kg 또는 원래 체중의 > 5% 감소로 정의한다. 검사에서 원인을 못 찾는 경우가 1/4 정도 되고, 암인 경우가 예후가 가장 좋지 않다. 어떤 원인이든 고령에서의 체중감소는 악결과(예: hip fracture, pressure ulcer, 면역기능 저하)를 초래할 수 있다. 보통 사람은 50대에 체중이 peak에 도달하여 80대까지 유지하다가 이후 점차 감소한다. 초고령이 될 때까지 fat tissue 증가로 lean body mass 감소와의 균형을 이룬다. Lean body mass는 20대부터 0.3 kg/년 속도로 감소하는데, 감소속도는 60세(남), 65세(여)부터 더욱 빨라진다. 세포레벨에서는 telomeres가 짧아지고 body cell mass가 감소한다. 비자발적 체중 감소의 흔한 원인으로는 ① cancer (1/4), ② chronic inflammatory or infectious disease (HIV, Tbc), ③ metabolic(갑상선기능항진증, 당뇨, 부신기능저하 등), ④ psychiatric이다. 암을 제외한 특정 질환별 원인으로는 소화기질환(식욕 감소, 흡수장애 관련), 심장질환과 폐질환(CHF, COPD에서 metabolic demand 증가 + 식욕감소로 인한 칼로리 섭취 부족), 신부전(uremia에서 구역, 구토, 식욕부진), 류마티스질환(metabolic demand 증가 + 영양 섭취 부족), 신경과질환(파킨슨, 치매에서 dysphagia, malnutrition), alcoholism (malnutrition) 등이 원인이다. 진단 검사로는 CBC, LFT, CRP, ESR, RFT (BUN/Cre), TFT, CXR, abd USG를 시행한다. 나이/성별로 위험인자가 있는 경우 mammography, colonoscopy를 추가한다. 위험군인 경우 HIV test도 시행한다. 치료는 원인을 찾는 것이 가장 중요하다. 일반적 치료로 oral nutritional supplements 사용할 수 있다. 일부 환자에서 antidepressant (mirtazapine)이 도움이 될 수 있다.

해설 임상에서 비정상적으로 체중감소가 심한 경우 cancer work-up을 하게 되는데 혈액검사와 CT, 내시경을 시행하는 경우가 많다. 우리나라의 진료비는 외국과 비교하여 매우 저렴하여 CT와 내시경 검사가 어렵지 않다. 초음파는 복부를 완전히 평가하기 어려우므로 복부 CT가 나을 수 있다. CT의 단점은 방사선조사와 조영제 부작용 위험성이 미미하지만 있다. 우리나라에서는 위암에 대한 고려가 중요하여 EGD는 주요 검사이다(40세부터 2년마다 국가암검진 프로그램).

II 식도질환

01

위식도역류질환
Gastroesophageal reflux disease

위산역류로 생긴다. Reflux esophagitis가 대표적이고, Barrett's esophagus와 adenocarci-noma도 gastroesophageal reflux disease (GERD) 관련 질환이다. 위산역류의 전형적 증상은 heartburn(가슴이 타는 듯한 느낌)이라고 하지만, 한국식 증상 표현들은 속쓰림, 신물, 구역질, 꺽꺽거림, 트름, 생목, 치밀어 오르는 느낌, 명치통증 등 다양하다. 그 외, 만성기침(chronic cough)과 목이물감(globus symptom)도 GERD의 주요 증상이다. Chest pain, dysphagia도 일으킬 수 있는데 매우 조심해야 하는 증상이다. Chest pain에서는 심장이상을 반드시 고려해야 하고, dysphagia의 경우 GERD로 peptic stricture가 생긴 경우와 esophageal cancer를 고려해야 한다. 정상적으로 EG junction에서 LES tone + crural diaphragm의 해부학적 안정성으로 역류가 방지된다. LES의 transient relaxation으로 일시적 역류가 일어나더라도 esopha-geal peristalsis + saliva (bicarbonate)로 희석시켜 위강으로 다시 내려 보내므로 문제가 되지 않는다. 그러나 LES relaxation이 지속적이거나 GE junction의 해부학적 이상(hiatal hernia)이 있는 경우에는 역류가 지속적으로 일어나게 된다. GERD의 원인으로는 LES tone을 감소시키는 것들(고지방식, 커피, 차, 흡연, 음주 등), 복압 증가(복부비만, 임신), delayed gastric emp-tying 등이다. 치료는 습관을 교정하고, PPI (proton pump inhibitor)를 사용한다. 음식을 먹고 2시간은 눕지 않도록 하고, 잘 때 상체를 약간 높이는 것도 도움이 될 수 있다. PPI가 H2 blocker보다 우수하다. 수술(Nissens's fundoplication)은 PPI가 도입된 이후로 거의 시행하지 않는다.

증례 1-1

24세 여성. 2주 전부터 검은색 변을 본다고 하였다. 오래 전부터 먹기만 하면 명치가 쥐어짜는 듯 아팠는데 최근 심해졌다고 하였다. 잘 체한다고 하였다. 진찰은 특이소견 없었다. 위/대장내시경 시행하였다. 대장내시경에서는 이상이 없었고, EGD에서 다음의 소견을 보였다. 내시경 후 Esomeprazole 40 mg qd, Itopride 1 T qd으로 증상이 호전되었다. 유지치료 처방하였다.

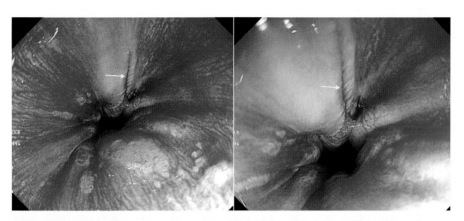

그림 1-1. EG junction 상방으로 linear mucosal break가 관찰된다. Erosive esophagitis이다. 길이가 5 mm 이상이므로 LA classification grade B라고 할 수 있다.

해설 　내시경상 mucosal break가 있는 경우를 erosive esophagitis, 없는 경우를 non-erosive reflux disease (NERD)로 부른다. Erosive esophagitis는 LA classification grade A–D로 분류된다.

증례 1-2

43세 남성. 설사와 복통 오래되어 내원하였다. BMI 33.8 (172 cm, 100 kg)이었다. 내시경 등 검진받은 적 없어 위/대장내시경과 혈액검사 시행하였다. 위내시경에서 목 안에 살이 많이 쪄서 airway가 좁아져 있었고 역류성식도염이 발견되었다(그림 1-2). 대장내시경에서는 0.5 cm polyp 발견되어 EMR 시행하였고, 혈액검사에서 고지혈증(T-CHO 298, LDL 257), 당뇨(HbA1c 8.8%), 간수치 증가(AST/ALT/GGT 117/187/98), 적혈구 증가(polycythemia Hb 18.2)가 발견되었다. 대사증후군에 관하여 내분비내과 의뢰하였다. 환자의 polycythemia는 고도비만에 의한 만성적 저산소증에 의하였을 것으로 추정하였다.

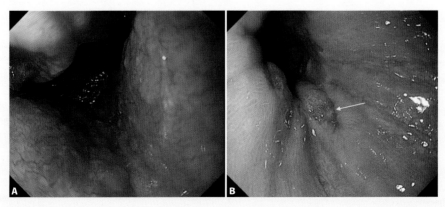

그림 1-2. 고도비만으로 목 안에 살이 많이 쪄 있다(A). Mucosal break 길이가 5 mm 미만이므로 LA grade A라고 할 수 있다.

1. Hiatal hernia(그림 1-3)

Diaphagram의 esophageal hiatus 사이로 stomach이 mediastinum으로 herniation 된 것을 말한다. 대부분(> 95%) type I hernia (sliding hernia)이다. 나이가 들면서 증가하는데, phrenoesophageal liament가 약해지면서 생긴다. Hernia를 통하여 위산이 식도 쪽으로 쉽게 역류함으로써 식도점막을 손상(erosions or ulcers)시키고 GERD 증상이 생기게 된다.

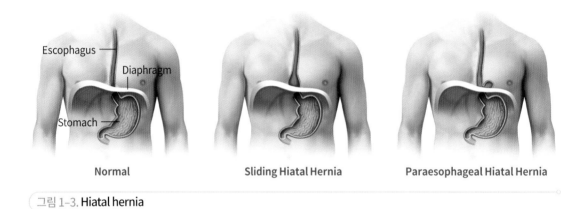

그림 1-3. **Hiatal hernia**

증례 1-3

64세 남성. 한 달 전부터 왼쪽 가슴과 속이 답답하고, 소화가 안 되고 트름도 자주 난다고 하여 내원하였다. 점차 심해진다고 하였다. 변비도 있었다. 수년 전 위/대장내시경을 받아본 것 같다고 하였다. CT, 위/대장내시경, 혈액검사를 시행하였다. CT와 혈액검사에서 이상 없고 대장내시경에서는 A-colon diverticulosis 발견되었다. EGD에서 hiatal hernia와 역류성식도염이 발견되었다(그림 1-4). Esomeprazole 40 mg qd PO 사용하고 증상 호전되었다. 유지치료 중이다.

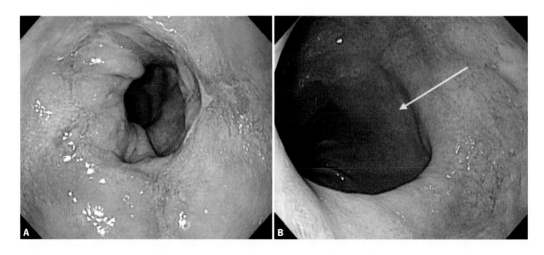

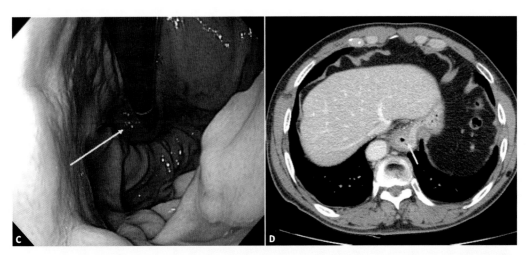

그림 1-4. 역류성식도염이 심하다. Mucosal break가 whole circumference에 걸쳐 생겼고, stricture를 일으키고 있다. LA grade D이다(A). 내시경을 식도에서 위강으로 내려다보면 hiatal sac이 보인다(B). 내시경을 반전하여 hiatal sac을 보는 장면이다(C). CT에서도 diaphragm 위로 hiatal sac을 관찰할 수 있다.

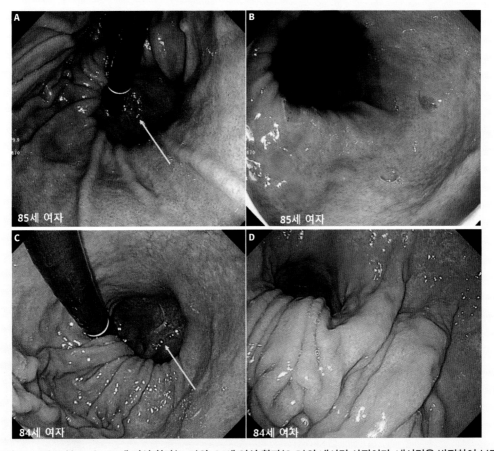

그림 1-5. Hiatal hernia. 85세 여성 환자(A, B)와, 84세 여성 환자(C, D)의 내시경 사진이다. 내시경을 반전하여 보면 커다란 hiatal sac이 보이고(A, C), 식도에서 위강으로 내려다보면 시야에 보이는 모두가 hiatal sac 내부이다(B, D).

증례 1-4

79세 남성. 수개월간 배가 아프고 식사를 하지 못한다고 하여 내원하였다. 최근 심해져 동네의원 약을 복용하였으나 별로 효과가 없다고 하였다. 목소리도 쉬었다고 하고 식사와 관계없이 복통이 있었고 배변은 잘 한다고 하였다. 지난달 동네의원에서 위내시경을 했는데 염증이 약간 있다고 들었다고 하였다. 심혈관질환(CAOD)과 고지혈증 있었고, 다리 대퇴동맥에 스텐트 삽입하고 항혈소판제제(Platless®) 복용 중이었다. CT와 혈액검사를 처방하였다. CT에서 duodenal bulb 벽이 두껍고 부종이 있으며 조영증강되어 십이지장궤양이 의심되었다. 혈액검사에서 Hb 6.5 g/dL (microcytic, hypochromic)였고, Cre 1.35 (GFR 47.5)이었다. 십이지장궤양 출혈 가능성으로 입원하여 수혈과 내시경 시행하였다(그림 1-6)

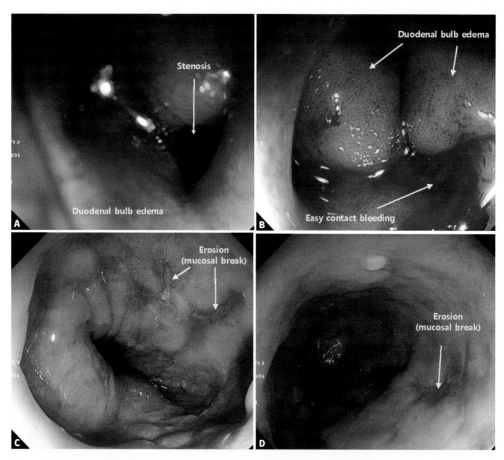

그림 1-6. Duodenal bulb edema and stenosis가 관찰된다(A). 내시경 시 심한 저항감이 있었고 겨우 통과는 되었으나 easy contact bleeding이 있었다(B). 식도의 EG junction은 mucosal break의 confluence가 75% 미만인 reflux esophagitis, LA grade C였다(C). 하부식도에 erosions가 관찰되었는데, 위산역류가 심하게 일어난 것으로 생각되었다(D). CLO 양성이었다.

해설　　복통과 식이불량은 십이지장궤양 및 협착 때문이었을 것으로 추정된다. 환자는 고령이고 항혈소판제제 복용 중이므로 중단 없이 PPI를 사용해야 해서 헬리코박터 제균치료는 하지 않았다. PPI만 중단 없이 사용할 계획이다.

2. Barrett's esophagus

식도점막(squamous cell epithelium)이 장점막(simple columnar epithelium)으로 치환 (metaplastic change)된 것을 말한다. 내시경상으로는 위점막이 식도쪽으로 tongue-like projection된 소견을 보인다(그림 1-7). Barrett's esophagus는 위산역류로 생기고 adenocarci-noma의 precancerous lesion이다. 선암 위험은 매년 0.1–0.3%이다. 강력한 위산억제 치료가 바렛식도나 adenocarcinoma를 예방할 수 있는지에 대한 강력한 증거는 없다.

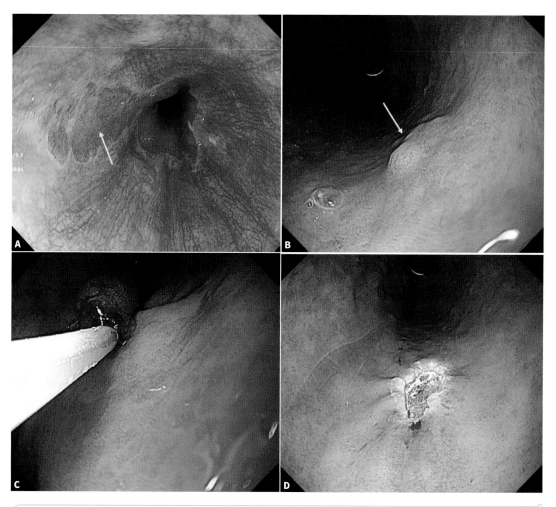

그림 1-7. 검진에서 우연히 발견된 Barrett's esophagus and gastric adenoma

76세 여성으로 한번씩 속쓰림 있었다. 검진 EGD 받았다. 위점막이 식도쪽으로 tongue-like projection된 Barrett's esophagus 소견이다(A). Gastric adenoma 발견되어 EMR 시행하였다. 조직결과는 tubular adenoma, low-grade dysplasia였다(B–D).

02

식도암
Esophageal cancer

Squamous cell carcinoma or adenocarcinoma 두 종류가 있다. 상부 1/3 (5%), 중부 1/3 (20%), 하부 1/3 (75%) 빈도로 발생한다. 상부와 중부 식도에 생기는 Squamous cell carcinoma의 원인으로는 과도한 음주와 흡연이 대표적이다. 그 외 hot tea, lye ingestion, carcinogen (nitrate, smoked opiate), radiation stricture, chronic achalasia, esophageal web (Plummer-Vinson syndrome) 등이다. 음주와 흡연은 synergistic하게 위험을 증가시킨다. 또한 편평상피세포암 위험인자는 폐암, 두경부암의 위험도 같이 높다. EG junction 부근에서 생기는 adenocarcinoma의 위험인자는 chronic GE reflux, obesity, Barrett's esophagus, male, smoking 등이다. 미국에서 원인은 알 수 없으나 squamous cell ca는 줄고, adenocarcinoma는 7배 증가하였다. Distal adenocarcinoma는 임상적, 영상학적, 내시경적으로 gastric adenocarcinoma와 구분되지 않는다. 다만 식도 선암은 헬리코박터와 관련이 없고, 15%에서 HER2/neu gene overexpression되어 있다. 식도암이 진행하면 dysphagia가 생긴다. 처음에는 solid food부터 생기고 점차 semisolid, 나중에는 liquid도 넘어가지 않는다. 체중이 감소하고 odynophagia가 동반되기도 한다. Regurgitation, vomiting, aspiration pneumonia가 생기기도 한다. 암이 진행하면서 adjacent & supraclavicular LNs, liver, lung, pleura, bone metastasis가 생긴다. TE fistula가 생기기도 한다. Bone metastasis 없이 hypercalcemia가 생기기도 하는데, PTH-related peptide 분비로 인한 paraneoplastic syndrome이다. 진단은 내시경을 통하여 육안으로 확인하고 조직검사로 확진한다. 진단된 경우에 CT로 mediastinum, para-aortic LNs metastasis를 확인하고, PET은 distant metastasis 확인에 유용한 검사이다. 예후는 불량하여 진단 후 5년 생존율은 약 10%이다. 수술(total resection 등)이 가능한 경우는 45% 정도이고, 수술하더라도 resection margin에 residual tumor가 존재하는 경우가 꽤 된다. Postop morality는 약 5% 정도로 anastomotic fistula, subphrenic abscess, cardiopulmonary complication 등의 합병증 때문이다. 술후 20% 정도만 5년 생존한다. Superficial cancer인 경우 내시경적 절제(ESD)를 시행하기도 한다. Barrett's esophagus에서 ablation 하기도 하지만 암 예방효과는 불확실하다. 항암치료는 single agent로는 15–25%, cisplatin-based combination은 30–60% 정도의 반응률을 보인다. HER2/neu gene overexpression된 경우는 monoclonal antibody인 trastuzumab (Herceptin®)을 추가로 사용하는 경우에, 특히 GE lesion에서 이득이 있다. Anti-angiogenic agent인 bevacizumab (Avastin®)의 유용성은

증례 2-1

89세 여성. 토혈로 입원하였다. HCV(+) liver cirrhosis, hypertension, CKD 있었다. 내원 시 Hb 9.6 g/dL였다. EGD 시행하였는데, Gastric varix bleeding으로 histoacryl injection 시행하였다. 식도에서 우연히 esophageal nodular mass 발견되었다(그림 2-1). 조직결과는 squamous cell carcinoma, well-differentiated였다. 고령에 기저질환 등 전신상태 불량하여 수술하지 않고 경과 관찰하였다. 그동안 간경변에 의한 복수 치료하였다. 4년 반 추적검사에서 식도암이 진행하는 소견 을 보였다.

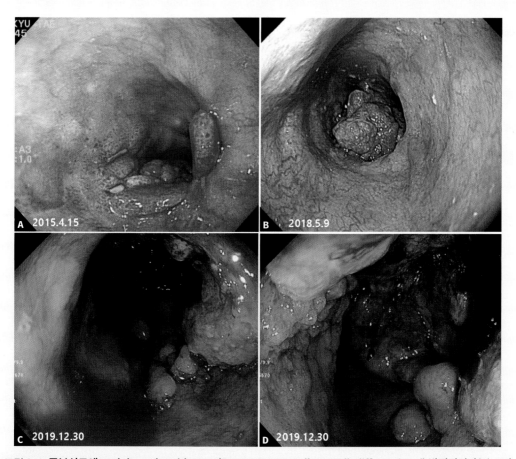

그림 2-1. 중부식도에 nodular polypoid mass (Bx. squamous cell ca, well-differentiated) 발견되었다(A). 3년 후에는 polypoid mass로 크기가 증가하였다(B). 그로부터 1.5년 후에는 huge irregular marginal elevated dirty based ulcerative friable mass with easy bleeding 소견으로 매우 진행되었다(C, D).

제한적이다. Preop CTx + RTx 후 수술이 유용하고 생존을 향상시킨다. 절제 불가능한 식도암에서 dysphagia, malnutrition, TE fistula가 주된 문제가 된다. 보존치료로써 repeated endoscopic dilatation, percutaneous gastrostomy or jejunostomy feeding, esophageal stent insertion, radiation therapy를 시행할 수 있다.

증례 2-2

60세 남성. COPD (emphysema)로 home O_2 therapy하며 호흡기내과 다니고 있는 환자였다. 음주 주 4회 × 막걸리 2병/회, 흡연 1 PPD하고 있었다. 평소 숨이 매우 차고 췌장염으로 입원 병력도 있으며 복부 가스참으로 소화기내과 follow-up 하였다. 그러던 중 위내시경 받은 지 3년이 되었고 대장내시경을 받아본 적 없어 위/대장내시경 시행하였다. 대장내시경에서 용종 6개 EMR하였고, EGD에서 다음과 같은 소견이 보였다(그림 2-2).

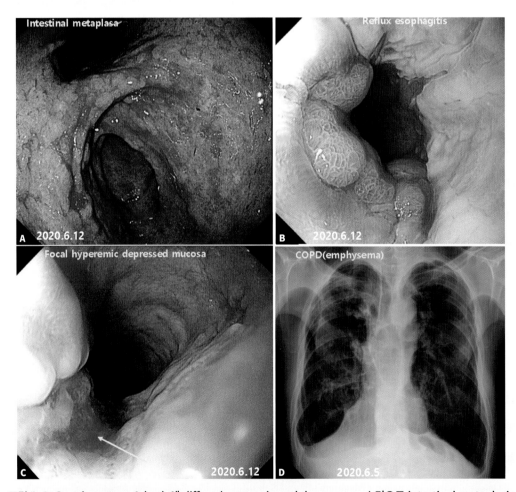

그림 2-2. Gastric antrum & body에 diffuse hyperemic nodular mucosa 소견으로 intestinal metaplasia 가 매우 심하다(A). EG junction에는 reflux esophagitis, LA grade A 소견이다(B). 상부식도에 focal hyperemic depressed mucosa 보였는데, biopsy에서는 atypical cells가 보이나 cancer로는 진단되지 않았다(C). Lung emphysema 심하고 숨차서 걸을 수 없고 항상 휠체어로 내원하였다(D).

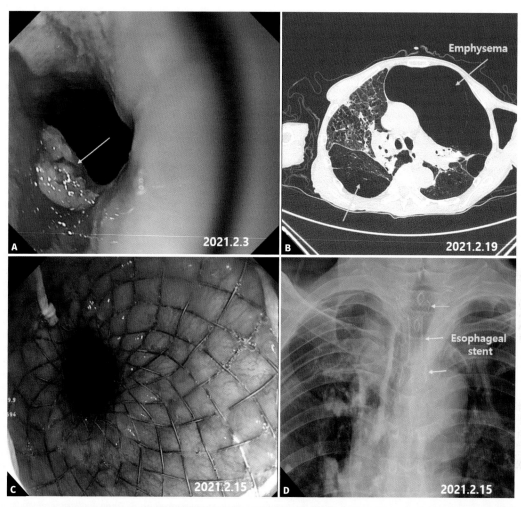

그림 2-3. 8개월 후 follow-up EGD 시행하였다. 상부식도 이전 병변이 진행하여 polypoid mass와 stenosis를 일으키고 있어 H260 scope은 통과되지 않고, 직경이 가는 Q-scope으로 경우 통과되었다. 조직결과는 squamous cell ca, moderately differentiated였다. Lung emphysema 심하여 수술은 불가능하였다(B). 스텐트 시술하였다(C). Stent는 적절한 위치에 잘 되었다(D). 스텐트 시술 2개월 후 폐렴이 생기면서 호흡부전으로 사망하였다.

해설 식도암의 대표 위험인자는 음주와 흡연이다. 수술 불가능한 식도암에 의한 협착에 대한 완화치료로 stent insertion을 할 수 있다.

65세 남성. 수개월간 음식을 먹으면 목에 걸린다고 내원하였다. 며칠 전부터는 구토도 하였다. 물은 괜찮고 죽은 겨우 넘어 가며 밥은 안 넘어간다고 하였다. 체중이 많이 감소하였다고 하였다. 기저질환으로 당뇨가 있었다. 식도암 가능성을 생각하고 EGD를 시행하였다.

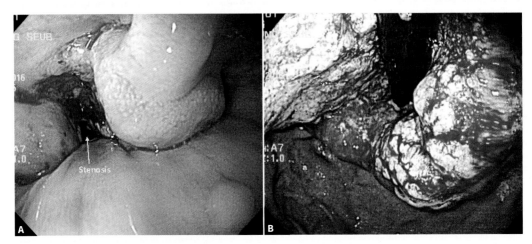

그림 2-4. **식도하부에 협착이 있으나, 주 종괴는 cardia를 encircling하는 huge friable mass이다(A). 조직결과는 adenocarcinoma, poorly differentiated였다.**

해설   식도암으로 생각하였으나 내시경 결과는 advanced stomach (cardia) cancer with distal esophageal invasion이었다. 때로는 esophageal cancer with cardia invasion인지, stomach cancer with esophageal invasion인지 내시경으로 구분이 쉽지 않을 때도 있다. 이 환자는 주 종괴가 cardia에 있으므로 primary를 stomach으로 보았다. 대형병원으로 전원 가서 항암치료 XELOX (Xeloda + Oxaliplatin)를 받았다. 1년 후 EGD와 CT에서 항암치료에 반응이 없고 매우 진행하였고 암 진행으로 사망하였다.

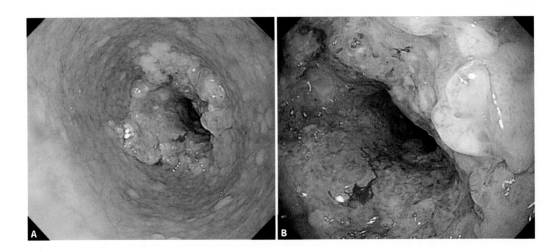

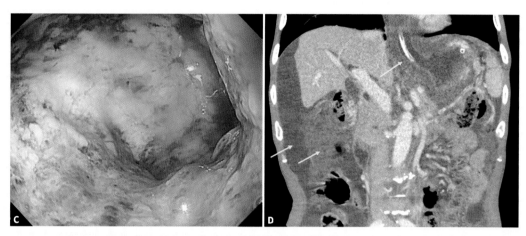

그림 2-5. 하부식도 쪽으로 cancer가 진행하고 있다(A). 내시경을 진입하면 mass obstruction이 심하다(B). 위강내 cancer 진행이 매우 심하다(C). CT에서도 cardia & body wall thickening 및 복강내 carcinomatosis에 의한 복수가 관찰된다(D). 진단 후 1년째 사망하였다.

증례 2-4

61세 남성. 3개월 정도 식도가 꽉 막힌 것 같다고 내원하였다. 2년 전(당시 59세) 본원 검진 내시경 도중 상부 식도에 superficial esophageal cancer (squamous cell ca) 진단 후 상급종합병원으로 전원가서 ESD를 시행받고(그림 2-6) follow-up하고 있다고 하였다. 식도협착의 가능성을 생각하고 EGD를 시행하였다(그림 2-7).

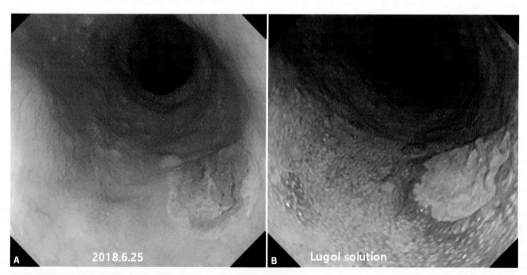

그림 2-6A, B. 2년 전 표재성 식도암 진단받고 상급종합병원으로 전원가서 ESD를 시행받았다. 시행 전 EUS로 mucosal cancer임을 확인한 기록이 있다.

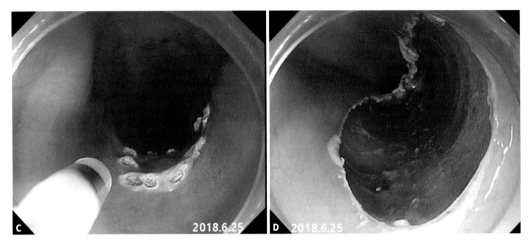

그림 2-6C, D. 2년 전 표재성 식도암 진단받고 상급종합병원으로 전원가서 ESD를 시행받았다. 시행 전 EUS로 mucosal cancer임을 확인한 기록이 있다.

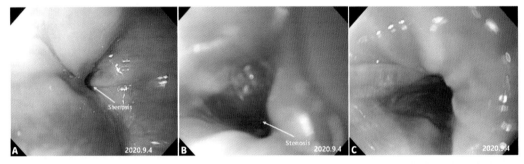

그림 2-7. Stricture가 매우 심하였다. H-scope으로는 통과되지 않고(A, B), 그보다 직경이 가는 Q-scope으로 겨우 통과되었다(C). 조직검사에서는 cancer cells은 나오지 않았다. 처음에는 ESD 후 stricture 온 것으로 생각하였으나 다니던 병원에서 재발로 진단되었다.

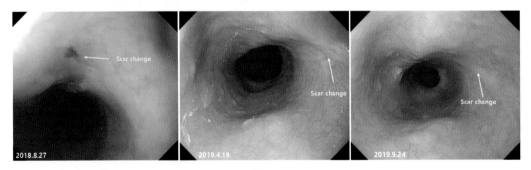

그림 2-8. ESD 후 1년 3개월간 재발 없이 좋은 경과를 보이고 있다.

Ⅱ 식도질환

2020.9. 다니던 병원에서 재발을 진단받아 PRG 시행하고 항암치료를 받는다고 하였다. 본원에서는 가정간호로 주 2회 영양제(lipid + 아미노산제제) 처방을 받았다. 다니던 병원에서 최근 폐렴으로 입원치료 후 퇴원하였다가 다시 기침과 가래가 악화되어 본원 통합내과 입원하였다. 입원 당시 CT이다(그림 2-9).

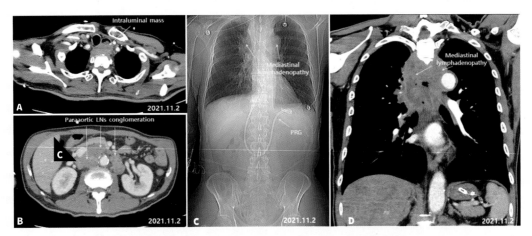

그림 2-9. 상부식도에 intraluminal mass 매우 진행되었고(A), extensive mediastinal lymphadenopathy가 관찰된다(C, D). 복강 내 aorta 주변으로 큰 림프절들이 conglomeration되어 있다(B).

해설 Superficial esophageal cancer(표재성식도암)은 림프절 전이와 관계없이 mucosa & submucosa에 국한된 암을 말한다. Early esophageal cancer(조기식도암)은 림프절 전이가 없으면서 mucosa에 국한된 것을 말한다. Early esophageal cancer 또는 림프절 전이 가능성이 낮은 superficial esophageal cancer가 ESD의 대상이 될 수 있다. ESD가 수술보다 나은 장점은 morbidity & mortality가 낮고, 환자의 quality of life가 좋다는 점이다. 그러나 ESD는 고도의 술기가 요구된다. 좋은 성적들이 보고되고 있으나 여전히 post–ESD recurrence concern이 있다. 출혈, 천공 및 협착이 주된 합병증이다. 이 환자는 EUS 등 검사에서 early esophageal cancer로 ESD 시행 후 단기간 좋은 경과를 보였으나 심한 lymph node metastasis를 동반한 재발을 보였다.

증례 2-5

60세 남성. Alcoholic cirrhosis로 소화기내과 다니던 중 검진으로 EGD 시행하여 high-grade dysplasia 나와 본원 위장관 선생님에게 의뢰하여 ESD 시술받았다(그림 2-10).

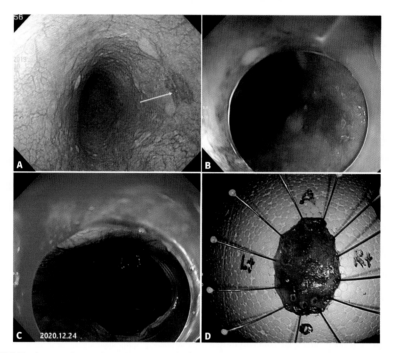

그림 2-10. 상부식도(28 cm from the incisor teeth)에 0.6 cm focal hyperemic mucosa 보이는데 biopsy에서 high-grade dysplasia로 진단되어 ESD 의뢰하였다(A). ESD 시행 결과 intraepithelial neoplasia, high-grade, 9 × 11 mm, free resection margin이었다.

시술 직후 흉부에 뿌그적거리는 기포음이 들렸다. 천공에 의한 massive subcutaneous emphysema가 발생하였다. CXR와 chest CT 촬영하였다(그림 2-11).

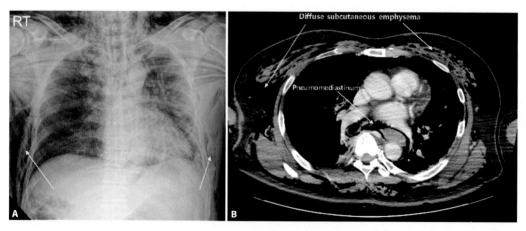

그림 2-11. CXR에서는 흉벽에 대량의 공기음영으로 지저분하고, chest lateral wall 밖으로 뚜렷한 공기음영이 보이는데 subcutaneous emphysema이다(A). CT에서는 pneumomediastinum도 관찰된다(B). 천공에 대하여 hemoclipping, polyglycolic acid sheet + Tiseal® 등의 치료로 결국 호전되었다.

이후 follow-up에서 1년 3개월째에 재발되었다. 흉부외과 의뢰하였으나 상급종합병원으로 전원을 희망하였다.

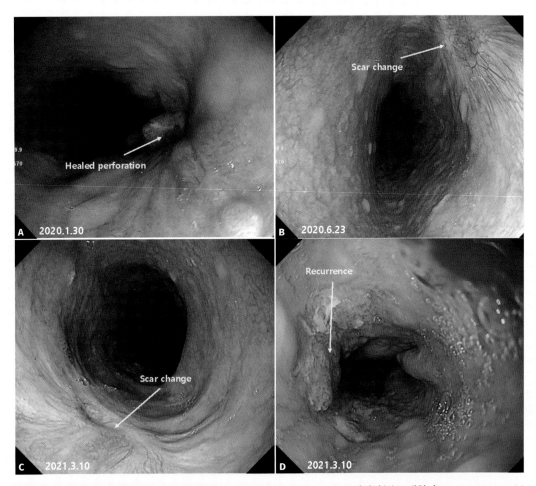

그림 2-12. ESD 한 달 후 follow-up EGD에서 perforation site는 healing되었다(A). 5개월 후 post-ESD scar 보이고 잘 되어 있다(B). 1년 3개월째 ESD site에 scar와 함께 주변부에 nodular mass with mild stenosis로 재발 의심소견을 보였다. 조직검사에서 squamous cell carcinoma, moderately differentiated로 진단되었다.

해설   ESD는 고도의 술기와 learning curve가 필요한 시술이다. 주요 합병증은 출혈(0.9-6.7%), 협착(15-60%), 천공(3.3%)이다. 식도는 serosa가 없으므로 시술 시 천공 위험이 높다. 천공 시 repair 위한 개흉술이 필요할 수도 있다. 이 환자는 다행히 healing되었으나 환자도 고생하였고 시술의사도 보호자에게 한참을 시달리고 고생하였다. 시술 전 충분한 설명과 합병증에 대한 동의가 필요하다. En-bloc resection되었고 조직결과도 free resection margin으로 잘 되었으나 재발하였다. Curative resection된 경우 재발률은 2.5% 정도로 보고된다.

03

말로리바이스열상
Mallory–Weiss tear

심한 구토, 구역질(retching) 또는 심한 기침(vigorous cough)으로 EG junction의 mechanical mucosal injury로 출혈이 생긴다. Cardia나 EG junction tear가 생긴다. 상부위장관 출혈의 흔한 원인으로 대부분 구토를 심하게 하다가 토혈한다. 과음 후 구토하다가 토혈하거나, 내시경 도중에 심한 구역질로 생기기도 한다. 대부분 저절로 멎고 자연 호전된다. 심한 출혈 시 내시경 지혈술이 필요할 수 있다. 수술이 필요한 경우는 드물다. 그러나 심한 mucosal laceration으로 esophageal perforation (rupture)되는 Boerhaave's syndrome은 심각한 상태이다.

1. 뵈르하베증후군(Boerhaave's syndrome)

심한 구역질로 esophageal rupture되는 것을 말한다. Severe retrosternal chest pain이 생긴다. 진단이 지연되면 합병증과 사망 위험이 높아진다. CXR에서는 pleural effusion, pneumomediastinum 소견이 보일 수 있고 CT로는 천공부위를 볼 수 있다. Esophagogram으로 contrast material의 extravasation을 확인할 수 있다. EGD 역할은 controversial하다. NPO, nutritional support, L–tube drainage, PPI IV 사용과 함께 조기 수술(primary repair and debridement)이 필요하다.

증례 3-1

63세 남성. Chronic alcoholics로 내원 전날 오후 구토하다가 대량의 토혈로 응급실 통해 입원하였다. 처음에는 일반 구토하다가 fresh blood를 토하였으며 이후 검붉은색을 토하였다. 나중에는 melena가 동반되었다. 내원 당시 Hb 9.5 g/dL였는데 hydration과 수혈 후에는 Hb 7.6 g/dL이었다. 입원하여 EGD 시행하였다(그림 3-1).

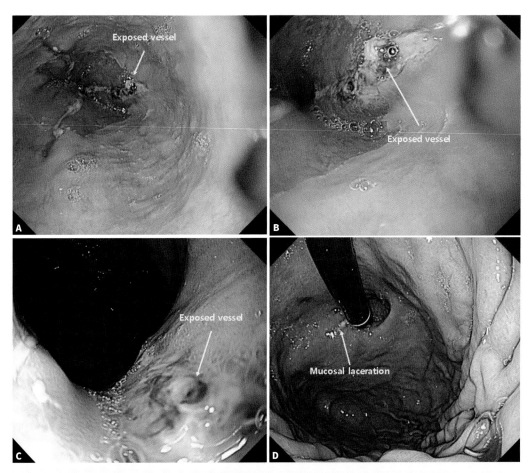

그림 3-1. EG junction에 linear laceration과 함께 혈관이 노출되어 있다. 현재 출혈은 멎은 상태이고, 자연적으로 healing될 것으로 판단하여 내시경 지혈술은 시행하지 않았다.

증례 3-2

59세 남성. 어제 오후부터 메슥거림이 계속되다가 이후 hematemesis 2회, hematochezia 있어 응급실 통해 입원하였다. 매일 소주 2-3병 마시는 alcoholics였다. 내원 당시 Hb 7.1, AKI (BUN/Cre 49.3/2.3, GFR 29.5), metabolic acidosis [pH 7.20, bicarbonate 8 (21-28), base excess −18], amylase 287, lipase 245였다. Hydration, packed RBC transfusion하여 전신상태 호전 후 다음날 EGD 시행하였다(그림 3-2).

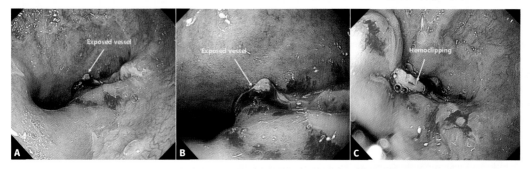

그림 3-2. EG junction 직하방(cardia)에 deep laceration과 함께 large vessel expose되어 있다. 이 환자에서는 hemoclipping #1을 시행하였다. 익일 식이 시작하고 4일 후 퇴원하였다. 금주를 강조하였다.

해설 출혈도 문제이지만 심한 열상으로 천공되면 Boerhaave's syndrome이 될 수 있다. 천공 시에는 수술이 필요할 수 있고 생명이 위험할 수 있다. 과음 후 구토는 매우 위험한 행위이다.

04

부식성식도염
Corrosive esophagitis

알칼리와 강산이 있는데 주로 알칼리 손상이다. 알칼리는 주로 식도에, 강산은 위점막 손상을 더 심하게 일으키는 경향이 있다. 실수로 음독할 수도 있고 자살 목적으로 음독하기도 한다. 점막 손상의 정도는 음독한 종류, 양, 농도, 점막노출시간 등에 따라 다르다. 처음 evaluation 목적은 severe life-threatening injury (ICU care, surgical observation)와 mild injury(보존치료)를 구분하기 위함이다. 내시경, CT, lab으로 조기 점막 손상정도를 평가한다. 내시경으로 점막 손상 정도를 평가한다. CT로는 necrosis 깊이를 평가한다. 혈액검사는 처음에는 정상인 수가 많다. 경과관찰 중 leukocytosis, CRP 증가, acidosis, renal failure, LFT abnormality, thrombocy-topenia가 생기면 이는 transmural necrosis의 predictor이고, poor outcome 시사소견이다. 이처럼 상태가 악화하면 수술 필요성을 평가하기 위해 CT 재촬영이 필요하다. 합병증으로는 천공, 출혈, 협착, 심지어는 사망할 수도 있다. 장기 합병증으로는 식도편평상피세포암이 생길 수 있다. 알칼리와 산은 점막손상을 일으키는 기전이 다르다. 알칼리(양잿물, 락스 등)는 liquefac-tion necrosis(액화괴사)를 일으킨다. 점막에 닿은 후 빠르게 심부조직으로 침투하여 광범위한 손상을 일으킨다. 발열반응을 일으키고 세균침윤과 심한 염증을 일으킨다. 2주 후부터 콜라겐이 침착한다. 음독 2-3주 후 식도벽이 가장 약해지고, 3주 이후 scar 형성되고 식도가 좁아지고 짧아진다. 알칼리 주된 손상부위는 식도의 편평상피이다. 위장에서는 위산으로 알칼리와 중화되고 열이 발생하더라도 위점막 손상은 대량의 알칼리가 아니라면 큰 문제가 되지 않는다. 따라서 알칼리 손상은 주로 식도에 나타난다. 산(빙초산 등)은 coagulation necrosis(응고괴사)를 일으켜 가피(eschar)를 형성하며 손상이 깊게 진행하지 않는다. 병리적으로는 1도(erythema, edema, hemorrhage), 2도(submucosal damage, ulceration, exudate, vesicle), 3도(trans-mural, deep ulcers, perforation)으로 나눈다. 임상적으로는 중증도를 low-grade와 high grade로 나눈다. 증상으로는 목과 식도의 통증을 호소할 수 있다. Oral burn이 있는 경우에는 high-risk of esophageal injury를 시사하는 소견이므로 입원치료가 필요하다. 그렇다고 oral injury가 없으니 식도가 괜찮을 것이라고 생각하면 안 된다. 치료원칙은 보존치료이다. 금식, respiratory support, fluid, pain control이다. Emetics, NG tube, neutralizing agents는 금기이다. 구토를 유발하면 원인물질에 재노출되면서 천공의 위험이 높아진다. NG tube도 천공의 위험이 있어 금기이다. 중화제는 중화반응으로 열을 발산하여 thermal injury를 악화시키므로 금기이다. 항생제는 중증환자(perforation 의심)에서 사용할 수 있다. 스테로이드는 협착 예방 근거가 없고 감염 위험을 증가시키므로 일반적으로는 권고되지 않고 사용할 때는 단기간 사용한다. 내시경을 시행하는 이유는 초기 점막 손상정도를 평가하여 stricture risk를 예측하기 위함이다. 조기(< 48시간, 가급적 24시간 내)에 시행한다. 48시간 이후에는 submucosal hemorrhage, edema로 내시경적 손상정도 평가가 부정확하고 천공 위험이 증가하므로 가급적 시행하지 않고, 시행할 때는 매우 주의해야 한다. 호흡이 불량한 환자(glottic edema 등)는 intubation이 우선 중요하고 내시경이 급한 것은 아니다. Hemodynamically unstable한 환자 역시 내시경을 연기해야 한다. 내시경적으로는 Grade 0 (normal), 1 (mucosal edema, erythema), 2A (superficial ulcer, bleeding, exudate), 2B (deep, circumferential ulcer), 3A (focal necrosis), 3B (extensive necrosis)로 구분할 수 있다. 임상적으로 low–grade injury (endoscopic grade 1&2A, CT로 normal appearing)는 보존치료하고 24–48시간 내 liquid diet 시작하면 된다. High–grade injury는 최소 1주 이상 식도천공에 대하여 주의 관찰해야 한다. 갑자기 지속적인 심한 retrosternal or back pain을 호소할 때는 perforation & mediastinitis를 의심하고 CT 확인이 필요하다. 식이 시기는 분명히 규정할 수는 없으나 48시간 이후 침을 삼킬 수 있다면 oral liquid는 허용한다. 가장 흔한 합병증은 협착(stricture)이고, 그 외 출혈, TE fistula, eso SCC 등이 있다. Stricture 치료로 dilatation은 천공위험이 높고(4–17%) 성공률은 낮으며 여러 번 반복해야 한다. Lye stricture는 Eso squamous cell ca의 고위험군이므로 매 2–3년마다 EGD surveillance가 필요하다.

II 식도질환

51세 여성. PB-1 세정제(계면활성제, 알칼리)를 실수로 마시고 타병원 통해 본원으로 전원되었다. WBC 22.8K, CRP 3.68이었다. 입원 다음날 상부내시경 시행하였다(그림 4-1).

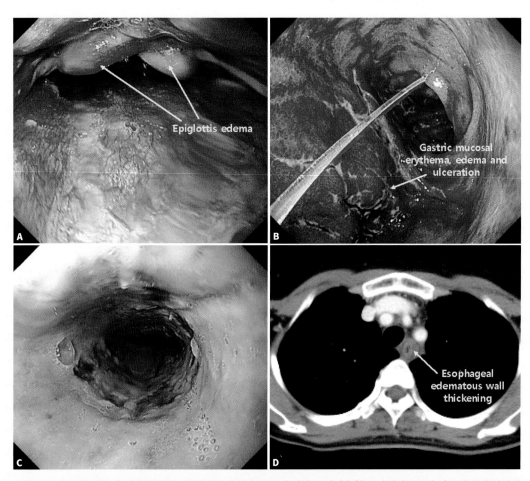

그림 4-1. 후두개 부종이 심하였다(A). 위점막의 발적과 부종이 심하고 점막출혈도 있었다(B). 전 식도에 걸쳐 하얀색의 부식성 막(exudate)이 형성되어 있었다(C). CT에서 esophageal wall edema 관찰되었다(D). NPO, hydration, 항생제와 OMP-S® IV 사용하였다. Methylprednisolone 500 mg qd IV 3일간 사용하고 2주째 EGD follow-up하였다.

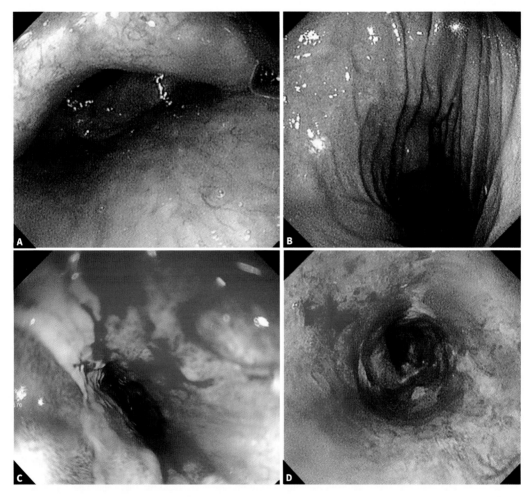

그림 4-2. Epiglottis와 위점막은 정상화되었다(A, B), 식도점막은 여전히 손상이 심하고(부종, 출혈), 협착이 진행하여 성인용 내시경은 통과되지 않아 경비내시경으로 전환하여 검사하였다(C, D).

퇴원하고 4개월 후 내시경과 식도조영술을 follow-up하였다. 경비내시경으로 시행하였다. 식도 전반에 걸쳐 scar change와 함께 diffuse stenosis가 관찰되었다. 다행히 식도조영술에서는 협착이 심하지 않고 조영제가 잘 통과되었다(그림 4-3). 환자 dysphagia 호소하지 않았다. 부드러운 음식을 먹도록 교육하였다. 역류성식도염이 있어 PPI 처방하고 경과보기로 하였다.

II 식도질환

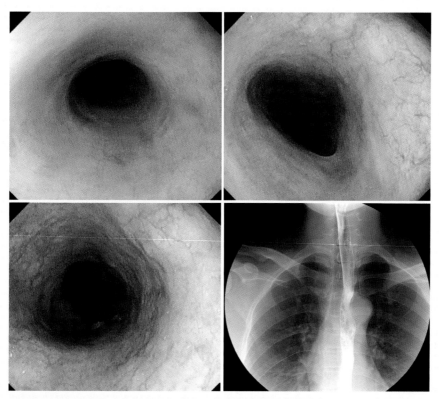

그림 4-3. 4개월 후 follow-up

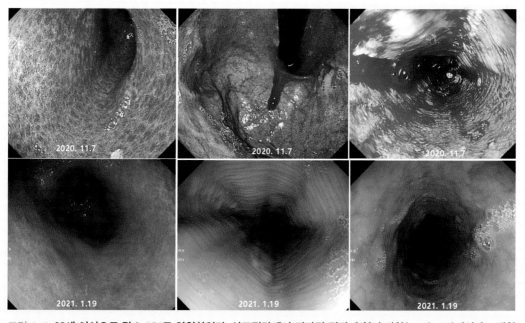

그림 4-4. 60세 여성으로 락스 ADI로 입원하였다. 식도점막에서 전반적 점막 출혈이 관찰(grade 2A)되었다. 2개월 후 follow-up EGD에서 일부 식도에 혈관상이 보이지 않으나 stricture 없이 비교적 잘 자연 치유되었다.

05

캔디다식도염
Candida esophagitis

캔디다는 정상적으로 throat에 존재하는 곰팡이균이다. 면역기능이 정상인 사람에서는 문제가 되지 않으나 면역저하인 경우에 증식하여 식도염을 일으킨다. 그 외 esophageal stasis, esophageal motor disorders, diverticula 때도 생길 수 있다. 가장 흔한 균은 C. albicans이다. 증상으로는 odynophagia, dysphagia를 호소한다. Oral thrush가 같이 생기기도 한다. 진단은 내시경 및 biopsy로 한다. 내시경 소견은 white plaques with friability 소견을 보인다. 드물게 출혈, 천공, 협착, systemic invasion을 일으키기도 한다. 치료는 oral fluconazole 200–400 mg qd(첫날), 이후 100–200 mg qd 유지하여 14–21일 치료한다. Fluconazole에 안 들을 때는 itraconazole, voriconazole, posaconazole을 사용해 볼 수 있다. 경구 제제를 사용할 수 없을 때는 IV echinocandin (caspofungin 50 mg daly 7–21일) 치료한다.

Ⅱ 식도질환

증례 5-1

83세 남성. advanced liver cirrhosis, HCC with multiple LNs metastasis의 terminal care 환자였다. 3주 전 토혈로 입원하여 식도정맥류에 대하여 밴드결찰술 시행하고 1주일 전 퇴원하였다. 식사를 못하고 기운 없어 재입원하였다. 입원 중 목 통증을 계속 호소하여 EGD 시행하였다(그림 5-1). 암 진행으로 컨디션 회복되지 못하고 요양병원으로 전원하였다.

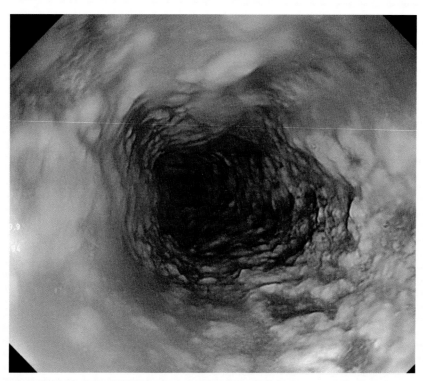

그림 5-1. 흰색의 백태(whitish exudated patch)가 식도 전장에 걸쳐 보였다. 심한 캔디다식도염이었다. Fluconazol을 사용하였다.

증례 5-2

66세 남성. 진행 간경변, 간암 수술 후 재발로 여러 번 색전술 받으면서 외과 follow-up하였다. Swallowing difficulty, chest discomfort로 EGD 의뢰되었다. 내시경에서 pyloric channel 부위의 stomach cancer와 함께, 식도에 다음의 소견이 관찰되었다(그림 5-2).

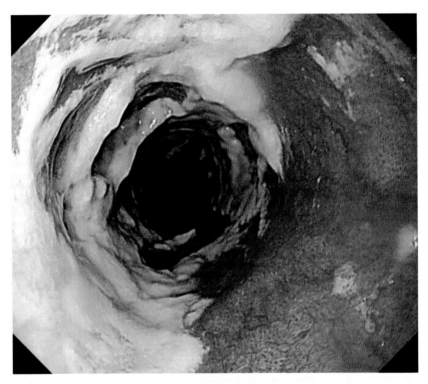

그림 5-2. 식도전장에 걸쳐 whitish exudate가 관찰된다.

06

약인성식도염
Pill-induced esophagitis

알약을 삼킨 후 물을 많이 안 마시거나 바로 눕는 경우에 식도 중간쯤 벽에 약이 달라붙어 생긴다. Mid-esophagus (aorta or carina crossing하는 부위)에 가장 흔하다. 항생제, 소염제, bisphosphonate 등 다양한 약제들이 일으킬 수 있는데 실제 어떤 약이라도 일으킬 수 있다. 약을 삼키고 물을 많이 마시지 않고 누웠을 때 전형적으로는 2시간 후쯤부터 점차 심해지는 극심한 흉통이 시작된다. 지속적이고 삼키면 더 심해진다. 수일간 지속하다가 점차 완화된다. 침상생활하는 환자에서는 주의가 필요하고, 일반 환자에서도 약 복용 시 충분한 물을 섭취하고 약 복용 후 바로 눕지 않도록 복약지도가 필요하다. 항생제(특히 doxycycline 캡슐이 크기가 크고 점막에 잘 달라붙을 수 있음)가 가장 흔하지만 다행히 합병증 위험은 적다. NSAIDs는 출혈과 같은 합병증을 일으킬 수 있다. 가장 심한 형태는 bisphosphonate (alendronate)이고 stricture를 일으킬 수 있다. 갑자기 발생한 chest pain, odynophagia로 내원하여 내시경을 해 보면 localized ulceration이 보인다. 조직검사를 하면 acute inflammation 소견을 보인다. 대부분은 자연 회복된다. 특정 치료는 필요 없고, healing process에 의해 자연 회복되지만 위산 역류를 줄여주기 위해 위산분비억제제를 사용하기도 한다.

30세 여성. 6일째 극심한 명치통증으로 내원하였다. 2주 전부터 산부인과약을 처방받아 복용하면서 안 좋았다고 하였다. 식사하면 아파서 도저히 먹을 수가 없고, 3일째 음식을 못 먹는다고 하였다. 진찰상 명치압통이 있었다. 입원하였다. 산부인과 처방전을 가져오도록 하였다. 입원 다음날 EGD 시행하였다(그림 6-1).

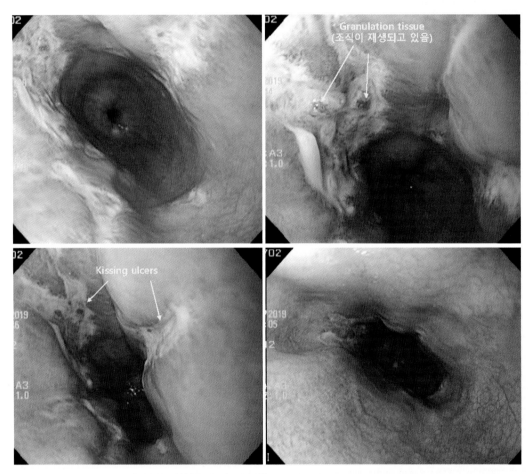

그림 6-1. 하부식도에 1.5 cm 이상 크기의 geographic kissing ulcers with granulation tissue 소견이 보였다. 전형적 pill-induced esophagitis 소견이었다. 복용 약제는 doxycycline, ranitidine이었다. Sucralfate 처방하였다.

증례 6-2

21세 남성. 2주 전 요도염으로 군병원에서 항생제 처방을 받았다. 1주 후에는 metronidazole 추가 후 심한 명치통증과 속쓰림으로 군병원 응급실에서 CT, 혈액검사 후 간내 담관결석이 의심된다고 대학병원 진료받았으나, 간내 담관결석은 아니며, 간담도 관련 통증은 아닌 것으로 설명 듣고 위장 증상으로 의심되어 본원 소화기내과 외래 내원하였다. 통증이 극심하여 입원하여 바로 EGD 시행하였다(그림 6-2).

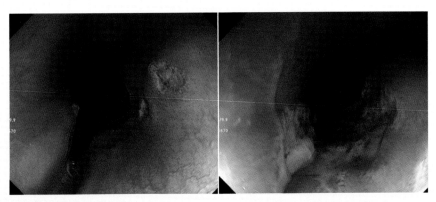

그림 6-2. Distal esophagus에서 1 cm 이상 크기의 circumferential deep ulcer와 주변에 작은 궤양들이 관찰된다. 환자의 복용약제는 doxycycline, naproxen, cimetidine, metronidazole이었다. Pill-induced esophagitis로 진단하고 sucralfate 처방하였다.

증례 6-3

55세 남성. 4–5일 전부터 명치통증 있어 내원하였다. 좌측편마비로 뇌경색 진단받고 신경과 입원하여 thrombectomy 후 마비가 회복되어 2일 전 퇴원하였다. 삼킬 때 흉부압박감이 있었다. 복용약제는 pradaxa® 30 mg, lipitor® 80 mg, mucosta®이었다. 당일 EGD 시행하였다(그림 6-3).

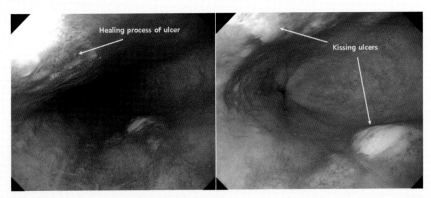

그림 6-3. 하부식도에 healing stage of kissing ulcers 관찰되었다. 낫고 있는 과정이므로 별도의 조치 없이 약 복용 시 주의점을 알려주었다.

해설 내시경 소견 자체는 바이러스식도염과 감별이 필요하다.

07

바이러스식도염
Viral esophagitis

1. Herpetic esophagitis

HSV type 1 or 2에 의한다. 면역저하자에서 주로 생기지만 정상 면역에서도 생길 수 있다. 식도염 환자에서 코나 입술에 물집이 같이 있는 경우 herpetic esophagitis를 의심해 볼 수 있다. VZV도 HSV처럼 식도염을 일으킬 수 있는데 임상적으로 구분은 힘들다. 수두(chickenpox)를 앓는 어린이에서, 대상포진(zoster)을 앓는 성인에서 식도염을 같이 일으킬 수 있다. 헤르페스 식도염의 내시경 소견은 small, punched-out ulceration이고, HSV는 squamous epithelium에만 존재하므로 biopsy는 ulcer margin에 시행하는 것이 진단율이 높아진다. 조직소견은 ground-glass nuclei, eosinophilic Cowdry's type A inclusion bodies, giant cells을 보인다. Culture, PCR이 acyclovir-resistant strain을 확인하는 데 도움이 된다. 면역기능 정상자에서는 자연 호전되기도 하지만 acyclovir 200 mg PO × 5회/일 × 7-10일 사용할 수 있다. 면역저하자에서는 acyclovir 400 mg PO × 5회/일 × 14-21일(또는 famciclovir 500 mg tid, valacyclovir 1 g tid). Severe odynophagia가 있는 경우 IV acyclovir 5 g/kg q 8 hr for 7-14일 치료한다.

2. CMV esophagitis

면역저하자, 특히 장기이식 환자에서 발생한다. 내시경으로는 serpiginous ulcers, 특히 distal esophagus에 생긴다. 조직검사는 ulcer base에 시행하는 것이 가장 진단율이 높다. Pathognomonic large nucleolar or cytoplasmic inclusion bodies를 보인다. CMV에 대한 면역조직염색이 조기진단에 도움이 된다. 치료는 ganciclovir 5 mg/kg q 12hr IV, foscarnet 90 mg/kg q 12hr IV 모두 효과적이다. Valganciclovir 900 mg bid, oral ganciclovir도 사용 가능하다. 치료는 healing될 때까지 유지한다(3-6주 소요). 재발하는 경우에는 유지치료가 필요하다.

08

식도이물
Esophageal foreign body

일반인은 대부분 무엇이 목에 걸렸다고 내원한다. 신생아/어린이/정신질환자/죄수는 병력청취가 어려운 경우가 많다. 대표적 이물은 fish bones, chicken bones, dentures, coins인데, 문화적 차이에 따라 걸리는 이물도 다르다. 우리나라는 생선 뼈, 닭 뼈, 홍합 등이 많은 것 같다. 걸리는 위치는 UES가 좁아서 물체가 걸리기 쉽다. 식도에 뾰족한 것이 걸리면 mucosal injury, laceration, stricture, perforation, TE fistula, vascular injury, retropharyngeal abscess, mediastinitis 등의 합병증이 생길 수 있다. 다양한 이물 가운데 가장 위험한 세 가지는 button battery (disc or coin battery), multiple magnets, sharp-pointed object이다. Button battery는 양극에서 음극으로 electrical current 방출로 인한 thermal injury 및 alkaline injury를 일으켜 수시간 후 천공을 일으킬 수 있다. Single magnet은 합병증 없이 자연 배출될 수 있으나 multiple magnets은 뭉쳐져서 trap되어 폐색을 일으킬 수 있다. 뾰족한 이물은 perforation risk가 증가하므로 즉시 빼 주어야 한다. Stricture or cancer 환자에서는 food impaction 될 수도 있다. 그 외 Schatzki ring, eosinophilic esophagitis 등에서도 걸린 이물이 자연적으로 위강으로 배출되지 않으면 내시경으로 빼 주어야 한다. 사전 진단으로 X-ray를 촬영할 수 있는데, coins or button battery 감별에는 유용하다. 그러나 bones은 사진에 잘 안보이는 수가 많다. 의심되면 CT 또는 내시경이 필요하다. 이물이 걸린 위치, 종류, 정도에 따라 치료를 결정한다. 내시경적 제거(endoscopic removal)가 procedure of choice이다. 성공률은 > 90%, 합병증 발생 위험은 < 5%이다. 내시경 시행 시기에 따라 emergent(즉시), urgent(12-24시간 내), non-emergent로 구분할 수 있는데, esophageal obstruction, disk batteries, sharp-pointed object는 emergent endoscopy 대상이다.

65세 남성. 어제 매운탕 먹고 목에 걸린 느낌이 들고 침 삼키면 통증 심하여 내원하였다. 이비인후과 먼저 진료 보았는데 laryngoscope으로는 보이지 않아 소화기내과 방문하여 즉시 EGD 시행하였다(그림 8-1).

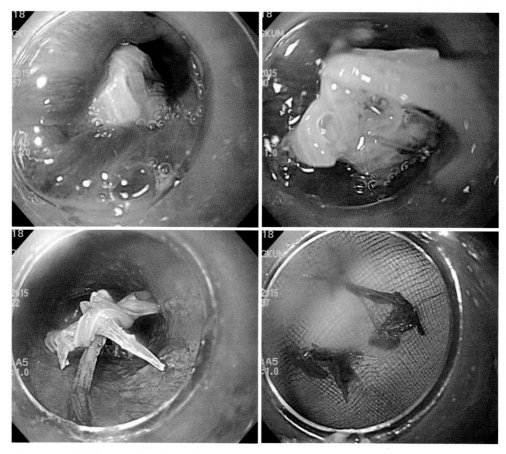

그림 8-1. UES 직하방에 여러 갈래 끝이 뾰족한 fish bones이 걸려 있었다. 내시경 끝에 캡을 장착하여 alligator(이물제거용 forcep)를 이용하여 제거하였다. 제거 후 UES에 mucosal injury가 관찰되어 하루 입원하여 경과관찰 후 합병증 없음을 확인하고 퇴원하였다.

증례 8-2

60세 여성. 약 포장지째로 삼켜 상부식도에 걸린 것 같다고 내원하였다. 즉시 EGD 시행하였다(그림 8-2).

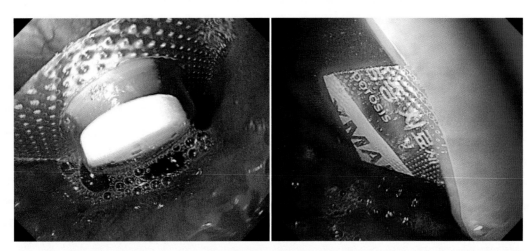

그림 8-2. 상부식도에 약 1 × 1 cm 직사각형의 포장지로 싸인 약이 걸려 있었다. 밖으로의 제거는 위험하다고 판단하여 조심스럽게 위강으로 밀어 넣었다. UES 및 식도점막 손상이 없음을 확인하고 종료하였다. 환자에게 심한 목 통증 시 즉시 내원하라는 주의사항과 함께 귀가시켰다.

증례 8-3

56세 남성. 생선 먹다가 가시가 걸려 local & 본원 ENT 방문하였으나 foreign body 보이지 않아 소화기내과로 refer 되었다. 즉시 EGD 시행하였다(그림 8-3).

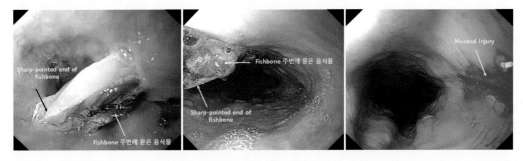

그림 8-3. UES에 fish bone이 걸려 있다. 조심하여 위강 내로 밀어 넣었다. 이후 UES에 mucosal injury 관찰되나 laceration or perforation은 없어 주의사항 안내 후 귀가시켰다.

증례 8-4

61세 남성. 게를 먹다가 걸려 응급실에 내원하였다. 즉시 EGD 시행하였다(그림 8-4).

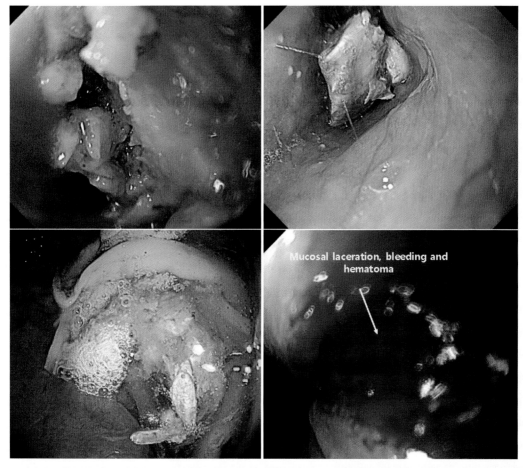

그림 8-4. 상부식도에 게 다리와 음식물이 섞여 impaction되어 있었다. 내시경과 forcep을 이용하여 위강으로 밀어 넣었다. 이후 관찰에서 UES에 mucosal laceration과 hematoma가 관찰되었다. 게 다리가 걸려 있을 때 이미 생겨 있던 점막 열상이었다. 환자 증상이 없어 목 통증 시 즉시 내원토록 하는 주의사항 알려주고 귀가시켰다.

09

식도양성종양
Esophageal benign tumors

검진내시경 도중 우연히 발견되는 경우가 많다. Leiomyoma, squamous papilloma, granular cell tumor, lipoma 등이 있다. Squamous papilloma는 하얀색 작은 사마귀 형태로 보이는데 조직검사로 제거하면서 진단할 수 있다(그림 9-1). 근종 등 많은 양성종양은 점막하 및 근층에서 생기므로 조직검사로는 진단되지 않는 수가 많다(점막하종양 submucosal tumor로 불렸는데 최근 상피하병변 subepithelial lesion으로 부르고 있다). 점막하종양(SMT)의 경우 EUS를 통해 정확한 위치, 크기, 필요시 fine needle aspiration을 통한 조직검사를 할 수 있다. 임상에서 크기가 작고 악성 가능성이 낮다고 판단하면 follow-up을 하는 수가 많다.

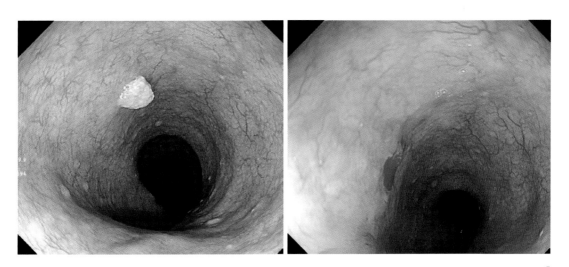

그림 9-1. Esophageal squamous papilloma

흰색의 작은 사마귀 형태의 돌출 병변이 보인다. 조직검사 forcep으로 제거하였다. Squamous papilloma로 진단되었다. 양성병변으로 추적검사는 필요 없다.

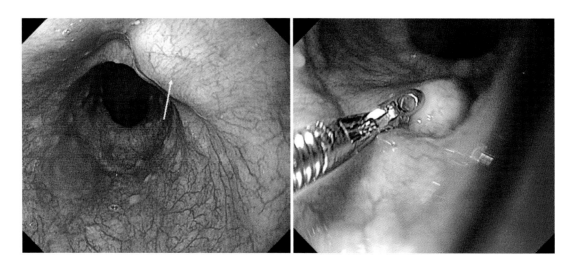

그림 9-2. Esophageal SMT

검진에서 우연히 발견된 점막하종양이다. Biospy forcep으로 눌러보면 단단하고 움직인다(hard, movable = Rolling sign). 1 cm 미만의 작은 SMT로 악성 가능성 낮아 follow-up하기로 하였다.

10

식도게실
Esophageal diverticulum

식도게실은 위치에 따라 hypopharyngeal (Zenker's), midesophageal, epiphrenic으로 나눈다. Zenker's diverticulum과 epiphrenic diverticulum은 false diverticlum이다. False diverticulum이란 mucosa와 submucosa가 muscular layer로 herniation된 것을 말한다. 내강압력 증가로 발생한다. Epiphrenic diverticulum은 achalasia와 흔히 관련이 있다. Mid-esophageal diverticulum은 true diverticulum으로 traction(결핵과 같은 염증을 앓으면서 당겨져서 생김)과 관련 있다. True diverticulum이란 all layer가 outpouching 되는 것을 말한다. 작고 무증상이면 경과관찰하고, 크고 증상을 일으키면 수술이 필요할 수 있다.

1. Zenker's diverticulum (Pharyngeal pouch)

Hypopharyngeal diverticulum으로 false diverticulum이다. 작으면 무증상이나, 크면 음식이 고이므로 halitosis(구취)를 일으킬 수 있다. 그 외 dysphagia, aspiration을 일으킬 수 있다. 치료는 고전적인 surgical diverticulectomy를 할 수도 있고, 최근 endoscopic stapling도 시행된다.

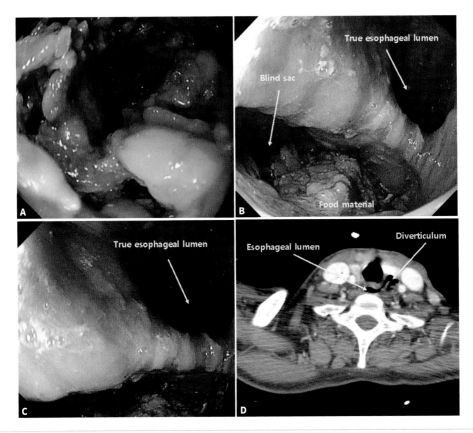

그림 10-1. Zenker's diverticulum

71세 남성. Hematochezia로 내원하여 CT에서 huge bladder cancer와 대장내시경에서 A-colon diverticulosis with bleeding 진단되었다. EGD에서 EUS 통과 직후 가득한 음식이 보여 당황하였다(A). 조심히 살펴보니 끝이 막힌 blind sac 에 음식이 고인 것이었다. 그대로 밀고 내시경을 진입하면 천공된다(B). 내시경을 뒤로 빼서 다시 살펴보면 true esopha-geal lumen이 관찰된다(B, C). Bladder cancer에 대한 metastasis work-up 중 chest CT에서 상부식도에 diverticu-lum이 관찰된다. Zenker's diverticulum이다.

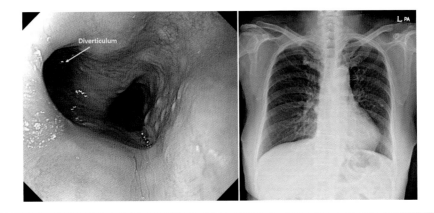

그림 10-2. Mid esophageal diverticulum

72세 여성. 검진 내시경에서 중부식도에 diverticulum이 관찰되었다. 흉부 X선에서는 이상소견이 없다. 무증상으로 경과 관찰 대상이다.

11

식도운동성질환
Esophageal motility disorders

Neuromuscular dysfunction으로 발생하는 질병으로 dysphagia, chest pain or heartburn 을 일으킬 수 있다. 대표 질환은 achalasia와 diffuse esophageal spasm이다.

1. Achalasia

Esophagus myenteric plexus내 ganglion cells loss (aganglionosis)로 생긴다. 보통 25–60세 사이에 발견된다. 드문 질환이다. Excitatory (cholinergic) and inhibitory (nitric oxide) ganglionic neurons 모두 침범하여 LES relaxation & peristalsis 장애를 초래한다. Ganglion cell degeneration의 원인이 HSV1 + genetic susceptibility에 의한 autoimmune process라는 근거들이 제시되고 있다. Long–standing achalasia는 LES hypertrophy와 progressive esophageal dilatation을 일으킨다. 그 결과 dysphagia (solid and liquid 모두), regurgitation, chest pain, weight loss를 일으킨다. 치료를 하지 않고 두었을 때 stasis esophagitis나 장기적으로 esophageal squamous cell ca 위험이 증가한다(17배). Tumor infiltration (gastric fundus or distal esophageal cancer)에 의한 pseudoachalasia와의 감별이 필요하다. 진단을 위해서는 esophagogram (bead–like appearance, 가끔 epiphrenic diverticulum이 관찰되기도 한다) 과 manometry (impaired LES relaxation + no peristalsis)로 하고, 내시경은 pseudoachalasia와 감별을 위해 필요하다. 치료는 약물치료, pneumatic balloon dilatation, myotomy가 있다. 약물치료는 보통 효과가 없다. Nitrates or CCB, sildenafil, phosphodiesterase inhibitors 를 사용해 볼 수 있으나 부작용에 대한 주의가 필요하다. 내시경으로 botulium toxin injection 하여 일시적(> 6개월) dysphagia를 완화시킬 수 있다. 풍선확장술은 효과적 치료법(32–98%, 천공위험 0.5–5%)이나 근본치료는 아니다. 대표적 수술법은 laparoscopic Heller's myotomy

이다. 최근 내시경적으로 myotomy (peroral endoscopic myotomy, POEM)가 시도되고 있다.

2. Diffuse esophageal spasm (DES)

Abnormal esophageal contraction with normal LES relaxation으로 dysphagia & chest pain을 일으킨다. Inhibitory myenteric plexus neurons 손상으로 발생한다. Manometry에서는 distal esophagus에 uncoordinated 'spastic' activity를 보인다. Esophagogram에서는 'corkscrew esophagus'를 보인다. 내시경은 염증 및 구조적 이상을 확인하기 위해 필요하다. Chest pain은 협심증과 유사하다. DES는 nonexertional, meal–related, antacids로 완화되는 특징이 있고, heartburn, dysphagia or regurgitation이 동반된다. DES라 생각되어도 cardiac pain와 overlap될 수도 있으므로 반드시 심장이상을 먼저 고려해야 한다.

식도문제

1. 52세 남성 환자가 3년 전부터 지속된 고형식과 유동식에 대한 연하곤란을 주소로 내원하였다. 연하곤란은 그동안 좋아졌다 나빠졌다 하였으며 가끔 취침 중 먹은 음식을 토하였다. 이 환자에서 시행한 식도조영술과 고해상도 식도내압검사 사진이다. 이 환자에 대한 처치로 가장 적절한 것은?

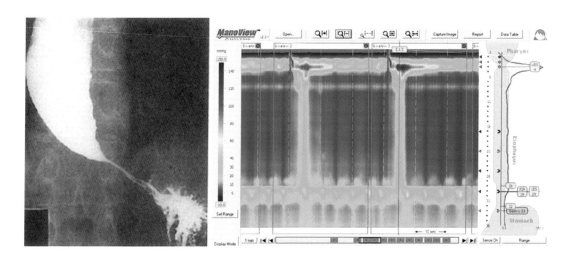

① Proton pump inhibitor

② Neostigmine

③ Peroral endoscopic myotomy

④ Ramosetron

⑤ Esophageal stent insertion

2. 55세 남성 환자가 연하곤란을 주소로 내원하였다. 상부 위장관 내시경검사에서 중부 식도에 내시경이 통과하지 못하는 궤양을 동반한 종괴가 발견되었다. 조직검사는 편평상피암(squamous cell cancer)이었다. 이 질환의 위험인자로 적합하지 않은 것은?

① 지나친 음주

② 흡연

③ 바렛식도

④ 뜨거운 차

⑤ 만성 아칼라지아

3. 52세 남성 환자가 수년 전부터 지속된 고형식과 유동식에 대한 연하곤란을 주소로 내원하여 시행한 위내시경과 조영술(사진)이다. 이 질환에 대한 설명 중 맞는 것은?

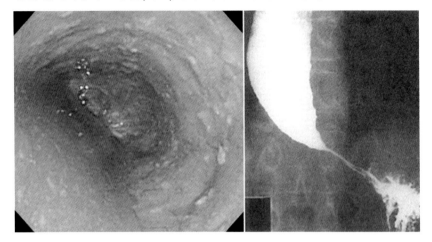

① 식도의 연동 운동은 보존되어 있다.

② Cholecystokinin에 의해 하부식도괄약근이 이완된다.

③ 근육층신경얼기(myenteric plexus)의 신경절세포(ganglion cell)의 소실과 관련 있다.

④ 기저 하부식도괄약근의 압력이 저하되어 있다

⑤ 식도 선암의 발생 위험이 증가한다.

4. 아칼라지아의 치료로 옳지 않은 것은?

① Nitrates　　　　　　　　　　　② Anticholinergics

③ Peroral endoscopic myotomy　　④ Pneumatic dilatation

⑤ Calcium channel blocker

5. 7세 남아가 새벽 2시경 사진과 같은 종류의 coin battery를 실수로 삼켰다. 옳은 것은?

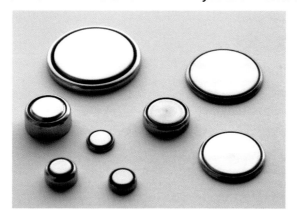

① 즉시 응급내시경을 시행한다.

② 24시간 내 내시경을 시행한다.

③ 장폐색에 주의하면서 대변으로 자연배출되기를 기다린다.

④ 48시간 내 대변으로 배출되지 않으면 내시경을 시행한다.

⑤ 응급수술을 시행한다.

6. 알약을 먹을 때 물을 충분히 섭취하고 바로 눕지 않도록 복약지도가 필요하다. 다음 약제들 가운데 약인성식도염을 일으켰을 때 협착 위험이 높은 약제는?

① 세팔로스포린 항생제

② 독시사이클린 항생제

③ 항진균제

④ bisphosphonate 계열의 골다공증약

⑤ 소염제

정답과 해설

1. ③ 2. ③ 3. ③ 4. ② 5. ① 6. ④

1. 식도조영술에서 'bird beak sign'을 보인다. 고해상도 식도내압검사에서 peristalsis를 보이지 않는 classic type의 achalasia이다. 최선의 치료는 POEM이다.

3. 정상인에서 CCK 투여 시 LES relaxation되나 achalasia에서는 paradoxical contraction한다. Acahalasia는 esophageal squamous cell ca 위험이 17배 높다.

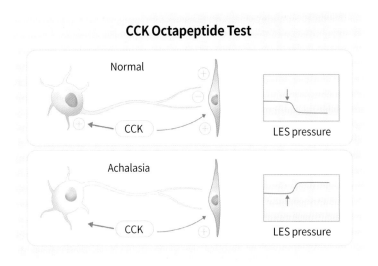

4. Achalasia에서 약물치료를 해 볼 수는 있으나 큰 효과는 없다. Anticholinergics는 전혀 효과가 없다.

5. 이물 가운데 가장 위험한 것이 coin battery이다. 전류가 흘러 열을 발산하고, alkaine injury로 수시간 후 천공을 일으킬 수 있다. 즉시 내시경적 제거가 필요하다.

6. Doxycycline 같은 항생제가 가장 흔하지만 다행히 합병증 위험은 낮다. 소염제는 출혈 위험이, bisphosphonate제제는 협착을 일으킬 위험이 있다.

III 위장 질환

01

위염
Gastritis

'소화불량 dyspepsia'로 혼용하여 사용하기도 하는데 위염(내시경과 조직진단)과 소화불량(임상증상)은 다르다. 위염의 원인은 광범위하고 다양하다. 위염을 분류할 때 급만성, 조직학적, 해부학적 위치 또는 기전으로 분류하기도 한다. 증상이나 조직소견, 내시경소견 사이의 correlation은 거의 되지 않는다. 즉, 전형적 임상소견이란 없다. 치료는 기저 염증을 치료하는 것이 아니라 원인과 sequelae를 치료한다.

1. Acute vs. chronic gastritis

Acute gastritis의 가장 흔한 원인은 감염으로 acute H. pylori infection이 대표적이다. 급성 감염 시 epigastric pain, N/V이 생길 수 있다. 치료를 하지 않으면 만성위염으로 진행한다. Acute H. pylori infection 후 1년 여에 걸쳐 hypochlorhydria가 지속할 수 있다. 노인, 음주자, AIDS 또는 내시경시술 후 세균감염으로 life–threatening phlegmonous gastritis가 생길 수 있으나 매우 드물다. Chronic gastritis의 초기에는 superficial gastritis (lamina propria에 국한)하여 점차 atrophic gastritis, intestinal metaplasia로 진행할 수 있다. Intestinal metaplasia(장상피화생)은 gastric glands가 small intestinal glands (goblet cells)로 전환된 것을 말하고, 위암의 중요한 선행인자이다.

Intestinal metaplasia

Chronic gastritis → gastric atrophy → intestinal metaplasia → dysplasia →adenocarcinoma 로 이어지는 cancer cascade의 중간과정에 있는 precancerous lesion이다. Gastric glands가 small intestinal glands로 치환된 것을 말한다. 미국이나 유럽처럼 위암 발생위험이 낮은 나라에서의 장상피 화생 빈도는 낮다(5%). 원인은 뚜렷하지 않으나 나이가 많아질수록, 남성, 흡연자, H. pylori 감염자에 서 빈도가 증가한다. 특이증상은 없고 내시경으로 의심하고 조직검사로 확진한다. 내시경소견은 whitish plagued mucosa로 irregular uneven surface를 보인다. 장상피화생에서 위암 발생위험은 없는 경우보 다 6배 높다고 하지만 intestinal metaplasia 정도에 따라 다르다. Extensive IM (antrum 외에 body까 지 침범), incomplete IM (small intestine glands 모두 온전히 치환된 것이 아니라 goblet cells이 적음 등 불완전하게 치환된 것), 직계 위암 가족력, 아시아계가 위암 발생의 고위험군이다. 이러한 위험인자를 가진 intestinal metaplasia는 매년 EGD 검진을 받는 것이 좋다. 헬리코박터 감염자에서 제균치료를 하면 gastric atrophy는 reverse될 수 있으나 intestinal metaplasia는 제균치료를 하더라도 정상점막으로 회 복되지 않아 'point of no return'이라고 한다. 그러나 제균치료를 하는 경우 진행이 느리고 위암 발생위험 을 낮추므로 intestinal metaplasia에서는 제균치료를 하는 것이 좋다. 헬리코박터 제균치료가 가장 중요 하고, 그 외 일반적 치료로는 금연과 절주를 권고한다.

2. Type A vs. type B gastritis

Type A gastritis는 드물고 pernicious anemia와 관련있다. 악성빈혈 환자의 > 90%에서, type A gastritis 환자의 > 50%에서 parietal cells에 대한 항체가 형성되어 있다. Intrinsic factor가 생성되지 않으므로 vit B12 deficiency에 의한 megaloblastic anemia와 neurologic symptom이 생기므로 parenteral vit B12를 보충해 주어야 한다. 악성빈혈 환자에서는 gastrin level이 증가(> 500 pg/nL)되어 있는데, antrum의 G cells은 보존되어 있기 때문이다. Type B gastritis는 H. pylori–induced gastritis와 관련이 있다. Multifocal atrophic gastritis, gas- tric atrophy, intestinal metaplasia가 관찰되고 gastric adenocarcinoma로 발전할 수 있다. H. pylori와 위암 발생 간의 관련은 있으나, 전 인구를 대상으로 한 H. pylori eradication을 권 고하지는 않는다. H. pylori는 low–grade B cell lymphoma, gastric MALT lymphoma와 관 련 있는데, chronic T cell stimulation을 통해 B cell tumor를 일으킨다. Staging을 위해 CT, EUS를 시행한다. H. pylori eradication으로 완치될 수 있다. 제균치료 후 regression되는 데는 1년 이상 걸릴 수 있다. 2–3개월마다 EUS follow–up이 필요하다. 병변이 비슷하거나 감소하면 추가 치료는 필요 없고, 증가하면 high-grade B cell lymphoma가 된 것으로 제균치료의 효과 는 없다.

Pernicious anemia(악성빈혈)

악성빈혈이라 하여 빈혈이 난치성이거나 암과 관련된 빈혈이라는 뜻이 아니다. 매우 드물고 그나마 유럽에 있는 병이다. 0.1% 정도의 유병률(60세 이상의 1.9%)을 보인다. Gastric parietal cells을 공격하는 자가면역 질환이다. Parietal cells의 손상으로 intrinsic factor를 생산하지 못하여 vit B12 deficiency로 megaloblastic anemia가 생기는 병이다. Vit B12은 조혈 및 신경에 필요하다. Vit B12 deficiency로 빈혈(피로, 어지럼, 숨참 등)과 신경증상(저림, 근위약간, 균형감 소실, 의식혼미 등)이 생길 수 있다. 치료는 parenteral vit B12 replacement이다.

3. 기타 위염

1) Lymphocytic gastritis

Lamina propria에 lymphocyte infiltration되는 만성위염의 한 형태로 내시경 모양이 곰보처럼 보여 varioliform gastritis로 불렸다. 원인은 불명이나 H. pylori (body predominant한 경우가 많다)와 celiac sprue (antrum predominant한 경우가 많다)와 관련이 있는 것으로 알려져 있다. 특이증상이 없는 경우가 많다. 정립된 치료는 없고 저절로 사라지기도 한다.

2) Eosinophilic gastritis

Systemic allergy with eosinophilia 같은 경우에 위장을 침범할 수 있다. 위장의 전 층에 marked eosinophilic infiltration 된다. Glucocorticoid 치료한다.

3) Granululomatous gastritis

크론병의 위장 침범된 경우가 대표적이다. 그 외 결핵, 매독 등의 감염병과도 관련 있다.

4) Menetrier's disease

매우 드문 위장질환이다. Gastric mucus cells의 massive overgrowth로 large tortous mucosal folds를 보인다. 40–60세 남성에서 주로 볼 수 있다. Zollinger–Ellison syndrome, cancer (lymphoma, infiltrating carcinoma), infection 등과 감별이 필요하다. 다양한 약제들이 사용되었으나 치료효과는 다양하다. 최근 EGFR pathway overstimulation과 관련 있어 EGF inhibitory Ab인 cebuximab의 효과가 알려져 1st–line Tx이다.

증례 1-1

39세 여성. 수일간의 위통과 구역감으로 내원하였다. EGD 시행하였다(그림 1-1).

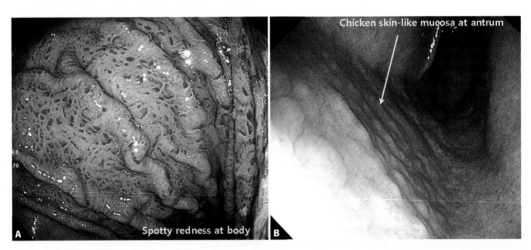

그림 1-1. Body에 spotty redness를 보이는 H. pylori-associated gastritis 소견과 antrum에 닭살 모양의 lymphofollicular gastritis 소견을 보였다. 예상한 대로 CLO 양성이었다. 환자의 증상과 헬리코박터 감염과의 관련성은 분명치 않으나 헬리코박터 감염에 의한 점막변화가 뚜렷하여 제균치료를 하였다.

증례 1-2

66세 남성. 체중 감소(>5 kg/1년)와 tenesmus로 소화기내과 외래 방문하였다. Cancer work-up (CT, 위/대장내시경, lab) 진행하였다. 대장내시경에서 Rectal cancer with obstruction, CT에서 multiple liver and lung metastasis 발견되었다. EGD에서 intestinal metaplasia 소견을 보였다 (그림 1-2). 직장암 진행으로 4개월 후 사망하였다.

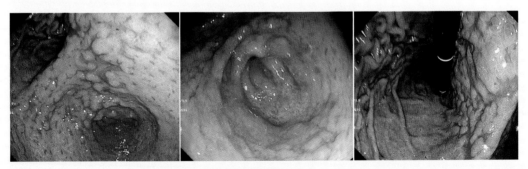

그림 1-2. Distal antrum, angle & antrum에 걸쳐 diffuse plagued mucosa로 irregular, uneven surface를 보인다. 내시경적으로 intestinal metaplasia 소견이다. 조직검사 역시 intestinal metaplasia 소견을 보였다. Giemsa stain과 CLO 모두 헬리코박터 양성이었다.

증례 1-3

초진 당시 55세 남성. 검진 EGD에서 intestinal metaplasia와 angle (PW) adenoma (tubular adenoma, low-grade dysplasia) 발견되어 의뢰되었다. 만성 음주자로 alcoholic cirrhosis 동반되어 있었다. EGD 시행하였다(그림 1-3).

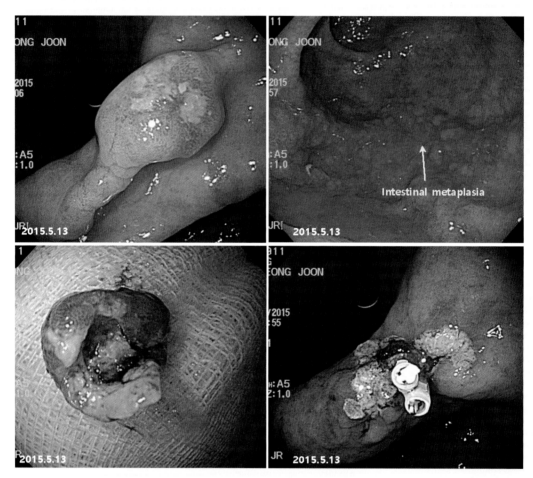

그림 1-3. Angle (PW)표면에 >1 cm 크기의 superficial ulceration을 동반한 polypoid lesion이 관찰된다. Snare EMR 시행하고 경계부위에 argon plasma coagulation (APC) 시행한 후 hemoclipping #2으로 봉합하였다. 조직결과는 tubular adenoma, low to high grade dysplasia with clear resection margin이었다.

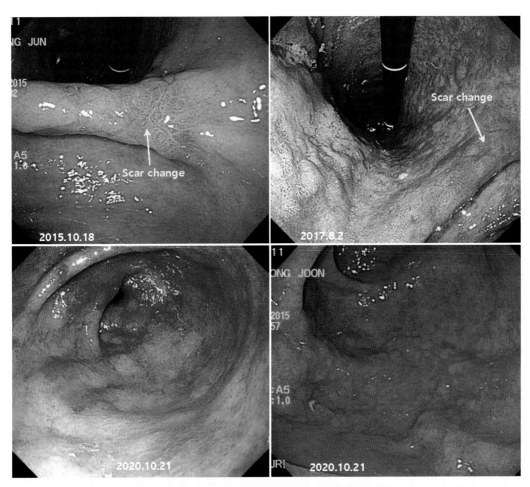

그림 1-4. 이후 follow-up에서 post-EMR site scar change되었고 재발은 없었다. 그러나 내시경적으로 intestinal metaplasia는 여전히 심하였다. 반복적 헬리코박터 조직검사(Giemsa stain)에서 헬리코박터균은 발견되지 않았다.

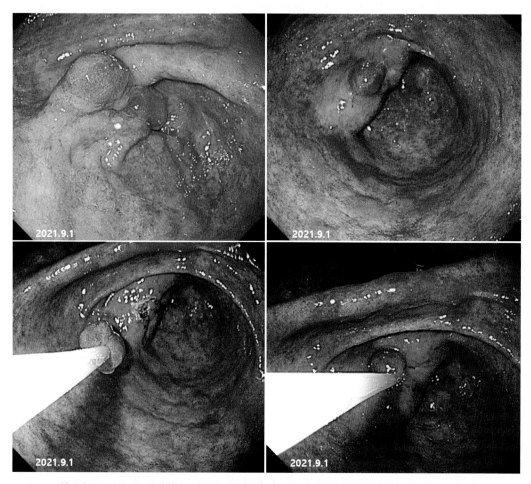

그림 1-5. 최근 follow-up EGD에서 prepylorus (LC)에 약 1.5 cm 크기의 polypoid mass 발견되어 snare EMR 시행하였다. 조직결과는 tubular adenoma, high-grade dysplasia with clear resection margin이었다. 주변에 intestinal metaplasia는 여전히 심하였다.

해설   Intestinal metaplasia는 dysplasia와 adenocarcinoma로 이어지는 precancerous lesion이다. EGD surveillance가 중요하다.

02

소화성궤양
Peptic ulcer disease

궤양은 'mucosa defect > 5 mm + submucosa 침범'으로 정의한다. 대표적인 위험인자는 H. pylori와 NSAIDs이다. 그 외 위험인자로는 COPD, CKD, smoking, older age, coronary artery disease 등이다.

1. 소화성궤양의 위험인자

1) Helicobacter pylori는 다음 위장질환의 원인이다.
(1) gastritis (chronic active gastritis)
(2) PUD
(3) gastric MALT lymphoma
(4) gastric cancer (adenocarcinoma)

헬리코박터균은 S-shape의 flagella를 가진 Gram (–) rod균이다. Mucus gel에 존재하고 점막층을 침범하지 않는다(not invade mucosa). 처음에는 antrum에 살다가 점차 시간이 지나면서 proximal side로 이동한다. Urease를 분비한다(CLO test나 urea breath test는 urease를 검출하는 검사이다). Urease는 urea를 ammonia로 전환시키는 효소이다. 그 결과 점막은 알칼리화된다. 또한 CagA와 같은 cytokine을 생성한다. 그 외, catalse, lipase, adhesions, PAF, picB 같은 물질을 생성한다. H. pylori eradication으로 위암 위험을 줄일 수 있다. H. pylori 발견 후 eradication을 통하여 십이지장궤양 재발은 크게 감소되었다. 위궤양 환자에서는 30–60%, 십이지장궤양에서는 50–70%에서 헬리코박터 양성이다. 감염자의 10–15%에서만 궤양이 생긴다. 이유는 잘 모르지만 bacterial factors & host factors가 관여하는 것 같다. Bacterial factors로는 CagA, VacA 등의 인자를 발현하는 능력에 따라 다른 임상양상을 보일 수 있다. Host factors 로는 헬리코박터 감염 후 감염 위치와 유전성향에 따라 염증반응이 다양하게 일어난다. H. py-lori 유병률은 개도국에서는 80%, 선진국에서는 20–50%로 알려져 있다. 우리나라의 헬리코박터 유병률은 감소 중이나 여전히 50% 이상이다. 유병률과 전파는 위생과 관련 있다. Person to person, oral–oral, fecal–oral route transmission이다.

H. pylori eradication을 꼭 해주어야 하는 적응증은 다음과 같다(해리슨교과서).

(1) peptic ulcer
(2) MALT lymphoma
(3) EGC 내시경 절제 후
(4) 위암가족력(1st degree relatives)

> **참고**

한국인 헬리코박터 파일로리 감염치료 근거기반 임상진료지참 개정안 2020(대한상부위장관·헬리코박터학회)

Existing indication	Added indication	Admissive indication
Peptic ulcer disease	After endoscopic resection of gastric adenoma	Atrophic gastritis/intestinal metaplasia
Marginal zone B-cell lymphoma		
After endoscopic resection of EGC		
Family history of gastric cancer	IDA	
Functional dyspepsia		
Long-term low-dose aspirin with a history of peptic ulcer		
Idiopathic thrombocytopenic purpura		

1차 표준치료는 14일 3제요법이다. 명지병원 protocol은 다음과 같다.

Esomeprazole 40 mg bid
Amoxicillin 1 g bid
Clarithromycin 500 mg bid

제균 성공률은 80% 전후이다. 흔한 부작용은 amoxicillin 관련한 항생제 설사이다. 치료실패의 가장 흔한 원인은 항생제 내성으로 전 세계적 문제이다. 2차 치료제로는 PPI, bismuth, tetracycline, metronidazole을 사용할 수 있다. 명지병원 2차 치료 protocol은 다음과 같다.

> Esomeprazole 40 mg bid
> Tetracycline 500 mg qid
> Denol® (bismuth) 300 mg qid
> Metronidazole 500 mg tid

Sequential therapy라는 새로운 방법이 시도되고 있는데 초기 성공률이 > 90%로 보고되었다. Eradication 확인 방법은 urea breath test가 많이 사용되고 serologic test는 유용하지 않다.

헬리코박터 제균치료의 일반적 방법은 상기 기술처럼 1차(14일) 치료 실패 시 2차(14일) 치료하는 것이다. 2차 치료 실패 시 lovofloxacin-based triple therapy를 3차 치료로 시행해 볼 수 있다. 최근 sequential therapy가 시도되고 있는데, PPI bid + amoxicillin 1 g bid 5일 사용하고 이어 PPI bid + clarithromycin 500 mg bid + metronidazole 500 mg bid를 5일간(총 10일) 치료하는 방법이다. 헬리코박터 제균치료 실패의 원인이 항생제 내성이므로 CLO test가 아닌 PCR 검사를 통해 항생제 감수성을 미리 확인하기도 한다. 항생제 감수성이 있는 경우는 7일요법, 감수성이 없는 경우는 바로 2차 4제요법을 시행하기도 한다.

2) NSAIDs-induced PUD

75 mg/d의 저용량 아스피린도 심한 GI ulcer를 일으킬 수 있다. 즉, 안전한 용량이란 없다. H. pylori 감염이 동반된 경우 bleeding risk를 증가시킨다(단순 합산위험이 아닌 synergistic risk). 그 외, GI bleeding risk factors로는 advanced age, ulcer history, glucocorticoids & anticoagulants 병용(clopidogrel 등), 고용량 및 multiple NSAIDs, multiple systemic disease 등이다. 소염제에 의한 궤양발생 병인의 중심 역할을 하는 것은 prostaglandin이다. PG는 mucosal integrity & repair에 핵심적 역할을 한다.

3) Smoking

헬리코박터 및 소염제와 함께 중요한 원인이다. 흡연은 궤양 치유율과 치료반응을 느리게 하고, 천공과 같은 궤양합병증 위험을 증가시킨다.

십이지장궤양은 대부분(> 95%) 1st portion (bulb)에 생기고 악성은 드물다. 그러나 위궤양은 악성일 가능성이 항상 존재하므로 반드시 biopsy를 해야 한다. Body and fundus에 생기는 gastric ulcer는 malignancy 가능성이 많으므로 multiple biopsy를 해야 한다. 8–12주 치료 후 repeat biopsy 하도록 한다. Malignant ulcer라 하더라도 70%에서 healing되므로 healing 되었다고 malignancy를 배제할 수는 없다. 위궤양에서 12주 치료, 십이지장 궤양에서 8주 치료 후에도 궤양치유가 안 되는 경우를 refractory ulcer라 한다. 이때는 약 복용을 잘 했는지(poor compliance)와 NSAIDs 복용하는지를 반드시 확인하고, 꼭 금연하도록 한다.

Refractory ulcer의 드문 원인으로 ischemia, Crohn's disease, amyloidosis, sarcoidosis, lymphoma, eosinophilic gastroenteritis, infection (CMV) 등이 있다. 출혈, 천공, 폐색과 같은 궤양 합병증 발생 시 수술이 필요할 수 있다. Duodenal ulcer & pyloric channel ulcer에서 일시적 기능적 폐색이 생길 수 있는데, hydration, NG suction, PPI 등 7–10일 보존치료하면서 호전되는 경우가 많다. Mechanical obstruction이 지속할 때 수술을 고려한다.

2. 궤양치료

헬리코박터 발견 전 PUD 치료는 Schwartz의 "no acid, no ulcer" 한마디로 정의되었다. 위산이 주된 병인이지만 현재는 H. pylori eradication이 치료와 예방의 근간이다.

1) Antacid(위산중화제)

Aluminum, magnesium제제, 그 외 calcium, sodium bicarbonate제제가 있다. 알루미늄 제제(알마겔)는 변비를 일으킬 수 있고, 마그네슘제제(미란타)는 설사를 일으킬 수 있다. 또한, 마그네슘제제는 hypermagnesemia를 일으킬 수 있으므로 CKD 환자에서는 금기이다. 칼슘제제를 장기 사용 시 milk–alkali syndrome (hypercalcemia, hyperphosphatemia, renal calcinosis, renal failure)를 일으킬 수 있다. Sodium bicarbonate는 장기 사용 시 systemic alkalosis를 일으킬 수 있다.

2) H2 antagonists

Cimetidine(1세대), ranitidine, famotidine, nizatidine이 있다. 4주 사용 시 80% healing rate를 보인다. Cimetidine 장기 사용 시 prolactin level을 증가시켜 유즙분비, gynecomastia, impotence 같은 가역적 부작용을 일으킬 수 있다. Cytochrome P450에 작용하여 다른 약물 (warfarin, phenytoin, theophylline) 대사에 영향을 미칠 수 있다.

3) Proton pump inhibitors

Omeprazole, lansoprozole, rabeprazole, pantoprazole, esomeprazole, dexlansoprazole 등이 있다. H^+, K^+-ATPase를 비가역적으로 억제한다. Esomeprazole은 omeprazole의 S-enantiomer이고, dexlansoprazole은 lansoprazole의 R-isomer로 최신 PPI이며, dual delayed release로 GERD 치료 효과를 높인다. PPIs는 빨리 효과가 시작되고 2–6시간 최대 효과를 보이며 72–96시간 효과가 지속한다. 반감기는 ~18시간으로 중단 시 위산분비가 정상화되는 데 2–5일 소요된다. PPIs 사용 시 mild to moderate hypergastrinemia가 생기는데 중단하면 1–2주 내에 serum gastrin level이 정상화된다. H. pylori 음성 환자에서 약 중단 시 rebound acid hypersecretion이 생길 수 있는데, 기전은 gastrin-induced hyperplasia of histamine-secreting ECL cells 때문이다. 이를 예방하기 위해 PPI tapering하면서 H2 blocker로 switching 해볼 수 있다. 장기 사용 시 community-acquired pneumonia, C. difficile-associated disease (CDAD)가 생길 수 있다. 절대빈도는 매우 낮으나 older women에서 hip fracture가 생길 수 있다. Cytochrome P450에 작용하므로 다른 약물 농도에 영향을 미칠 수 있다. 특히 clopidogrel에 negative effect를 줄 수 있다. 예방하기 위해 12시간 간격을 두고 투여하는 방법이 있다(PPI는 아침 식전 30분에 복용, clopidogrel은 자기 전 복용).

4) K$^+$-competitive acid pump antagonist (P–CABs)

Tegoprazan은 한국에서 개발된 국내신약 30호로 강력한 위산분비 억제효과를 보인다. GERD 치료제로 2018년 한국에서 승인되었다. 향후 궤양치료제로 사용될 가능성도 있다.

5) Cytoprotective agents

(1) sucralfate

점액성분(viscous paste)으로 궤양 부분을 coating하는 작용을 한다. 일부(2–3%)에서 변비가 생길 수 있다.

(2) Bismuth

헬리코박터 제균치료제로 사용된다. 혀가 검게 되거나 변이 검게 나올 수 있고, 변비가 생길 수 있다. 장기 사용 시 neurotoxicity가 있다.

(3) Prostaglandin analogues (misoprostol)

Most common toxicity는 uterine contraction과 설사(10–30%)이다. 임산부에서 유산을 초래하므로 절대 금기이다. 산부인과에서 abortion 용도로 사용된다.

증례 2-1

53세 남성. 내원 전날 대량의 melena와 내원 당일 검정색의 대량 토혈을 하여 응급실 통해 입원하였다. 소염제 복용력은 없었다. Hb 4.2 g/dL로 수혈하였다. 입원 다음날과 3개월 후 EGD 시행하였다.

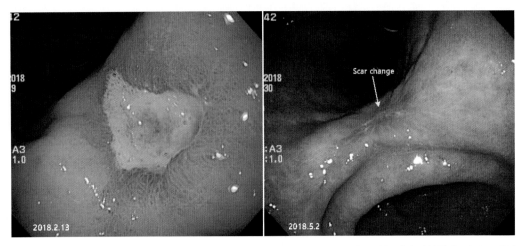

그림 2-1. Angle 부위에 > 1 cm 크기의 well–demarcated ulcer with exudated bed가 관찰된다. Biopsy에서는 ulcer, CLO 양성이었다. 1차 제균치료 14일 및 PPI 사용 후 follow–up EGD에서 scar change가 관찰되었다. Follow-up EGD Bx 및 Giemsa stain에서 H. pylori는 검출되지 않았다.

증례 2-2

46세 남성. 외국인 환자로 속쓰림이 심하여 내원하였다. 과거 십이지장궤양을 앓은 적 있다고 하고 제산제(알긴산나트륨) 복용 시 일시적으로 호전된다고 하였다. 당뇨와 고혈압이 있었다. 당일 EGD 시행하여 십이지장궤양 확인하고 2주분의 Esomeprazole 40 mg qd, Alginate 14일 처방하였다. 2주 후 CLO 양성 확인하고 1차 제균치료 14일 시행 및 한 달 휴약 후 EGD follow-up하였다(그림 2-2).

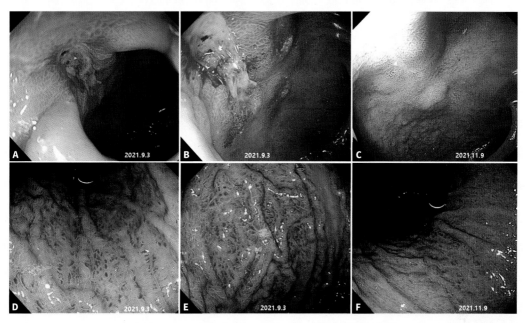

그림 2-2. Duodenal bulb에 약 1 cm 크기의 길쭉하고 움푹 파인 궤양이 관찰되었다(A, B). Gastric body에는 광범위한 spotty redness가 관찰되는데, H. pylori-associated gastritis 소견이었다(C, D). CLO 양성으로 PPI 2주 + H. pylori eradication 14일(총 4주) 치료하고, 한 달간 휴약한 후 follow-up EGD 시행하였다. Duodenal ulcer scar 관찰되고, gastric body의 spotty redness도 다소 호전된 소견이었다(E, F). Giemsa stain과 CLO에서 모두 헬리코박터 음성이었다.

증례 2-3

76세 남성. 내원 당일 토혈로 응급실 통해 입원하였다. 5일 전부터 속쓰림 있었고 melena 있다가 내원 당일 토혈하였다. 고혈압과 고지혈증이 있었다. 금연하다가 최근 0.2PPD 흡연하였고, 음주는 주 1~2회 정도 하였다. 입원 전 무릎통증으로 진통소염제를 4주간 복용하였다고 하였다. 내원 당시 Hb 6.9 g/dL였다. 수혈하고 EGD 시행하였다(그림 2-3).

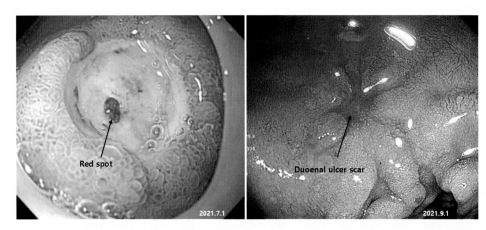

그림 2-3. EGD 시행 당시에는 출혈은 멎어 있었다. Duodenal bulb에 0.8 cm 정도의 궤양과 기저부에 red spot 이 보이는데, 출혈하였던 exposed vessel이 주변부에 육아조직이 재생하면서 혈관을 덮어가고 있다고 판단하였다. CLO 음성이었다. NSAID-induced duodenal ulcer bleeding으로 생각하였다. PPI 2개월 치료 후 follow-up EGD 에서 잘 치유되어 치료 종결하였다.

증례 2-4

87세 여성. 요양원에서 누워만 지내던 환자로 빈혈로 촉탁의 통해 반복 수혈만 받아오던 중 토혈하여 응급실 통해 입원하였다. 당뇨와 고혈압 있었으나 아스피린/소염제는 사용하지 않고 있었다. 입원 후 수혈과 EGD 시행하였다(그림 2-4).

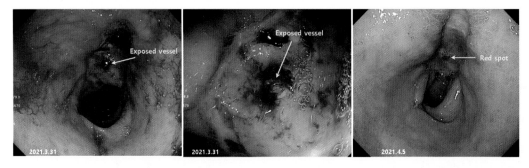

그림 2-4. Antrum에 huge ulcer와 base에 exposed vessel이 관찰되었다. Ulcer base가 단단하여 hemoclip-ping은 위험하다고 판단하여 시행치 않고, 노출혈관 주변부로 epinephrine solution 7 cc injection하였다. 금식, 수액, PPI IV 사용하고 5일 후 follow-up EGD하였다. 혈관이 육아조직으로 덮이고 있어 식이 시작하였다. 입원 중 right leg deep vein thrombosis 생겨 eliquis® (apixaban) 시작하였다. 퇴원 후 스트레쳐카로 외래 내원하였는데, Hb 회복되고 있었다. EGD follow-up은 어렵고, 궤양 치유되어도 PPI 계속 사용해야 하므로 내시경 하지 않고 계속 PPI를 사용하고 있다.

증례 2-5

63세 여성. 내원 전날 갑자기 발생한 심한 명치통증과 구토로 소화기내과 외래 방문하였다. 등까지 통증이 뻗쳐 있었다. 진찰상 상복부 압통이 심한 편이었다. 통증이 심하여 입원하기로 하고 당일 우선 CT 촬영하였다. CT에서 다른 이상 없이 위전정부 부종 관찰되어 오후에 상부내시경 시행하였다 (그림 2-5). AGML로 진단하고 PPI IV 및 algid와 sucralfate (ulcerlmin®) 처방하였다. 환자 음주, 흡연은 하지 않았으며 BMI 30.8 (160 cm, 79 kg)이었고, T-Cho 271, LDL-chol 176, TG 201이었다. 5일째 퇴원하였고, 외래 내원 시 통증 소실되었다. Statin 치료 시작하였다. 별도로 추적 내시경은 하지 않았고 2년째 공단검진 내시경에서 위와 십이지장은 깨끗하였다(그림 2-5).

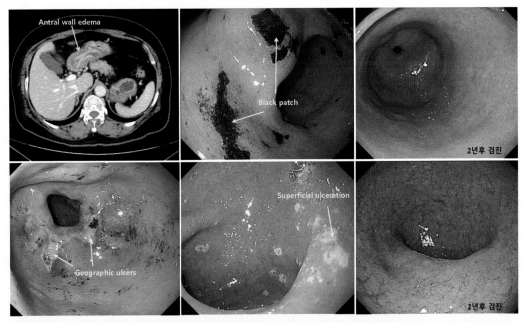

그림 2-5. 위점막의 전반적 geographic ulcer 및 출혈에 의한 black patch 관찰되었다. 십이지장에도 얕은 다발 궤양이 관찰되었다.

해설 Acute gastric mucosal lesion (AGML)은 스트레스, 음주, 흡연, 약물(aspirin or NSAIDs) 등이 원인이다. 주로 위점막에 궤양, 미란, 발적, 부종, 출혈 등을 일으켜 심한 복통, 구토, 때로는 혈변 또는 토혈로 내원하게 된다. 통상의 궤양치료로 잘 치유된다.

증례 2-6

60세 여성. Hematemesis와 melena로 응급실 통해 입원하여 EGD 시행하였다(그림 2-6).

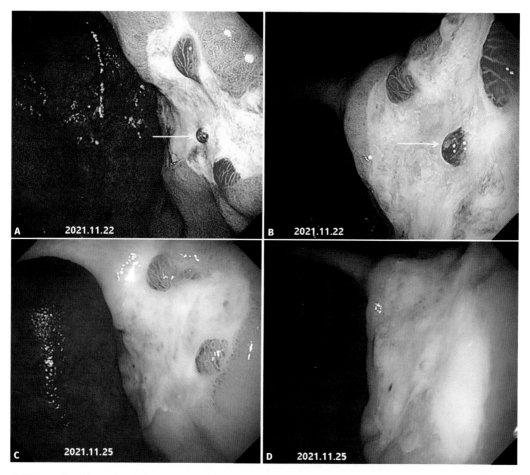

그림 2-6. Distal body (PW)에 약 3 cm 크기의 ulcer with exudated hard base & exposed vessel 관찰되었다 (A, B). 궤양기저부가 단단하므로 hemoclipping 등 지혈치료로 혈관을 터뜨리면 대량출혈의 위험이 있어 시술 없이 CLO만 시행하였다. NPO, high-dose PPI 등 보존치료하고 3일째 follow-up EGD 시행하였다. Ulcer base가 granulation tissue로 차오르면서 혈관이 덮인 상태이다(C, D). 재출혈 위험이 낮다고 생각하고 biopsy 시행하였다. 식이 시작하고 퇴원하였다. 외래에서 확인한 조직결과는 signet ring cell carcinoma 나와 외과 의뢰하였다.

해설 처음 내시경의 목적은 출혈부위를 찾아 지혈치료를 결정하기 위함이다. 육안상 양성 가능성을 우선 생각하였으나 육안으로 단정할 수 없다. Follow-up EGD 때 biopsy하였다. 위궤양은 반드시 조직검사를 해야 한다.

03

위암
Gastric cancer

위암의 대부분(> 90%)은 adenocarcinoma이다. 그 외 lymphoma, GISTs, leiomyosarcoma 등이 있다. 우리가 보통 말하는 위암은 위선암(gastric adenocarcinoma)이다. 원인으로는 장기간의 nitrates 함유 음식 섭취(dried, smoked, salted foods)와 관련성이 알려져 있다. 훈제 염장식품에 들어있는 질산염은 세균에 의해 carcinogenic nitrites(아질산염)으로 전환된다. Lower socioeconomic class에서 위암 발생이 많은데, 이러한 암 발생위험 음식을 많이 섭취하기 때문이다. H. pylori infection도 중요 원인이다. 헬리코박터와 같은 세균은 chronic inflammatory atrophic gastritis를 일으키고 gastric acidity를 낮춘다. H. pylori infection이 위암 발생위험을 6배 높인다고 하는데, 이미 감염이 진행된 후에 제균치료를 함으로써 위암 발생위험을 감소시킬 수 있을지는 불분명하다. 위산분비 저하 상황(prior gastric surgery = antrectomy 15-20년 후), atrophic gastritis, intestinal metaplasia, pernicious anemia도 위험군으로 알려져 있다. Serial endoscopy를 통해 atrophic gastritis → intestinal metaplasia → dysplasia → cancer로의 진행이 확인되었다. Gastric adenomatous polyp도 위험인자이다. A형 혈액형이 O형 혈액형보다도 위암 발생위험이 높다고 보고되었다. 그 외 위험군 또는 위험인자로, 고령, 남성, 흡연, 음주, 인종(아시아계 등), 위암 가족력, colon polyposis syndrome 등이다. 십이지장궤양은 위암과 관련이 없다. 위선암에는 두 가지 형태가 있는데, diffuse type와 intestinal type이다. Diffuse type은 E-cadherin loss로 암세포들끼리 adhesion되지 않아 개별 세포들이 infiltration되면서 퍼져 나가 뚜렷한 mass 형성 없이 위벽이 두꺼워지게 되며, cardia를 포함하여 위장 전체로 나타난다. H. pylori와 관련은 없으며, 젊은 나이에 생기고, linitis plastica(조영술에서 가죽물통 'leather-bottle appearance')의 형태로 나타나며 예후는 매우 불량하다. Intestinal type은 cancer cell adhesion이 있고, H. pylori infection된 후 오랫동안 precancerous process 진행을 통하여 암으로 발전한다. 고령에서 ulcer 형태로 나타나고 antrum (lesser curvature)에 주로 생긴다. 임상증상은 상복부 불편감 등 경미한 비특이적 증상부터 심한 증상까지 다양하게 나타나고 무증상인 경우도 매우 많다. 남성에서 IDA or stool occult blood (+)인 경우에는 내시경이 꼭 필요하다. 고위험 국가에서는 무증상이어도 정기적 위내시경이 필요하다. 원격전이가 없는 경우에는 surgical resection이 최선이다. Distal cancer에서는 subtotal gastrectomy, more proximal cancer일 때는 total or near total gastrectomy를 시행한다. 예후는 stage가 진행할수록 안 좋다. 위벽으로의 침범정도와 LN metastasis, vascular invasion 으로 결정된다. Perioperative + postoperative chemotherapy가 재발위험을 줄일 수 있다. 복강내 전이가 일어날 수 있는데 난소로의 전이(Krukenberg's tumor), periumbilical (Sister Mary Joseph node), peritoneal Cul-de-Sac (Blummer's rectal shelf) 등이 있다. Hematogenous spread의 가장 흔한 곳은 liver이다.

증례 3-1

69세 남성. 국가암검진 위내시경에서 작은 궤양과 CLO 양성으로 소화기내과 외래를 방문하였다. 제 균치료 14일 처방하고 2개월 후 EGD follow-up하기로 하였다. EGD에서 위암 의심소견을 보였다.

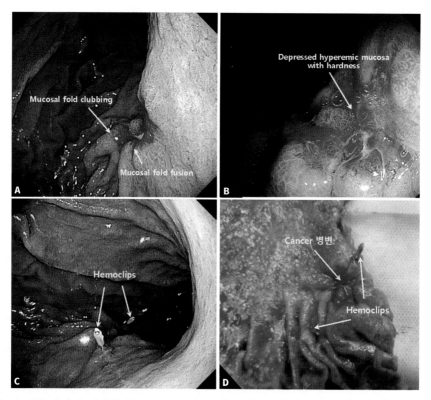

그림 3-1. Distal body (GC-PW)에 약 1.5 cm 크기의 hyperemic depressed mucosa가 관찰되고 주변부의 mucosal fold clubbing, fusion이 관찰되었다(A). 병변의 base는 다소 단단하고 easy contact bleeding이 관찰되었다(B). 위암(EGC) 의심소견이었다. 조직검사(#5)에서 adenoca, moderately differentiated 진단되었다. 수술 전 날 병변 부위 marking을 위해 proximal & distal 부위에 hemoclipping하여 표시하였다(C). Laparoscopic distal antrectomy를 받았다. 술후 결과는 EGC type IIc (2.2 × 1.7 cm, submucosa invasion, lymphovascular involvement, LN 1/32, stage T1bN1)이었다(D).

증례 3-2

55세 남성. 내시경 검진받은 적 없다가 처음으로 검진을 받던 중 진행위암이 발견되었다(그림 3-2).

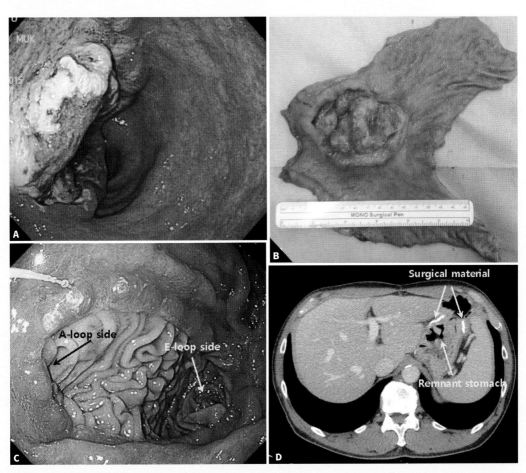

그림 3-2. Antrum (AW)에 huge irregular marginal elevated dirty based ulceroinfiltrating mass의 advanced cancer (Borrmann type III)가 발견되었다. 조직결과는 adenoca, poorly diff였다(A). Subtotal gastrectomy with B-II를 받았다(B). 술후 결과는 subserosa invasion (T3), No LN metastasis (N0)였다. 술후 6년째까지 재발이 없었다(C, D).

증례 3-3

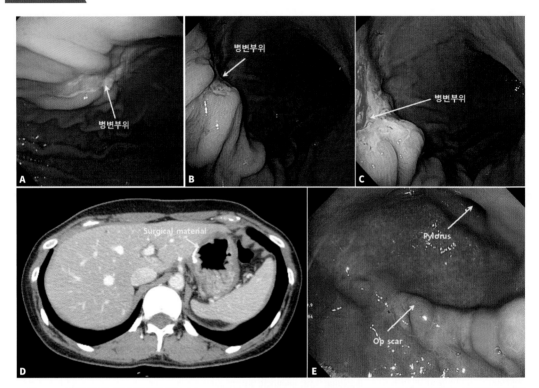

그림 3-3. 48세 여성. 국가암검진 EGD biopsy에서 atypical cells 진단으로 소화기내과 방문하였다. 내시경 사진을 보니 irregular marginal dirty based ulcer로 malignant ulcer 모양으로 rebiopsy 필요한 소견이었다(A). Dirty base는 hard하고 easy contact bleeding이 있었으며, 주변부는 mucosal fold fusion, clubbing이 관찰되어 EGC type III 소견이었다(B, C). Rebiopsy (#7)에서 adenoca, poorly diff 진단되었다. 술전 metastasis work-up 후 병변 부위 hemoclipping으로 marking하고 laparoscopic pylorus-preserving gastrectomy를 시행받았다(D, E). 술후 병리결과는 3.1 × 2.8 cm, submucosal invasion (T1b), no LN meta (N0)의 EGC IIc + III로 최종 진단되었다.

증례 3-4

67세 남성. 수개월 전부터 명치 통증이 있어 오다가 내원 전날부터 melena 있어 타병원 EGD 시행하려던 중 Hb 5.5 g/dL check되어 응급실로 전원되었다. 고혈압 병력이 있었다. 응급실에서 CT 시행하고, 다음날 EGD 시행하였다(그림 3-4).

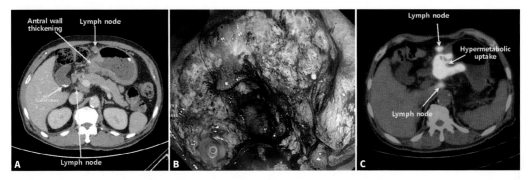

그림 3-4. CT에서 antral wall thickening의 gastric cancer 소견이다. Perigastric LNs metastasis도 보인다(A). 내시경에서 Borrmann type III의 advanced gastric cancer 진단되었다(B). 조직결과는 adenoca, poorly diff였다. Metastasis work-up을 위해 PET-CT 시행하였다. 위암 부위와 LNs metastasis 부위에 hypermetabolic uptake가 선명히 관찰된다.

해설   Advanced gastric cancer는 출혈로 인한 빈혈이 흔히 일어난다. IDA 남성 환자에서는 GI cancer를 반드시 고려해야 한다. Metastasis work-up에 PET-CT는 유용하다.

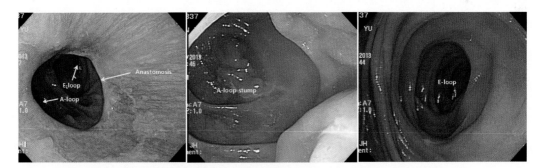

그림 3-5. Total gastrectomy 받은 후의 EGD

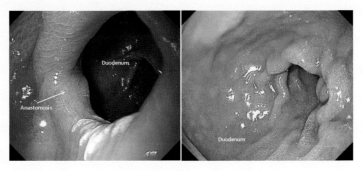

그림 3-6. Subtotal gastrectomy with B-I 받은 후의 EGD

그림 3–7. Subtotal gastrectomy with B–II 받은 후의 EGD

증례 3–5

84세 남성. 당뇨, 고혈압, 고지혈증으로 aspirin, clopidogrel 복용 중이던 환자로 traumatic SDH로 신경외과 입원하여 Burr hole trephination with hematoma removal하고 퇴원하였다. 입원 중 melena 있어 소화기내과 외래로 내시경 의뢰되었다(그림 3–8). 당시 Hb 9.4 g/dL였다.

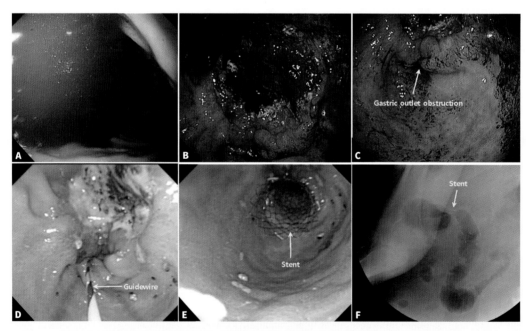

그림 3–8. 위강 내 시간이 꽤 경과했을 것으로 추정되는 짙은 흑갈색의 액체가 가득 고여 있다. 위출구 폐색이 있을 것으로 추정된다(A). Huge irregular marginal elevated ulceroinfiltrating mass의 advanced gastric cancer (Borrmann type III)가 관찰된다(B). 조직검사에서 adenocarcinoma, poorly differentiated 진단되었다. Gastric outlet obstruction이 있으나 내시경은 통과하였다(C). Work–up 결과 수술은 불가하였다. 구토를 하고 식사를 할 수 없어 입원하여 stent 시술하였다(D, E, F).

04

위말트림프종
Gastric MALT lymphoma

모든 lymphoma의 ~2% 정도가 위장에 생긴다. 위장에 생기는 원발림프종은 드물지만 extra-nodal lymphoma의 가장 흔한 부위가 위장이다. 육안으로는 gastric adenocarcinoma와 구분이 어렵다. 진단은 내시경을 통한 조직검사로 하는데 superficial biopsy로는 miss할 수 있다. 대부분 B–cell origin lymphoma인데 well–differentiated mucosa-associated lymphoid tissue (MALT)부터 high-grade large–cell lymphoma까지 다양하다. Adenocarcinoma처럼 H. pylori가 주 위험인자이다. Low–grade MALT lymphoma는 H. pylori eradication만으로 치료가 되는 경우가 많다. 그러므로 수술, 방사선치료, 항암치료를 고려하기 전 헬리코박터 제균치료를 반드시 먼저 고려해야 한다. 치료 반응이 없는 경우는 t (11:18)와 같은 염색체 이상과 관련 있다. 치료반응을 보기 위해 정기적 내시경 surveillance를 한다. High-grade lymphoma는 chemotherapy 대상이다(CHOP CTx + rituximab이 highly effective).

증례 4-1

78세 여성. 상복부 통증으로 내원하였다. 내시경을 받아 본 적이 없다고 하였다. EGD 시행하였다.

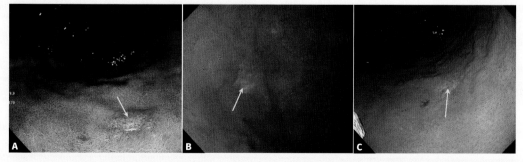

그림 4-1. Erosion 부위 biopsy에서 MALT lymphoma 진단되었다(A). UBT 양성으로 헬리코박터 제균치료 14일하고 6개월 후 follow–up EGD에서 몇 군데 scar change 관찰되었다(B, C). 조직결과는 동일하게 MALT lymphoma 진단되었고, CLO 음성으로 제균은 잘 된 것으로 판단하였다. 추적관찰 예정이다.

05

위간질종양 및 점막하종양
Gastric GIST & SMT

Gastrointestinal stromal tumors는 위장관 어디든 생길 수 있는데, 가장 흔한 부위는 위 (60-70%)와 소장(20-30%)이다. 위장관벽의 근육층에 존재하며 위장관 운동을 조절하는 'Interstitial cell of Cajal'에서 발생하는 것으로 생각된다. 따라서 epithelial cell에서 기원한 암종 (carcinoma)이 아닌, mesenchymal cell에서 발생한 육종(sarcoma)으로 분류된다. 85-90% 에서 c-kit mutation을 보인다. 무증상으로 우연히 발견되는 경우가 많다. 크기가 커지면서 출혈을 일으킬 수도 있고, 타장기로 전이(주로 간, 복막)를 일으킬 수도 있다. 점막하 근육층에서 생기므로 내시경 조직검사로는 종양 조직을 못 얻는 경우가 많다. 출혈, 파열, 암 파종 위험이 높은 경우에는 수술로 치료와 동시에 조직 진단을 하는 편이 나을 수 있다. 크기가 2 cm 이상 또는 크기가 점차 증가할 때는 수술적 절제를 고려한다. 술후 조직진단에서 가장 중요한 면역조직화학염색은 c-kit (CD117)이다. 종양조직으로 악성도 위험을 평가하는데, 크기와 mitosis로 한다.

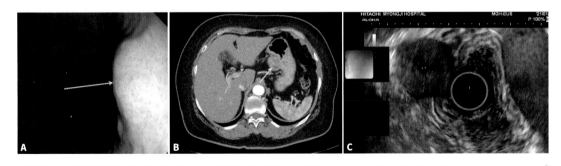

그림 5-1. GIST로 진단된 점막하종양

67세 여성. 검진 내시경에서 우연히 점막하 종양이 발견되었다. Distal body (LC)에 약 3 cm 크기의 elevated mucosa 관찰되고, biopsy forcep으로 만져보면 hard, movable한 submucosal tumor (subepithelial tumor)이다(A). CT에서 약 24 mm의 종괴가 보이고, EUS로는 21 × 14 mm로 측정되었다. Laparoscopic wedge resection하였다. 조직결과는 Gastrointestinal stromal tumor (2.2 × 2 cm, mitotic rate 1/50 HPF)였다. (명지병원 소화기내과 정현정, 외과 이경구 선생님 제공)

크기가 > 10 cm이거나, mitosis > 10/50 HPF이거나, > 5 cm + mitosis > 5/50 HPF일 때는 imatinib (Gleevec®)을 고려한다. Imatinib은 c–kit tyrosine kinase inhibitor이고 400–800 mg PO로 사용한다. 그 외 imatinib은 수술적 절제가 불가능한 전이성 GIST에서 사용하는데 효과적이나 완치는 힘들다. 또한, 술전 매우 큰 GIST를 imatinib을 사용하여 크기를 줄인 후 수술할 수도 있진 있다. Imatinib 치료가 실패했을 때 2차 약제로 sunitinib을 사용할 수 있다.

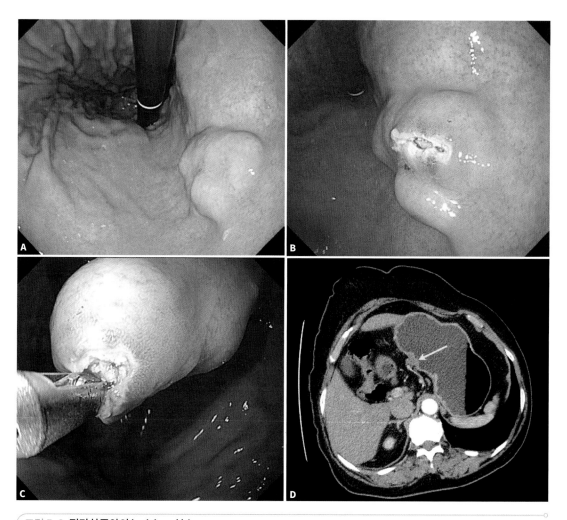

그림 5–2. **점막하종양의 incisional biopsy**

65세 여성. 검진 내시경에서 우연히 점막하종양이 발견되어 의뢰되었다. 내시경적으로 2.5 × 1.7 cm의 SMT에 대하여 incisional biopsy 시행하였다(A, B, C). 조직결과는 GIST (< 5/50 HPF, CD117+)였다. Laparoscopic wedge resection 시행하였다. 술후 조직결과는 GIST, 1.8 × 1.8 × 1.1 cm, mitotic count 4/50 HPF. (서울송도병원 소화기내과 김정호, 명지명원 외과 이경구 선생님 제공)

해설 SMT는 표면에 대한 점막 조직검사로는 진단이 되지 않는다. Incision biopsy로 진단이 될 수 있다.

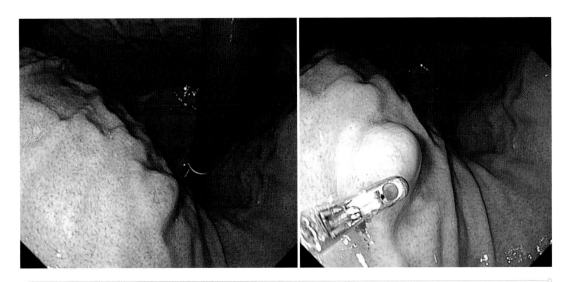

그림 5-3. 검진에서 우연히 발견된 작은 점막하종양

39세 여성. 검진 내시경에서 우연히 점막하 종양이 발견되었다. 내시경적으로 크기가 약 1 cm 정도의 작아서 추적관찰하기로 하였다. Biopsy forcep으로 눌러보면 단단하고 움직임을 느낄 수 있다.

06

위용종
Gastric polyp

Fundic gland polyp(위저선용종)은 장기간의 PPI 사용과 관련 있다. 1 cm 이상 시 제거를 고려한다. Hyperplasic polyp(과증식용종)은 일부에서 악성화 가능성이 있기 때문에 1 cm 이상은 절제가 필요하다. Adenomatous polyp(위선종)은 전암 병변으로 반드시 EMR 또는 ESD로 완전 절제해 주어야 한다.

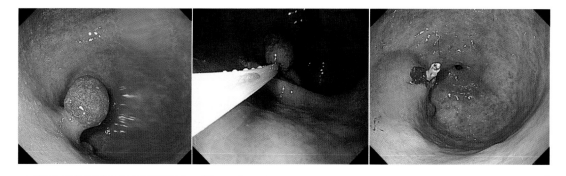

그림 6-1. 위용종의 EMR

61세 남성. 검진 EGD follow-up에서 hyperplastic polyp size 증가되어 EMR 위해 의뢰되었다. 1 cm 이상 되어 보이는 pedunculated polyp에 대하여 EMR 시행하였다. 지연 출혈을 예방하기 위해 hemoclipping #1 시행하였다.

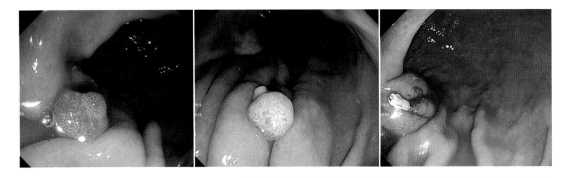

그림 6-2. 위용종의 EMR

46세 남성. 타병원 내시경에서 hyperplastic polyp에 대하여 EMR 의뢰되었다. 약 1 cm 정도 되어 보이는 semi-P polyp에 대하여 EMR 시행하고 출혈을 예방하기 위해 hemoclipping #1 시행하였다.

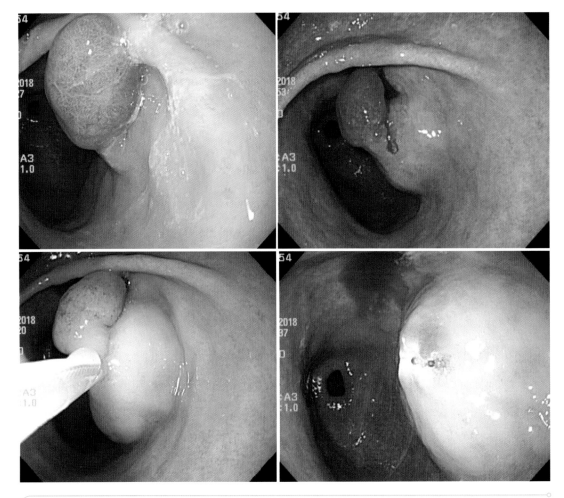

그림 6-3. 위용종의 EMR

78세 여성. 타병원 내시경에서 large gastric polyp 진단되어 의뢰되었다. 육안상 hyperplastic polyp으로 생각되었다. 크기가 크고, 표면 출혈을 일으킬 가능성이 있어 EMR 시행하였다. 조직결과는 hyperplastic polyp이었다.

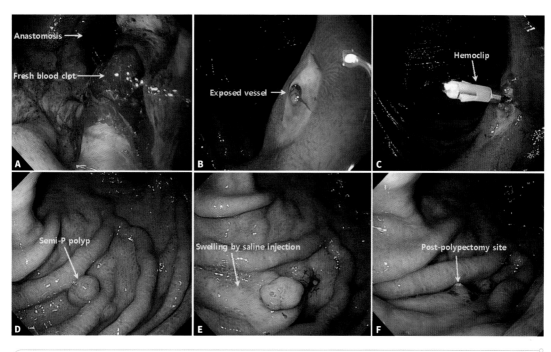

그림 6-4. 위용종의 EMR

51세 남성. Melena로 소화기내과 외래 방문하였다. 20년 전 위장수술을 받았다고 하였다. 외래에서 EGD 시행하였다. Gastrojejunostomy state였고, 위장 전체에 혈흔이 있고, anastomosis site 주변으로 fresh blood clot 관찰되어 출혈이 되고 있음을 알 수 있었다(A). Jejunal ulcer with exposed vessel 관찰되었는데, bleeding focus로 생각하고 hemoclipping #1 시행 후 입원시켰다(B, C). Duodenal ulcer scar가 관찰되었는데 20년 전 수술은 십이지장 폐색으로 수술받았을 것으로 추정하였다. CLO 음성이었다. 5일째 follow-up EGD에서 약 1 cm 크기의 용종이 발견되어 EMR 시행하였다(D-F). 조직결과는 fundic gland polyp이었다.

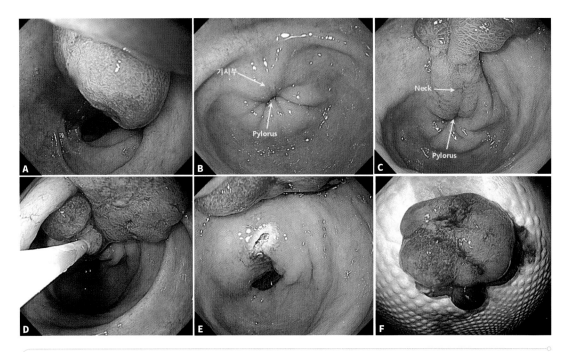

출혈을 일으켰을 것으로 생각되는 거대 위용종

82세 여성. 혈압 저하 및 Hb 7.0 g/dL로 r/o GI bleeding imp.으로 전원되었다. 입원 후 EGD 시행하였다. 십이지장에 mass가 관찰된다(A). 그러나 pedunculated polyp의 기시부는 prepylorus였다(B, C). 3 cm 이상의 거대용종으로 표면은 쉽게 출혈하는 것으로 보아 polyp에서 출혈하였을 가능성을 생각하였다. EMR 시행하였다(D-F). 출혈을 예방하기 위해 hemoclipping #3 시행하고 종료하였다. 조직결과는 3.0 × 2.7 × 0.8 cm, Mixed hyperplastic polyp and tubular adenoma, high grade dysplasia with clear resection margin이었다.

해설 Non-neoplastic polyp은 악성화 가능성이 매우 희박하나 1 cm 이상 크기에서는 드물게 악성화가 보고되기도 하여 EMR을 시행한다. 조직검사만으로는 이형성 정도를 모두 알기 어렵고, EMR로 진단과 치료가 되며, hyperplastic polyp의 표면에서 드물게 출혈하는 수도 있기 때문이다. ESD와 달리 EMR은 외래에서 시행할 수도 있다.

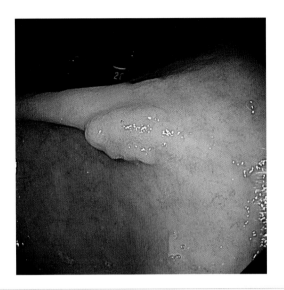

그림 6-6. 위선종

80세 남성. EGD에서 1.5 이상 크기의 flat elevated (sessile) polyp 관찰되는데, tubular adenoma, low-grade dysplasia였다.

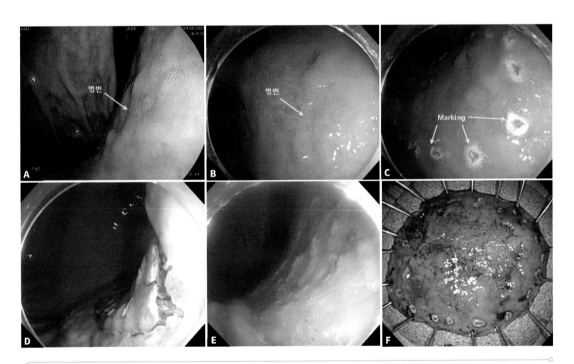

그림 6-7. 위선종의 ESD

68세 남성. 고혈압, 고지혈증 환자로 검진 EGD에서 flat depressed lesion biopsy에서 tubular adenoma 진단되어 의뢰되었다. 1.5 cm 정도 크기의 adenoma 병변에 대하여 ESD 시행하였다. 최종 조직결과는 2.5 × 1.5 cm, adenocarcinoma, well-diff, focal, arising in high grade dysplasia, EGC type IIc, lamina propria & muscularis propria invasion, no lymphatic, no venous, no perineural invasion, lateral and deep resection margin free였다. (서울송도병원 소화기내과 김정호 선생님 제공)

해설 　Biopsy에서 adenoma여도 ESD 시행 후 carcinoma 진단되는 경우가 드물지 않고, mu-
cosal cancer로 ESD 시행하였으나 최종 결과가 deep submucosal invasion 나와 추가적
외과수술이 필요한 경우도 있다. ESD는 EMR에 비해 출혈, 천공의 합병증 위험이 있는 고난이도 시술
이다.

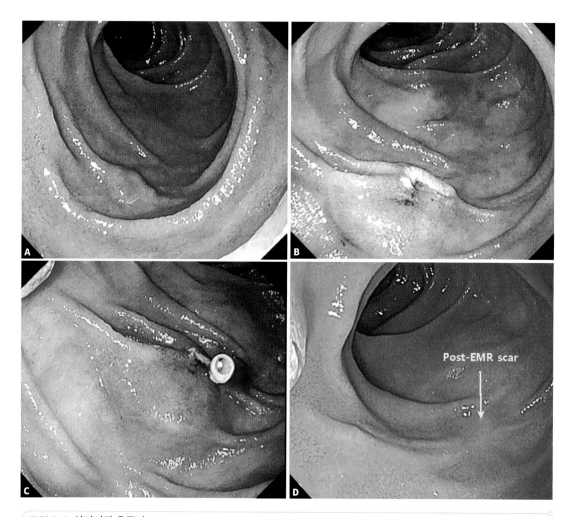

그림 6-8. 십이지장 용종의 EMR

43세 여성. 타병원 검진 EGD에서 우연히 십이지장 용종이 발견되었는데, biopsy에서 tubular adenoma로 절제를 권유
받았다. 천공 위험 등으로 입원 시술이 필요하다고 하여 본원 내원하였다. 외래에서 시행하기로 하였다. 일반적 EMR 순서로
진행하고 출혈과 천공을 예방하기 위해 hemoclipping #1 시행 후 귀가시켰다(A-C). 6개월 후 scar change를 보였다(D).

해설 　십이지장 용종은 드문 편이다. 치료는 위용종과 동일하게 하면 되나, 위장과 달리 십이지장
벽은 얇아 천공 위험이 있어 주의가 필요하다.

07

기타 위내시경소견

1. Ectopic (= Heterotopic) pancreas

췌장 조직이 췌장 이외에 존재하는 것을 말한다. 95%가 위장에서 발견된다. 주로 distal antrum (GC)에서 내시경 도중 우연히 발견된다. Submucosa 또는 그 이하층에 존재하므로 조직검사로는 진단되지 않는다. 비교적 전형적 내시경소견(그림 7-1)을 보이는 경우가 많고, 통상 치료(수술 절제)는 필요 없고 경과관찰하면 된다.

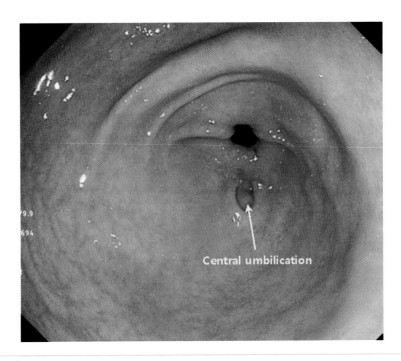

그림 7-1. Ectopic pancreas

2. Angiodysplasia

전 위장관에 생길 수 있고, 위장에서도 드물지 않게 발견된다. 출혈과 빈혈의 원인이 될 수 있다. 원인불명의 sporadic하게 생길 수도 있고, 선천적으로도 생길 수 있다. 선천적으로 생길 수 있는 질환으로 hereditary hemorrhagic telangiectasia (Osler–Weber–Rendu disease)가 있다. 후천적으로 gastric antral vascular ectasia (GAVE, Watermelon stomach)이 있다. Angiodysplasia와 관련한 질환으로는 ESRD, von Willebrand disease, aortic stenosis가 알려진다. 그림 7-2는 sporadic하게 발견된 angiodysplasia이다. 출혈하는 경우 cauterization, angiography, surgery 등의 방법으로 치료를 해 볼 수 있다.

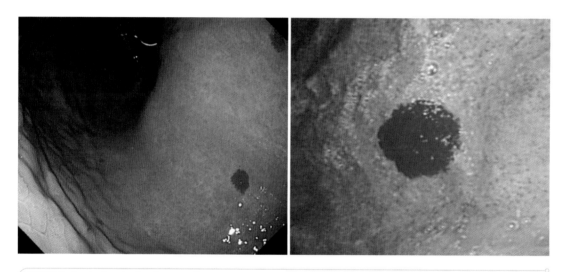

그림 7-2. **Angiodysplasia of stomach**

위장질환 문제

1. 소화불량 환자에서 기질적 원인을 의심할 수 있는 경고증상은?

> 가. 반복되는 구토　　　　　　　　　나. 황달
> 다. 진행되는 삼킴 곤란　　　　　　　라. 가슴 쓰림

　① 가, 나, 다　　② 가, 다　　③ 나, 라　　④ 라　　⑤ 가, 나, 다, 라

2. 68세 여성 환자가 상복부 통증을 주소로 내원하였다. 상부위장관 내시경검사에서 미란성 위염이 관찰되었다. 환자는 1년 전부터 무릎관절 통증으로 지속적으로 소염진통제를 먹고 있는 것 외에 과거병력상 특이소견은 없었다. 본 환자에서 향후 NSAID를 지속적으로 사용함에 있어 주의해야 할 것으로 옳은 것은?

> 가. 스테로이드를 같이 처방하지 않는다.
> 나. Misoprostol을 같이 처방한다.
> 다. 헬리코박터균 양성인 경우 제균치료를 한다.
> 라. NSAID 용량을 최소 용량으로 유지한다.

　① 가, 나, 다　　② 가, 다　　③ 나, 라　　④ 라　　⑤ 가, 나, 다, 라

3. 65세 남성 환자가 내원 당일 아침에 2차례의 흑색변을 주소로 응급실로 내원하였다. 내원 당시 환자는 BP 100/60 mmHg, pulse rate 110회/분이었고 의식은 명료하였으나 안색은 창백하였다. 이 환자의 앞으로의 처치에 대한 기술 중 옳은 것은?

> 가. 중심정맥 도관을 확보하고 수액공급을 통해 혈역학적 상태를 안정화시킨다.
> 나. 응급 상부위장관 내시경검사를 시행한다.
> 다. 지속적으로 복용하던 약물이 있으면 가능한 정맥투여로 변경한다.
> 라. Nasogastric tube를 삽입한다.

　① 가, 나, 다　　② 가, 다　　③ 나, 라　　④ 라　　⑤ 가, 나, 다, 라

4. 35세 여성 환자가 건강검진을 목적으로 상부 위장관내시경 검사를 받았다. 상부 위장관 내시경검사에서 다발성, 부정형의 위궤양이 관찰되었다. CLO test에서 양성, 조직검사결과 점막층에 국한된 gastrc marginal zone B cell lymphoma of MALT type으로 진단되었다. 이 환자의 1차 치료로 가장 우선적으로 추천되는 것은?

① 헬리코박터 제균치료 ② 위전절제술 ③ 항암치료
④ 방사선치료 ⑤ 경과관찰

5. 다음 중 Helicobacter pylori 제균치료를 고려해야 하는 경우는?

가. 소화성궤양	나. 원인불명의 철결핍성빈혈
다. MALT lymphoma	라. 특발성혈소판감소성자반증

① 가, 나, 다 ② 가, 다 ③ 나, 라 ④ 라 ⑤ 가, 나, 다, 라

6. 50세 남성이 피를 토하여 응급실에 왔다. 당뇨병과 심근경색으로 약제를 복용하고 있었다. 의식은 명료하였으나 기립 시 현기증을 호소하였다. 혈압 100/60 mmHg, 맥박 100회/분, 호흡 18회/분, 체온 37.0℃였다. 코위관 삽입 후 세척에서 커피 찌꺼기 모양의 흡인물이 관찰되었다. 혈액검사결과는 다음과 같았다. 아래에 개인 의원에서 시행한 상부위장관내시경검사의 십이지장 사진이다. 이 환자에 대한 처치로 가장 부적절한 것은?

백혈구 8,500/mm^3, 혈색소 7.0 g/dL, 혈소판 300,000/mm^3,
프로트롬빈시간(INR) 1.5, 알부민 4.0 g/dL, 총 빌리루빈 1.0 mg/dL

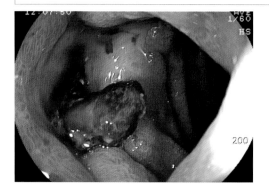

① 헤모클립 ② 조직검사 ③ 양성자펌프억제제 투약
④ 헬리코박터 검사 ⑤ 수혈

7. 50세 여성이 상복부 통증으로 왔다. 위내시경검사에서 십이지장에 제시한 사진과 같은 소견이 관찰되었고 Helicobacter pylori 양성으로 제균치료를 하였다. 제균치료 종료 4주 후 시행할 적절한 검사는?

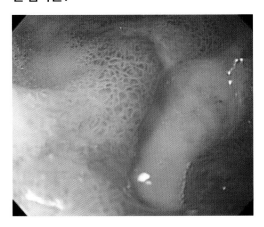

① 조직검사　　　　　② 배양검사　　　　　③ 요소분해검사

④ 요소호기검사　　　⑤ 혈청항체검사

8. 심실세동으로 아스피린 복용 중인 55세 남성이 위내시경검사를 받았다. 위궤양이 발견되어 조직검사를 시행받았다. 아스피린에 대한 바른 복용 안내는?

① 아스피린을 그대로 유지한다.

② 아스피린을 중단하고 low-molecular weight heparin을 사용한다.

③ 아스피린을 중단하고 clopidogrel 경구로 교체한다.

④ 아스피린을 3-5일 중단한 후 아스피린을 복용하게 한다.

⑤ 아스피린을 3-5일 중단한 후 clopidogrel 경구로 교체한다.

9. 위내시경 도중 시행한 조직검사로 헬리코박터균 감염 여부를 확인하고자 한다. 가장 적절한 특수염색은?

① Hematoxylin & Eosin stain

② Giemsa stain

③ c-Kit

④ CK7 and CK19

⑤ IgG4

10. 36세 여성이 배가 점차 불러와서 병원에 왔다. 복부 전산화단층촬영과 복부 천자 세포진 검사 사진이다. 다음으로 시행해야 할 검사는?

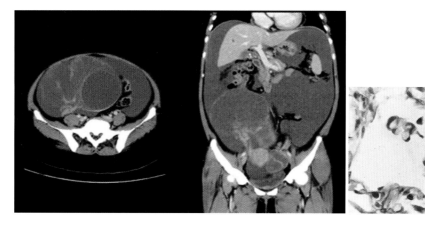

① 심초음파　　　　　　　② 위내시경
③ 대장내시경　　　　　　④ 간조직검사
⑤ 양전자방출 단층촬영(PET–CT)

11. Helicobacter 제균치료를 권고해 볼 수 있는 경우는?

가. 위궤양 흔적	나. 기능성소화불량증
다. 장상피화생	라. 원인불명의 철결핍성빈혈

① 가, 나, 다　　② 가, 다　　③ 나, 라　　④ 라　　⑤ 가, 나, 다, 라

12. 위마비(gastroparesis)의 치료에 사용해 볼 수 있는 약제는?

가. metoclopramide	나. bethanechol
다. domperidone	라. erythromycin

① 가, 나, 다　　② 가, 다　　③ 나, 라　　④ 라　　⑤ 가, 나, 다, 라

13. 다음 중 Zollinger–Ellison syndrome (gastrinoma)를 의심해 볼 수 있는 경우를 고르시오.

> 가. Duodenum 2nd portion과 같이 비전형적인 위치에 있는 궤양
> 나. 표준 궤양 약물 치료에 불응성인 궤양
> 다. Acid–reducing surgery 후에도 재발한 궤양
> 라. 다양한 위치에 다발성으로 발생한 궤양

① 가, 나, 다 ② 가, 다 ③ 나, 라 ④ 라 ⑤ 가, 나, 다, 라

14. 35세 남성이 심한 명치통증으로 내원하였다. 고려해야 할 질환은?

> 가. 심근경색 나. 십이지장궤양
> 다. 급성췌장염 라. 급성충수염

① 가, 나, 다 ② 가, 다 ③ 나, 라 ④ 라 ⑤ 가, 나, 다, 라

정답과 해설

1.① 2.⑤ 3.⑤ 4.① 5.⑤ 6.② 7.④ 8.① 9.② 10.② 11.⑤ 12.⑤ 13.⑤ 14.⑤

5. H. pylori는 철분흡수에 필요한 위산분비와 위내 아스코르빈산을 감소시켜 철결핍성빈혈을 일으킬 수 있다. H. pylori의 cagA 항원에 대한 항체가 혈소판 표면의 glycoprotein에 교차반응을 일으켜 혈소판 감소를 일으킬 수 있다. 헬리코박터 감염은 ITP의 원인 중의 하나이다.

6. 사진에 보이는 것은 large exposed vessel이다.

9. c-Kit –GIST, CK7/CK19-cholangiocarcinoma

10. Signet ring cell carcinoma이다.

14. 급성충수염은 명치통증으로 시작하여 나중에 RLQ로 localize된다.

IV 흡수 장애

흡수장애라 하면 비정상적 흡수 증가 또는 흡수 감소를 말하지만, 임상에서 대부분의 흡수장애는 흡수 감소(malabsorption syndrome)를 말한다. 흡수가 증가되는 병으로는 hemochromatosis (Fe)와 Wilson's disease (Cu)가 있다. Malabsorption syndrome은 소화(digestion) 또는 흡수(absorption) 장애로 발생하고, 대부분 지방변(steatorrhea)과 관련이 있다. Steatorrhea는 섭취한 지방의 6% 이상이 대변으로 배출되는 것을 말한다. Steatorrhea와 관련 없는 상황으로는 primary lactase deficiency와 pernicious anemia가 있다. Primary lactase deficiency는 small bowel brush border에 disaccharidase enzyme lactase 결핍으로 lactose 흡수장애로 생기는 것이다. Pernicious anemia는 gastric parietal cell intrinsic factor 결핍으로 cobalamin (vit B12) 흡수장애가 생기는 병이다. 흡수장애의 증상(symptom)과 징후(sign)로 나타나는 것이 '설사'이다. 증상으로서의 설사는 변이 물러지고(stool consistency 감소), 양이 많아지며(stool volume 증가), 잦은 배변(bowel movement 증가)을 말한다. 징후로서의 설사는 서구식 식사의 경우 하루 배변량 200–225 g 이상, high fiber diet의 경우 400 g 이상으로 정의한다. 설사는 삼투성 설사(osmotic diarrhea)와 분비성 설사(secretory diarrhea)로 나눌 수 있다. Enterotoxin-induced traveler's diarrhea와 같은 secretory diarrhea는 24시간 이상 금식하여도 호전이 없다. 반면, primary lactase deficiency (lactose malabsorption) 같은 osmotic diarrhea는 호전된다. 그러므로 24시간 이상 금식 시 호전(stool output 감소)되면 malabsorption 관련 설사(osmotic diarrhea)인 것으로 추정할 수 있다. 반대로 설사가 지속하면 secretory diarrhea로 생각할 수 있다. Stool osmolar gap을 삼투성 또는 분비성 설사의 감별에 사용할 수도 있다($>$ 50 osmotic vs. $<$ 25 secretory).

$$Stool\ osmolar\ gap = stool\ osmol - 2 \times (stool\ Na^+ + K^+)$$

소장의 길이는 ~300 cm, 대장 ~80 cm이다. 기능적 표면적은 이보다 ~600배 더 크다. 이는 소장의 folds, villi, microvilli 때문이다. 장상피는 다음과 같은 기능을 가지고 있다.

1) Barrier and immune defense
외부 antigens과 microorganisms의 침입을 막는다. 또한 secretory IgA도 합성 및 분비한다.

2) Fluid and electrolyte 흡수 및 분비
매일 ~7–8 L를 흡수한다. 섭취하는 1–2 L/d + salivary, gastric, pancreatic, biliary, intestine (6–7 L/d). Bacteria & bacterial enterotoxin 같은 자극으로 fluid & electrolyte excretion되면

설사한다.

3) Several proteins 합성과 분비(예: apolipoproteins)

4) Bioactive amines & peptides 생산

생산된 물질은 paracrine & hormonal mediators로 작용한다. 즉, 장은 endocrine organ이다.

소장과 대장의 차이점은 해부학적으로는 소장에는 villi가 있고 대장에는 없다. 기능적으로는 소장에는 영양분의 소화·흡수가 일어나고 대장에서는 일어나지 않는다. 소장은 duodenum-jejunum–ileum으로 이루어지는데, 영양분의 흡수 장소는 서로 다르지만 해부학적 특징으로는 구분할 수 없다.

주요 흡수장소

- proximal small intestine: iron, calcium, water soluble vitamins, fat
- proximal to mid small intestine: sugars
- mid: amino acids
- distal: bile salts, vit B12
- colon: water, electrolytes

장상피세포는 high turnover rate로 재생이 매우 빨라 crypt base에서 tip까지 migration하는 데 48–72시간 정도면 된다. 설사 환자에서 빠른 회복을 보이는 것은 빠른 세포재생 때문이고, 또한 항암치료 시 GI side effect가 흔한 원인이 되는 것도 이 때문이다.

01

Enterohepatic circulation of bile acids

Primary bile acids (cholic acids, chenodeoxycholic acids)는 간에서 cholesterol을 원료로 하루 ~500 mg 합성된다. 담즙산 합성은 7α–hydroxylase (CYP7A1)에 의해 자율 조절된다. Ileum에서 active Na^+ dependent process로 재흡수된다. 대장으로 내려간 conjugated bile acids는 colonic bacterial enzymes에 의해 secondary bile acids (CA → DCA, CDCA → LCA)로 전환되어 nonionic diffusion 방식으로 빠르게 재흡수되고 소량은 대변으로 배출된다. Bile-acid pool size는 ~4 g이다. 매 식사 시 2번 정도, 24시간 동안 약 6–8번의 enterohepatic circulation이 일어난다. 대변으로의 배출(fecal loss)만큼 간에서 합성된다. Enterohepatic circulation의 합성/분비/장내 conjugation상태/재흡수의 어느 단계라도 손상되면 steatorrhea가 생길 수 있다. ① 간경변과 같은 만성간질환에서는 bile acids 합성이 감소하여 설사가 일어날 수도 있지만 주된 문제는 아니다. ② Biliary obstruction에서 지방변은 드물지만, PBC와 같은 cholestasis에서 지방변은 드물지 않고 calcium & vit D malabsorption의 결과로 osteopenia/osteomalacia가 생길 수 있다. ③ Bacterial overgrowth syndrome에서는 설사, 지방변, macrocytic anemia가 생길 수 있다. 장내 세균은 conjugated bile acids를 deconjugation 시킨다. Unconjugated bile acids는 conjugated보다 micelle 형성이 덜 효과적이다. 또한, 장내세균에 의해 unconjugated bile acids로 전환되면 jejunum에서 nonionic diffusion으로 빠르게 흡수되어 bile acids 양 자체가 줄어든다. ④ Crohn's disease or surgical resection과 같은 ileal dysfunction에서는 bile의 재흡수가 감소하여 설사 ± 지방변이 생길 수 있다. Ileal disease or resection이 제한적이면 설사는 생겨도 지방변은 없다. 대장으로 유입된 담즙산에 의한 active Cl secretion 자극의 결과로 설사가 생기는데, 이를 bile acid diarrhea (or choleretic enteropathy)라 하고 cholestyramine (bile acids–binding resin)에 즉각 반응한다. 간에서 bile acids를 합성 및 충당하여 bile acids pool size가 유지되므로 지방변은 일어나지 않는다. 그러나 ileal disease or resection이 광범위하면 설사와 지방변이 생긴다. 이때는 micelle 형성을 유지할 만

큰의, 또한 bile acids pool을 유지할 만큼의 담즙산 합성을 하지 못한다. 이때는 fatty acid diarrhea이다. Cholestyramine은 효과가 없고 low-fat diet로 장으로의 지방유입을 줄여야 효과가 있을 수 있다. Ileal resection 길이와 steatorrhea의 두 가지 임상특징으로 cholestyramine에 대한 반응을 예측해 볼 수 있겠으나 불행히도 예측지표는 없고 therapeutic trial이 필요하다.

Bile acids

Primary bile acids는 cholic acid (CA)와 chenodeoxycholic acid (CDCA)이다. 이는 장내세균의 β-glucuronidase에 의해 deconjugation되어 secondary bile acids로 전환된다. Conjugation(접합반응) 상태에서 −OH가 제거되는 것이 deconjugation(탈접합반응)이다. Cholic acid에서 −OH가 제거되면 deoxycholic acid (DCA)가 되고, CDCA에서 −OH가 빠지면 lithocholic acid (LCA)가 된다. UDCA는 2차 또는 3차 담즙산인데, CDCA와 화학식은 동일하나 입체구조에서 CDCA가 −OH가 뒤로 뻗어 소수성(hydrophobic)인데 반해, UDCA는 앞으로 돌출되어 있고 친수성(hydrophilic)이다.

02

지방 흡수

미국에서 하루 지방 섭취량은 ~120–150 g/d이다. 지방에는 3가지 형태가 있다. Carbon chain 개수에 따라 long–chain FAs (≥ 13), medium–chain (6–12), short–chain (≤ 5)으로 나눈다.

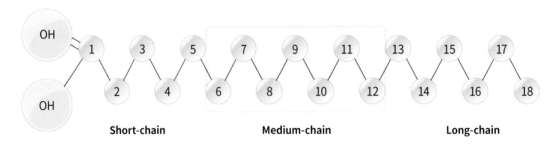

그림 2–1. **Fatty acids**

음식을 통한 지방섭취는 대부분 long–chain fatty acids이다. Medium-chain은 코코넛 오일에 있고 nutritional supplement제제로 시판된다. Short-chain은 colonic bacteria가 소화·흡수되지 않은 탄수화물을 SCFAs로 전환시킨 후 빠르게 흡수한다. 섭취한 지방덩어리는 대부분 long-chain triglycerides이다. Triglycerides는 한 개의 glycerol에 3개의 fatty acids가 ester 결합한 형태이다. 섭취한 지방덩어리는 일차적으로 gastric lipase에 의해 크기를 줄인다. Total lipolysis의 20–30%는 위장에서 일어난다. 부서진 지방덩이는 십이지장과 공장에서 pancreatic lipase에 의해 lipolysis가 완성된다. Second pancreatic enzyme인 colipase가 lipolysis를 촉진한다. 잘게 부서진 TGs는 water–insoluble하여 jejunal mucosa로 흡수되지 못한다. 이때 bile salts가 결합한 water–soluble micelle의 형태로 흡수된다. 소장점막에 흡수된 후에는 fatty acids와 β-monoglycerol로 분리되었다가 ester결합하여 다시 TGs가 된다. TGs 주변으로

phospholipid, cholesterol, lipoproteins이 붙어 chylomicron의 형태로 lymphatics로 흡수된다.

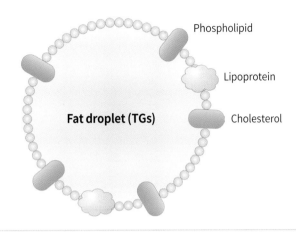

그림 2-2. **Chylomicron 구조**

MCTs는 LCTs와는 흡수과정이 다르다. Micelle 형성이 필요 없고 흡수 후 re-esterification될 필요가 없으며 chylomicron 형성될 필요 없이 portal vein을 통해 이동한다. 췌장 기능부전, 소장 점막질환, abetalipoproteinemia, lymphangiectasia 등에서 MCTs 흡수는 LCTs보다 월등하다. MCTs는 한 때 모든 지방변 치료에 희망이기도 했으나 불행히도 기대한 만큼 효과적이지 않았다. 치료가 체중 증가로 이어지지 않았기 때문이다. SCFAs는 음식으로 섭취되지 않는다. 장내 세균은 소화·흡수되지 않은 탄수화물을 SCFAs로 전환시켜 빠르게 흡수한다. 항생제 사용 시 장내세균이 억제되면 소화·흡수되지 않은 탄수화물이 설사로 이어진다. Antibiotic-associated diarrhea에서 C. difficile 관련은 ~15–20%에 불과하고, 대부분은 SCFA 생성 장애에 의한 것이다.

그림 2-3. **Antibiotic-associated diarrhea**

03

탄수화물 흡수

음식으로 섭취하는 탄수화물은 starch(녹말), disaccharides (sucrose and lactose) 및 glucose(포도당)의 형태이다. 탄수화물은 소장에서 monosaccharides의 형태로만 흡수된다. 그러므로 starch & disaccharides가 흡수되기 위해서는 pancreatic amylase & brush border disaccharidases에 의해 monosaccharides로 쪼개져야 한다. Monosaccharides(단당류)는 brush border transport protein인 SGLT1으로 매개되는 Na-dependent process로 흡수된다. 임상에서 중요한 탄수화물 흡수장애는 lactose malabsorption이다. Lactose(유당)은 우유에 들어있는 이당류인데, 흡수되기 위해서는 brush border lactase에 의해 glucose & galactose 로 분해되어야 한다. Lactase는 전 종에서 출생 후 존재하고 이후 사람을 제외하고는 사라진다. 사람에서는 전 생애에 걸쳐 lactase activity가 지속한다. Lactase deficiency는 두 가지 형태가 있다(primary and secondary). Primary lactase deficiency는 유전적으로 부족 또는 결핍된 것을 말한다. 백인을 제외한 전 인종에서 lactase 결핍이 흔하다. 아시아인의 90–100%가 primary lactase deficiency를 가지고 있다. Secondary lactase deficiency는 small-intestinal mucosal disease와 관련이 있고 주로 celiac disease에서 관찰된다. Lactose 소화는 glucose/galactose와 비교하여 rate-limiting하여 lactase 결핍 시 lactose malabsorption이 일어난다. 일부는 설사, 복통, 복부경련, 가스(flatus)와 같은 증상이 생긴다. Primary lactase deficiency 환자의 대부분은 증상이 없다. Lactose intolerance는 IBS 증상과 비슷하므로, lactose–free diet 후에도 증상이 지속하는 경우는 IBS 증상으로 생각할 수 있다. Lactose intolerance 증상 발생위험은 다음 요소들과 관련이 있다.

① 섭취하는 유당의 양이 많을수록

② Gastric emptying 속도가 빠를수록. Skim milk(탈지우유)가 whole milk보다 빨리 내려가 므로 lactose intolerance 증상이 생길 가능성이 더 크다. Subtotal gastrectomy 받은 사람에

서도 마찬가지이다.

③ Rapid small–intestinal transit time. Colonic bacteria는 흡수되지 않은 유당을 처리한다. 빨리 통과하면 세균이 작용하여 SCFAs로 전환시킬 시간이 없어져서 증상 생길 가능성이 높다.

④ 항생제 사용. 흡수되지 않는 유당은 장내 세균이 SCFAs로 전환시켜 흡수하는데, 항생제 사용으로 colonic microflora가 감소하면 증상 발생 가능성이 높다.

SGLT1 선천적 결핍으로 glucose-galactose or monosaccharide 흡수장애 상태에서 actively transported monosaccharides (glucose, galactose)를 포함한 탄수화물을 섭취할 경우에는 설사가 일어난다. 그런데 actively transport되지 않는 단당류(fructose)를 섭취할 때는 설사가 일어나지 않는다. Fructose 흡수는 brush border transport protein GLUT5 (SGLT1과는 다른 non-Na-dependent process)에 의해 흡수되기 때문이다. 과량의 sorbitol을 섭취할 때 설사가 일어날 수도 있다.

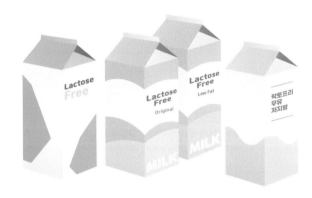

그림 3-1. 시판 중인 lactose-free milk

04

단백질 흡수

대부분 polypeptides 형태로 음식에 들어 있고, di- and tripeptides and amino acids로 쪼개져서 흡수된다. Proteolysis는 위장(pepsin)과 소장(trypsin)에서 일어난다. 위장의 gastric chief cells에서 pepsinogen이 분비되면 pH < 5에서 pepsin으로 activation된다. 소장에서는 pancreatic acinar cells에서 분비된 trypsinogen과 다른 peptidases가 small intestinal brush border enzyme enterokinase에 의해 trypsin으로 activation된다. 임상에서 심한 소장 점막 염증이 있는 경우에서조차도 단백질 흡수장애는 드물다.

흡수장애 환자에 대한 접근
Extensive small intestinal resection한 경우 short-bowel syndrome 가능성을 생각한다. Long-standing alcohol abuse & chronic pancreatitis 환자에서는 steatorrhea를 생각한다. 흡수장애 질병 자체는 드물다. 그러나 설사는 임상에서 흔한 증상이다.

05

Short-bowel syndrome

소장은 영양성분의 주요 흡수장소이다. Short-bowel syndrome을 일으키는 요인에는 resection 부위(jejunum vs. ileum), resection 길이, IC valve integrity 여부, colon resection 여부, 잔존질병(크론병, mesenteric artery disease) 등이 관여한다. 소장을 절제하면 adaptation되는 데 6-12개월이 소요되는데, adaptation을 촉진시키기 위해서는 반드시 enteral feeding을 계속해야 한다. 특히 early postop period에 그러하다. Parenteral nutrition이 필요한 extensive resection에서조차도 enteral feeding을 하는 것이 중요하다. Ileum resection, 특히 IC valve를 절제한 경우에 jejunal resection보다 설사 위험이 증가하는데, 이는 bile acids가 대장으로 유입되어 colonic fluid & electrolyte secretion을 자극하고, intestinal transit time이 짧아지며 colon으로부터 small intestine으로 bacterial overgrowth되기 때문이다. 대장이 있으면 그나마 설사가 덜한데 대장에서 흡수되지 않은 탄수화물을 SCFAs로 전환하여 흡수하고, 이어 Na & water absorption을 촉진하기 때문이다. 장 이외의 문제가 생기기도 한다. Renal calcium oxalate calculi 발생 위험이 증가하는데, 소장 절제 시 대장에서의 oxalate 흡수가 증가하여 enteric hyperoxaluria가 생긴다. 추정되는 기전으로는 대장으로의 담즙산과 지방산 유입 증가로 colonic mucosal permeability가 증가하여 oxalate 흡수가 증가하고, 지방산이 oxalate와 결합하여 soluble oxalate가 증가한다. 이때 cholestyramine과 calcium이 hyperoxaluria 치료에 도움이 될 수 있다. Bile-acid pool size가 감소하여 cholesterol supersaturation되어 cholesterol gallstone이 생길 수 있다. 소장절제 후 위산분비가 증가하는데 원인은 뚜렷하지 않으나 gastrin level 증가 및 hormone의 위산분비 억제 저하로 생각된다. 위산분비의 증가로 설사와 지방변이 생길 수 있다. Duodenal pH 감소는 pancreatic lipase를 불활성화시켜 지방변을 일으킬 수 있다. PPI가 설사와 지방변 개선에 도움을 줄 수 있으나 소장절제 후 첫 6개월까지만 도움이 될 수 있다. 치료는 opiate(코데인), low-fat, high carbohydrate, high-fiber diet가 도움이 된다. IC valve가 없는 경우 bacterial overgrowth로 설사가 생길 수 있음을 염두에 둔

다. 비타민과 미네랄을 공급한다. Fat-soluble vitamins, folate, calcium, iron, Mg, zinc 등을 보충한다.

06

Bacterial overgrowth syndrome

소장에 E. coli나 Bacteroides와 같은 colonic-type bacteria의 증식으로 지방변, 설사, macrocytic anemia가 생기는 임상증후군이다. 소장은 원래 sterile 한데 functional or anatomic stasis, 또는 small & large intestines 사이의 communication 있을 때 소장에 균이 증식할 수 있다. 이러한 상태들을 stagnant bowel syndrome or blind loop syndrome으로 부르기도 한다. 십이지장이나 공장의 게실, 크론병에서의 누공 또는 협착, subtotal gastrectomy with gastrojejunostomy 환자에서의 afferent A-loop, 비만 환자에서 jejunoileal bypass surgery, IC valve resection 등의 구조적 이상, scleroderma 또는 당뇨와 같은 질병에서 peristalsis 장애로 소장 내 세균이 증식할 수 있다. 지방변은 micelle formation 장애로 발생한다. Bacteroides 같은 세균은 conjugated bile acids를 deconjugation시키고, unconjugated bile acids로 전환된 후 빠르게 흡수된다. 십이지장 내 conjugated bile acids가 감소하고, unconjugated bile acids 증가는 micelle formation에 이상을 일으키게 되어 지방변을 일으킨다. 설사는 지방변 때문이기도 하지만 일부는 지방변과 무관하게 생기기도 한다. Bacterial endotoxins은 fluid secretion을 증가시켜 설사를 일으킨다. Macrocytic anemia는 cobalamin deficiency 때문이다(not folate). 대부분의 세균은 증식하는 데 cobalamin이 필요하다. 세균이 증식하면 cobalamin 소비가 많아진다. Bacterial overgrowth syndrome은 low serum cobalamin level + high folate level에서 의심한다. Jejunal aspiration하여 균을 증명하여 진단하는 것은 임상에서 거의 불가능하다. Lactulose 투여 후 breath hydrogen test나 Shilling test를 할 수도 있으나 임상에서 이용하기 어렵다. 그래서 진단은 임상적으로 하고 항생제 치료에 대한 반응으로 한다. 치료는 stricture, diverticula, afferent loop 같은 해부학적 이상에 의한 경우 surgical correction한다. 기능적 이상은 수술로 치료될 수 없고 broad-spectrum antibiotics를 사용한다. Tetracycline이 intial choice지만, metronidazole, amoxacillin/calvulanic acid, rifaximin, cephalosphorin 등도 사용된다. ~3주 정도 또는 증상 소실 때까지 치료한다. 통상

2-3주 내 증상이 호전된다. 재발하는 경우는 월 1주일씩 항생제 치료를 한다. 치료는 경험적으로 이루어진다.

V 대장질환

01

과민성장증후군
Irritable bowel syndrome

구조적 이상 없이 복통 또는 복부불편감과 bowel habit change를 보이는 기능이상증후군이다. 진단은 Rome criteria를 이용하여 임상적으로 이루어진다. 지난 3개월 동안 월 3일 이상 다음 3가지 중 2가지 이상을 경험한 경우에 해당한다: 잦은 배변, 변성상 변화, 배변 후 호전. 진단을 위해서는 abdominal pain or discomfort의 배변 후 호전이 반드시 있어야 한다. 전 인구의 10–20%가 IBS를 가지고 있다고 생각된다. 여성에서 2–3배 더 많고, severe IBS의 80%가 여성이다. 대부분 45세 이전 처음 증상을 경험하지만 전 연령에서 생길 수 있다. 증상은 왔다갔다 할 수 있다(come and go). 다른 기능적 질환, 예를 들면 fibromyalgia, headache, backache, genitourinary symptom과 overlpap되기도 한다. 기전으로는 GI motility 장애, visceral hyperalgesia, brain–gut interaction 장애, psychosocial disturbance 등 복합적이다.

① Abdominal pain: 식후 또는 emotional stress후 악화하고 배변 후 완화되는 특징이 있다. 여성에서 생리 전과 생리 중에 흔히 악화한다.

② Bowel habit change: 변비가 있으면서 설사가 한번씩 생기는 패턴이 가장 흔하다. IBS-C 환자는 변비가 간헐적으로 있다가 결국 laxatives에도 잘 안듣게 된다. 변이 단단하고 가늘어진다. 대부분 incomplete evacuation(불완전 배출감)을 느낀다.

③ Gas and flatulence: 일부는 진짜 가스량이 많기도 하지만 대부분 가스량은 보통이다. 그것보다는 pain에 대한 threshold가 낮다.

④ UGI sx: 25–50%에서 dyspepsia, heartburn, N/V을 호소한다. 위장과 대장 등의 functional gut disorders가 서로 연관이 있다.

1. 병태생리

1) GI motor abnormality

IBS 환자는 대장을 자극하면 colonic motor abnormality가 뚜렷해진다. 예를 들면 식후 3시간까지 rectosigmoid motor activity가 증가한다. 마찬가지로 rectal balloon inflation 하면 marked & prolonged distension–evoked contractile activity가 일어난다. IBS–D 환자에서는 건강인에 비해 HAPCs가 크게 증가되어 있다(= rapid colonic transit and abdominal pain을 일으킴).

2) Visceral hypersensitivity

IBS 환자는 visceral stimulation에 대한 감각이 과장되게 증폭된다. Postprandial pain이 흔하고 금식하면 증상이 완화된다. Rectal balloon inflation하면 적은 볼륨에도 painful or nonpainful sensation을 일으킨다. 이는 IBS에서 visceral afferent dysfunction을 시사한다. Nonulcer dyspepsia 또는 noncardiac chest pain 환자에서 gastric & esophageal hypersensitivity를 보이는데 pathophysiologic basis가 유사할 가능성을 시사한다.

3) CNS dysregulation

정신적 스트레스와 IBS 증상 악화 및 치료에 대한 반응과 관련 있음은 익히 알려져 있다. Distal colonic stimulation후 MRI 변화를 보면 IBS 환자에서 mid–cingulate cortex가 activation 되는데 이 부위가 관여하는 것 같다. 또, IBS 환자에서는 prefrontal lobe activation되어 있다. Cerebral dysfunction은 visceral pain에 대한 perception을 증가시킨다.

4) Abnormal psychological features

IBS 환자의 ~80%에서 특정 정신과적 진단을 붙일 수는 없으나 비정상적 정신적 소견을 보인다. 특히 3차병원에 의뢰된 환자에서 그러하다. 정신적 요인 또는 스트레스가 pain threshold를 낮추어 visceral distension에 증상이 증폭되고 과장된다.

5) Post–infectious IBS

Bacterial gastroenteritis 후 1/4에서 IBS가 발생한 보고가 있다. 반대로 IBS 환자의 1/3은 chronic IBS 증상이 생기기 전 AGE–like illness를 앓은 적 있다. 여성과 젊은이에서 더 흔하다. 세균 가운데서는 Campylobacter infection이 흔한데, 감염으로 rectal mucosal endocrine cells & T lymphocytes 증가, gut permeability가 증가된다. 감염 후 1년 이상 지속되기도 한다.

6) Immune activation and mucosal inflammation

IBS 일부 환자는 low-grade mucosal inflammation이 있다. IBS-D에서 intestinal permeability가 증가되어 있다. 스트레스와 불안은 염증성 사이토카인 분비를 증가시켜 장내 permeability를 증가시킬 수 있다. 스트레스-면역-증상 간의 functional link가 있음을 시사한다.

7) Altered gut flora

IBS 환자에서 Bifidobacterium, Lactobacillus가 감소해 있고, Firmicutes/Bacteroides ratio가 증가해 있는데 IBS와의 인과관계는 불분명하다.

8) Abnormal serotonin pathway

IBS-D 환자에서 colon 5-HT enterochromaffin cells이 증가해 있어 serotonin이 역할을 할 것으로 추정된다. Serotonin antagonist가 치료제로 사용되는 근거가 된다.

2. 진단과 치료적 접근

Pathognomonic한 특징이 없으므로 진단은 임상적 소견 + 다른 기질적 질환의 배제로 이루어진다. IBS를 시사하는 임상소견은 점진적으로 악화하지 않는(without progressive deterioration) recurrent lower abdominal pain + bowel habit change이다. 증상 발생은 스트레스나 감정상태와 관련이 있다. 전신증상(fever, weight loss, bloody stool)은 없다. Old age, progression, 48시간 금식에도 설사 지속, nocturnal diarrhea or steatorrhea는 IBS 반대 소견이다.

3. 감별진단

1) Epigastric or periumbilical pain은 biliary tract disease, peptic ulcer disease, intestinal ischemia, stomach or pancreatic cancer를 감별진단에 포함해야 한다.
2) Lower abdominal pain 때는 diverticulitis, IBD, colon cancer 등을 감별진단에 포함해야 한다.
3) Postprandial pain, N/V 때는 gastroparesis or partial intestinal obstruction을 고려해야 한다.
4) 설사가 주 증상일 때는 lactase deficiency, laxative abuse, malabsorption, IBD, hyperthy-

roidism, infectious disease가 R/O 되어야 한다.

5) 변비일 때는 복용약제를 확인해야 한다(anticholinergics, antihypertensive, antidepressant). Hypothyroidism, hypoparathyroidism에서도 변비가 생길 수 있다.

젊은 사람에서 증상이 경할 때는 적극적 검사가 필요 없다. Old age, rapidly progressive sx일 때는 적극적 검사가 필요하다. 지사제에 반응하지 않는 지속적 설사는 microscopic colitis 확인을 위해 sigmoid colon biopsy를 시행해야 한다. > 40세에서는 colonoscopy를 시행한다. 빈혈, ESR or CRP 증가, stool WBC or blood (+), stool volume > 200–300 mL일 때는 IBS 말고 다른 질환을 고려해야 한다.

4. 치료

1) Counseling (reassurance) and diet education
환자 증상은 괴롭고 이로 인해 삶의 질에 영향을 미치지만, 질병의 악화로 잘못되는 병은 아니라는 점을 확신시키고, 증상조절에 초점을 맞춘다는 점을 분명히 해 둔다. 대부분의 악화는 음식과 관련이 있고, 개인별로 유발 음식이 다를 수 있어 이를 피하도록 하는 것이 기본이다. Food diary가 도움이 될 수 있다. 커피는 증상을 악화시키는 경우가 많아 피하는 것이 좋다. 유당(lactose), 과당(fructose), 인공감미료(sorbitol or mannitol)는 설사, 부글거림(bloating), 복통(cramping), 가스(flatulence)를 일으킬 수 있어 피하는 것이 좋다.

2) 증상별 접근
증상이 경미할 때는 대증치료를 하고, 증상이 심할 때는 CNS를 타깃으로 한 antidepressant & psychotherapy가 필요할 수 있다.

(1) IBS–C
변비가 주된 경우에는 fiber (psyllium)가 도움이 될 수 있다. 도움이 안 된다는 상반된 연구결과도 있고 때로는 증상을 악화시키는 경우도 있으나, 수분저류를 통하여 대변을 bulky하게 만들고 rectal distention에 대한 perception 감소시키는 효과도 있어 사용해 볼 만한 가치는 있다 (3–4 g bid). Serotonin (5–HT4) agonist인 tegaserod가 변비에 효과적인 약제로 도입되었으나 serious cardiovascular event로 시장에서 퇴출되었다. 다른 5–HT4 agonist인 prucalopride (resolor® or resotron®)가 현재 사용되고 있다. Chloride channel activator인 lubiprostone

(Amitiza®)은 chloride secretion을 통하여 bowel function을 개선하여 효과적 변비 치료제로 사용된다. 주된 부작용은 설사와 구역감이다(24 mg bid). 그 외 일반적 변비 치료제로 마그네슘, 락툴로스, 솔비톨, PEG 등을 사용할 수 있다.

(2) IBS-D

심한 설사에서 loperamide (peripherally acting opioid) 2-4 mg PRN으로 사용한다. 5-HT3 antagonist (alosetron)는 painful visceral stimulation을 감소시키고, rectal relaxation, rectal compliance 증가, colon transit 지연 등의 효과로 복통/복부 불편감 개선/설사 호전으로 효과적 약물이었으나 ischemic colitis 부작용이 발생하고 일부는 사망을 초래하여 제조사로부터 자발적 철수되었다. IBS-D 환자에서 일부는 bile acid diarrhea인 경우가 있고, 임상적으로 감별이 쉽지 않아 cholestyramine을 사용해 볼 수 있다.

(3) 복통(cramping), 부글거림(bloating), 가스(flatulence)

Anticholinergics (scopolamine)이 경련성 복통에서 일시적으로 도움이 되기도 한다. 통증이 예상되기 전이나 식전 30분에 복용한다. Xerostomia, urinary retention, blurred vision, drowsiness 등에 유의해야 하고, 고령에서 부작용이 더 심할 수 있다. 가스제거제로 simethicone을 사용해 볼 수는 있으나 결과는 conflicting하다. Pancreatic enzymes이 bloating & gas에 도움이 된다는 보고가 있는데, high-calorie, high-fat diet 후 사용해 볼 수 있다. 장내 세균과 가스 형성과의 관련성이 알려지므로 항생제를 사용해 볼 수 있고 도움이 되기도 한다 (rifaximin 550 mg bid × 2주).

(4) Antidepressants & SSRI

일반적 증상치료로 되지 않는 설사와 복통 환자에서 TCA (imipramine)을 사용해 볼 수 있는데, visceral afferent neural function에 작용하여 일부 환자에서 도움이 되기도 한다. SSRI는 oro-cecal transit을 짧게 하고, rectal distention에 대한 perception을 둔화시키는 작용으로 IBS-C 환자에서 도움이 될 수도 있다.

02

염증성장질환
Inflammatory bowel disease

IBD는 immune-mediated chronic intestinal condition으로 ulcerative colitis(궤양성대장염)와 Crohn's disease(크론병)가 대표적이다. 유전적소인(genetic susceptibility), 면역체계(microbiota, intestinal epithelial cells, dendritic cells etc.) 및 환경적 인자들(흡연, 항생제, 피임약, 사회경제적 환경 등)의 상호작용으로 장점막의 homeostasis가 손상되어 발생한다. 유전적 소인이 있는 사람에서 어떤 외부인자의 자극으로 IECs, dendritic cells 등이 반응하여 비정상적 면역반응이 시작되면 T cell activation되어 IL-1, IL-6, TNF 같은 염증성 사이토카인이 방출되고, 이어 sequential cascade로 다른 염증 매개물질들이 더욱 생성된다. 그러므로 5-ASA, glucocorticoids, 면역억제제, anti-TNF 같은 면역억제 치료를 한다.

1. 역학

흡연은 백해무익하다고 하지만 UC에서는 예방효과가 있다. 출생 1년 내 항생제 사용 시 childhood IBD 위험이 증가한다. 도시인 및 high socioeconomic class에서 IBD 유병률이 높다.

2. 병리

UC는 colon의 mucosal disease이다. Rectum에서 시작하여 proximal extension하여 연속적(continuous)으로 진행하여 colon 전체를 침범한다. 40-50%는 rectum에 국한하고, 30-40%는 그 이상 침범하고, 20%는 total colitis를 일으킨다. 10-20%는 terminal ileum의 2-3 cm까지 염증을 일으킨다(backwash ileitis). Mild (erythema)부터 severe (hemorrhage, edema, ulceration)까지 다양하다. Mucosal ulceration을 일으키므로 설사와 혈변으로 내원하게 된다. 조직검사를 하면 crypt distortion (cryptitis, crypt abscess), basal plasma cells & multiple basal lymphocytes aggregates를 보인다. CD는 전 GI tract을 침범하는 transmural disease 이다. 30-40%는 소장만을 침범하고, 40-55%는 소장과 대장을 침범하며, 15-25%는 대장만을 침범한다. Rectum sparing, longitudinal ulceration, skip lesions(병변과 정상점막이 번갈아 가면서 있는 것), perirectal fistula, fissure, abscess 형성이 특징이다. 심하게 진행하면 'cobblestone appearance'라는 특징적 내시경소견을 보인다. Fistula, fibrosis, stricture, bowel wall thickness를 일으켜 결국 obstruction을 일으킨다. Transmural inflammation으로 내강이 좁아지고, ulcer가 깊어지면서 fistula가 형성되어 조영술에서 'string sign (long segment narrowing)'이 보이기도 한다. Terminal ileum에 발생할 때는 RLQ pain & diarrhea 또는 폐색증상으로 내원하기도 하며, fistula (entero-enteric fistula, entero-vesicular fistula, entero-cutaneous fistula)로 내원하기도 한다. 전 소장을 침범하는 경우에는 흡수장애(빈혈, 알부민 저하, 칼슘 및 마그네슘 결핍, 비타민 D 결핍 등)로 내원하기도 한다. Noncaseating granuloma가 특징적 조직소견이다.

3. 검사

CRP & ESR 증가, Hb down이 흔하다. Fecal lactoferrin, fecal calprotectin level로 disease activity를 평가할 수 있다. C. difficile toxin 등으로 감염 등의 다른 원인을 배제한다. Serologic markers로서 pANCA (perinuclear antineutrophil cytoplasmic antibody)와 ASCA (anti-Saccharomyces cerevisiae Ab)가 진단과 경과 예측에 도움이 될 수도 있다.

	UC	CD	일반인
pANCA	60-70%	5-10%	2-3%
ASCA	10-15%	70%	5%

Fecal calprotectin

백혈구 내 단백질 성분이다. 대변 내 calprotectin의 존재는 백혈구가 위장관 조직으로 이동했다는 의미이므로 염증을 시사하는 소견이다. 장내 염증 정도와 fecal calprotectin 농도는 비례한다. IBD와 IBS 감별에 유용하게 사용할 수 있다. 진단 목적뿐만 아니라 IBD의 disease activity monitoring에도 유용하게 사용할 수 있다.

4. 합병증

UC의 가장 중대한 합병증은 toxic megacolon (diameter > 6 cm, haustration loss)이다. Electrolyte imbalance, narcotics로 유발될 수 있고 urgent colectomy가 필요하다. CD는 transmural disease이므로 obstruction이 대표적 합병증이다. 그 외 fistula formation으로 pelvic abscess가 생기기도 하고, terminal ileum에서 perforation (1-2%)이 생기기도 한다. Extraintestinal manifestations으로 erythema nodosum (UC에서 10%, CD에서 15%), peripheral arthritis, ankylosing spondylitis, sacroilitis 같은 류마티스질환, conjunctivitis, uveitis 같은 안과적 문제, gallstone, PSC (UC에서 5%)와 같은 담도계 문제를 일으키기도 한다. UC 환자의 5%에서 PSC를 일으키지만, primary sclerosing cholangitis 환자에서는 50-75% 가 IBD를 동반하므로 PSC가 진단된 환자에서는 IBD를 확인해야 한다.

5. 치료

1) 5-ASA (sulfasalazine, mesalamine 등): mild to moderate UC

UC의 관해 유도와 유지에 효과적이다. CD에서는 효과가 불분명하다.

그 외 5-ASA 제제들: balsalazide, olsalazine, delzicol, asacol, lialda, apriso

2) Glucocorticoid: moderate to severe UC

5-ASA 효과가 없을 때 Pd 40-60 mg으로 시작하여 매주 5 mg씩 감량하여 4-5주에 걸쳐 20 mg 으로 감량한다. IV hydrocortisone 300 mg/d 또는 IV methylprednisolone 40-60 mg/d를 사용하기도 한다. Budesonide (Uceris)는 glucocorticoid의 전신 부작용이 거의 없다. 9 mg/d × 8 wks 사용하고 tapering은 필요 없다.

3) Azathioprine & 6-MP

Azathioprine은 6-MP으로 전환되어 작용한다. Glucocorticoid-dependent IBD에서 유지 치료로 사용할 수 있다. 2-3 mg/kg/d (6-MP는 1-1.5 mg/kg)를 사용한다. 효과가 나타나는데 3-4주는 걸리고, 4-6개월 걸릴 수도 있다. 췌장염의 부작용이 있을 수 있고(3-4%), 골수억제 (leukopenia)가 생길 수 있어 CBC follow-up이 필요하다.

4) Methotrexate

IL-1을 억제한다. 관해 유도 + 스테로이드 용량 감량 효과가 있다. 25 mg/week로 시작하고 15 mg/wk으로 유지한다. Active CD에 효과가 있다.

5) 그 외 면역역제제들: Cyclosporine, Tacrolimus 등이 있다.

6) Biologic agents (anti-TNF agents 등)

다른 치료에 실패한 moderate to severe ill CD patient에서 처음 승인되었다가 active UC에도 승인되었다. Anti-TNF (infliximab) 제제가 대표적이다. 스테로이드 무반응 active CD에서 IV infliximab으로 65%에서 반응하였다(5 mg/kg q 8 weeks). 1/3에서 1년 동안 관해를 유지하였다. Adalimumab (recombinent monoclonal IgG1 Ab) SQ 제제가 moderate to severe CD에 승인되었고 최근 moderate to severe active UC에도 승인되었다. 그 외 certolizumab, golimumab 등 많은 생물학적 제제들이 있다. 생물학적 제제의 부작용으로는 non-hodgkin's lymphoma, skin reaction 등이 있으나 감염이 주된 문제이다. 잠복결핵의 활성화, HBV reactivation, fungal infection 등이 생길 수 있다. 치료 전 QuantiFERON-TB gold test, CXR로 결핵 여부를 확인해야 한다.

6. IBD와 임신

임신율과 outcome은 정상인과 거의 차이가 없다. 다만 disease activity가 심한 경우 치료하지 않으면 유산, 사산 위험이 증가한다. 임신 전 적어도 6개월은 CR(완전관해) 상태를 유지하여야 한다. CD에서는 자연분만보다는 C/sec을 추천하는데, 자연분만 시 episiotomy를 하면 fistula 악화 가능성이 있기 때문이다. Sulfasalazine, lialda, apriso, delzicol, balsalazide는 임신 시 안전하고 asacol, olsalazin은 임신 중 class C로 사용을 추천하지 않는다. Glucocorticoid도 임신 중 안전하고 6-MP과 azathioprine도 임신 중 위험성이 없거나 minimal하다. 수유 시 유즙 분비량도 무시할 정도이다. MTX는 임신과 수유 시 반드시 금기이다. 생물학적 제제(class B)도 임신 중 유산, 사산 등의 위험을 증가시키지 않는다. 다만 임신 2/3기에 태반을 통하여 태아에게 전달되고 생후 7개월까지 신생아 혈액에서 검출되므로, 이 시기에는 신생아에서 live vaccines 접종은 피하도록 한다. 출산 후 산모의 생물학적 치료 시 수유는 대체로 안전하다.

7. IBD와 cancer

대장암 위험은 duration and extent에 비례한다. UC에서 기간에 비례한다: 10년(2%), 20년 (8%), 30년(18%). > 8–10년 유병기간 환자에서는 매년 또는 2년마다 대장내시경을 권한다.

Colon cancer risk at UC & CD

: long duration, extensive disease, family history of colon cancer, PSC

증례 2–1

59세 남성. 당뇨와 알코올치매로 알코올병원에 입원해 있던 환자로 수주 전부터 melena & hematochezia 있다가 2일 전부터 컨디션 및 혈압 저하되어 전원되었다. 내원 시 WBC 11.9K/μL, K 2.9, CRP 20.6 mg/dL이었다. CT에서 T– and D–colon에 걸쳐 점막벽이 두꺼워져 있고, 부종이 있어 severe colitis 소견을 보였다(그림 2–1). 우선 수액과 항생제 사용하였다. CRP 13.7로 약간 감소하는 듯했으나 설사와 혈변이 계속되는 등 임상적 호전이 없어 대장내시경 시행하였다. 직장에서 T–colon까지 erythema, severe edema, ulceration, bleeding 등 severe UC 소견이었다(그림 2–2). Bx에서 crypt abscess 관찰되었다. Pd 30 mg qd + Pentasa (mesalamine) 1 g qid 사용하였다. 이후 CRP 호전되어 정상화되었다. 2주 후 follow–up CT & CFS하였다. CT에서는 매우 호전되었고, 내시경에서는 T–colon 일부 아직 심한 부분 있으나 처음보다 매우 호전되었고, scar change하는 부분도 있고, 점막이 호전되어 정상 혈관상이 보이는 부분도 많이 보였다(그림 2–3).

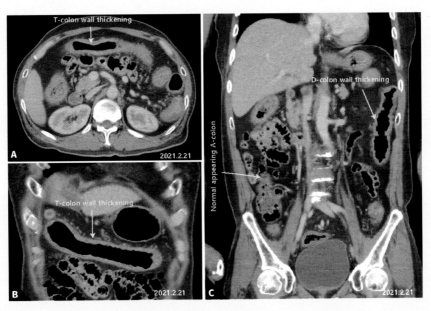

그림 2–1. T– and D–colon wall thickening을 보인다.

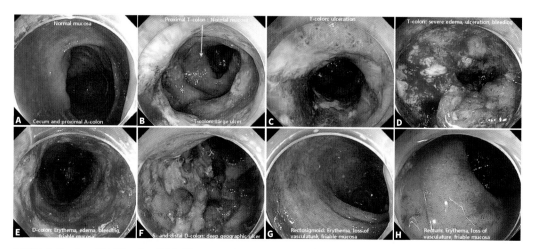

그림 2-2. Rectum에서 T-colon까지 diffuse erythema, severe edema, ulceration, bleeding 보인다.

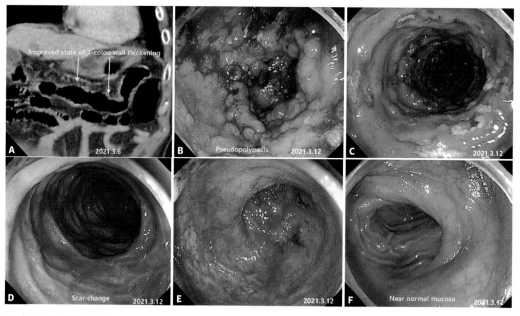

그림 2-3. 호전되고 있다.

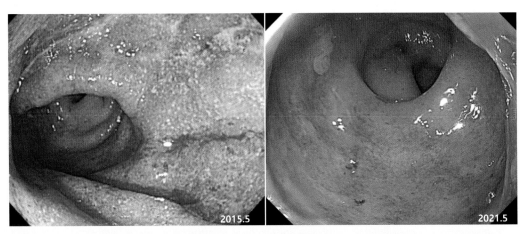

그림 2-4. 56세 남성. 궤양성대장염. 한달간의 혈변으로 내원하였다. Steroid 사용하였다가 tapering하고 현재 5-ASA PO + suppository 치료하고 있다. (부산백병원 소화기내과 이홍섭 선생님 제공)

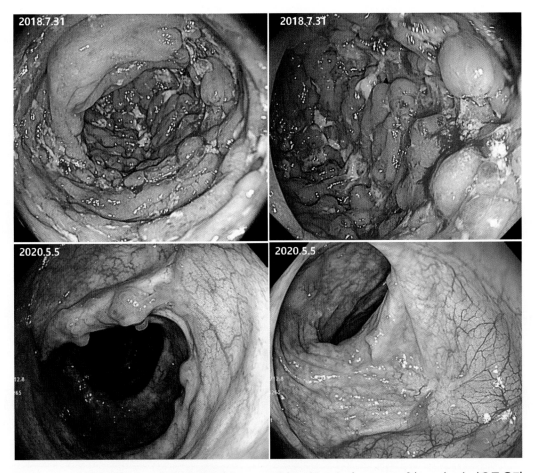

그림 2-5. 16세 남성. 크론병. 스테로이드 치료 후 immuran® (azathioprine) + pentasa® (mesalamine)으로 유지 중이다. (명지병원 소화기내과 김상윤 선생님 제공)

8. 장결핵 및 결핵성복막염

장결핵의 추정기전은 sputum swallowing with direct seeding 또는 hematogenous spread 이다. 후진국에서 cow milk ingestion으로 생기기도 한다. GIT에 모두 생길 수 있으나 terminal ileum과 cecum에 가장 흔하다. 복통, 폐색, 혈변, palpable mass, fever, weight loss, anorexia, night sweats 증상이 생길 수 있다. Ulcer & fistula로 크론병과 유사하여 감별이 어려울 수 있다. 결핵성 복막염은 LN or intraabdomial organ rupture로 spread되거나 hematogenous spread로 생길 수 있다. 비특이적 복통, 열, 복수로 내원하게 된다. 간경변 동반 환자에서는 진단이 어려울 수 있다. 복수천자를 통하여 복수 분석을 한다. Exudate 및 lymphocyte-dominant 소견을 보인다. Smear or culture로는 진단율이 낮다. 확진을 위해 peritoneal biopsy가 필요할 수 있다.

9. Other IBD & 베쳇장염

대표적 IBD는 UC와 CD이다. 염증성장질환은 uveitis, polyarthralgia, cholestatic liver disease (PSC), skin lesion (erythema nodosum, pyoderma gangrenosum)과 같은 extraintestinal manifestation이 흔히 동반된다. 그 외 만성설사의 원인으로 microscopic colitis (lymphocytic or collagenous colitis)가 증가하고 있다. NSAIDs, statin, PPI, SSRI 사용자, 중년 여성에서 특히 증가한다. 내시경으로는 정상소견을 보이므로 biopsy가 필요하다. 항염증 약제(bismuth 등), loperamide, budesonide로 치료한다. 베쳇병은 systemic vasculitis를 일으키는 chronic, multisystemic inflammatory disease이다. Recurrent oral ulcer + other manifestation (genital ulcer, skin lesion, arthritis, uveitis, thrombophlebitis, GI or CNS involvement)를 특징으로 한다. 베쳇병 환자의 3–25%에서 베쳇장염이 생긴다. IBS와는 많은 임상특징이 유사하여 크론병과의 감별진단은 매우 어렵다. 베쳇병은 내시경적으로 IC region 에 주로 생기고, irregular, round or oval punched-out large (> 1 cm) ulcer with discrete margin 소견을 보인다. 조직검사에서 베쳇병은 vasculitis 소견을 보이고 크론병은 granuloma 를 보인다. 치료는 IBD와 유사하게 5-ASA, corticosteroid (1st-line)를 사용한다. 일반치료에도 안들을 때 infliximab (anti-TNFα monoclonal Ab)을 사용한다. 출혈, 천공, 누공, 폐색, 종괴형성, 약물치료 실패 시 수술이 필요하다. Anastomosis site leakage가 잘 생기므로 stoma를 만들어 주어야 한다. 재발률은 40–80%로 높다. 주로 anastomosis site이다. 관해율은 크론병과 유사하지만 재발률은 베쳇병에서 더 높고 흔히 재수술이 필요하다(~80%).

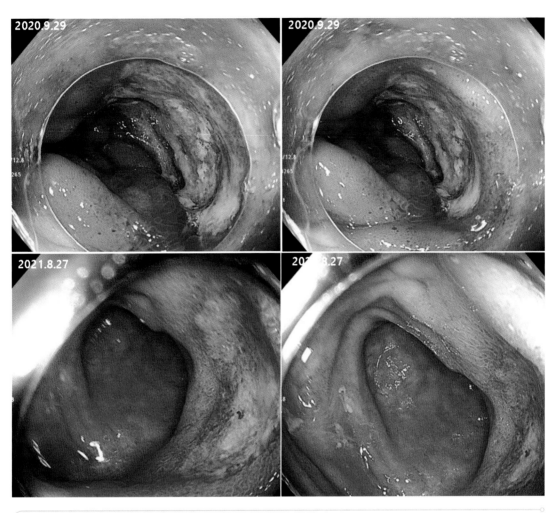

그림 2-6. 38세 여성. Terminal ileum의 Behcet colitis

스테로이드 치료 후 수차례 재발하여 biologic agent 사용 후 호전되었다. (명지병원 소화기내과 김상윤 선생님 제공)

03

대장용종과 대장암
Colon polyp and cancer

대부분의 대장암은 대장용종에서 발생한다(adenoma–carcinoma sequence). 그러므로 정기적으로 대장내시경을 통해 용종을 제거하면 대부분의 대장암을 예방할 수 있다. 미국 USPSTS (US Preventive Strategy Task Force)에서는 50세부터 대장암 screening을 권고한다. 우리나라 대한소화기내시경학회에서는 50세 이상에서 5년 간격으로 대장내시경 검사를 권고한다. 용종이 크거나 개수가 많을 때는 의사 판단에 따라 검사 간격을 짧게 조정할 수 있다. 대장암 환자의 약 20–25%는 가족력이 있다. 대장암 가족력이 있는 환자는 40세부터 검진을 권고한다. 현재 우리나라 국가암검진(대장암 screening)으로 fecal occult blood test가 사용되고 있다. Mortality rate를 15% 줄인다고 하는데 특이도가 낮고 위양성률은 1–5%이다. 대장용종은 조직학적으로 non-neoplastic polyp (예: hyperplastic)과 neoplastic polyp (adenoma)으로 나눈다. Adenoma는 암성 변화할 수 있으므로 제거해 주어야 한다. 대장암의 대부분은 선종(adenoma)에서 발생한다. Adenoma는 조직학적으로 tubular, tubulovillous, villous 등으로 구분한다. Tubular → tubulovillous → villous일수록 암성위험이 증가한다. 용종 크기가 커질수록, < 1 cm (1%), 1–2 cm (10%), > 2 cm (50%) 암성 변화 위험이 증가한다. 대장선종과 대장암의 위험인자는 동일하다. 50세 이상, 가족력, 비만, 흡연, IBD (UC or Crohn's disease) 등이다. 크론병 또는 UC 같은 염증성장질환 환자는 duration & extent에 비례하여 sporadic cancer risk가 증가한다. 그 외 유전성 또는 가족성 관련이 알려져 있다(Familial adenomatous polyposis syndrome, Gardener's syndrome, Lynch syndrome 등).

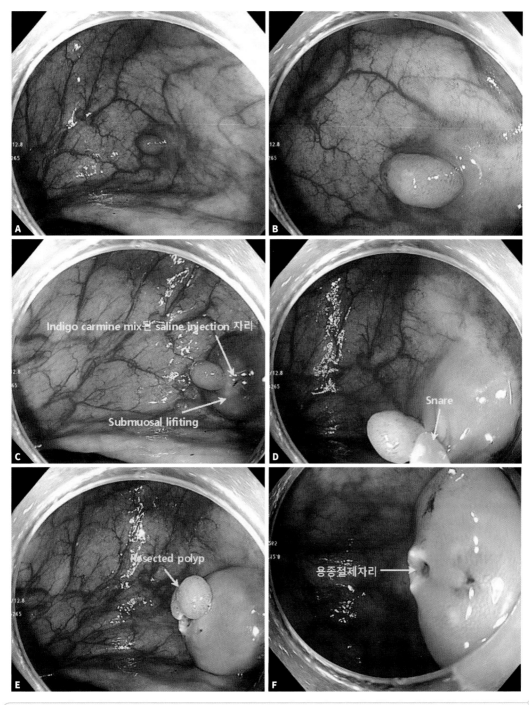

그림 3-1. Endoscopic mucosal resection (EMR) 순서

대장내시경 검사 중 0.8 cm 크기의 sessile polyp을 포착하고 멀리서와 가까이서 사진을 먼저 촬영한다(A, B). Injector 로 saline injection하여 submucosal lifting시킨다(C). Lifting을 하면 snare로 잡아 절제하기가 쉽고, 통전 시 근육층 이 thermal injury을 입지 않도록 하여 천공과 출혈위험을 줄일 수 있다. Saline injection만 해도 되지만 물만 주입하면 용종의 경계가 정상 점막과 구분이 안 될 수 있어 blue dye (methylene blue or indigo carmine)를 섞어 사용한다(C). Snare로 용종을 포획한다(D). 전기를 통전시켜 절제한다(E). 내시경을 용종에 근접시켜 suction하여 trap으로 회수한다. 절제면을 확인한다(F). 조직결과는 tubulovillous adenoma, low grade dysplasia였다.

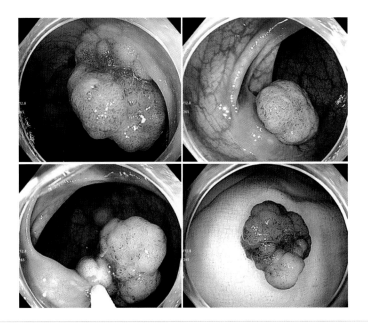

그림 3-2. Large colon polyp의 EMR

42세 여성. 1년 이상 변비가 지속되어 내원하였다. 갑상선기능저하로 진단된 후부터 변비가 생겼다고 하였다. 둘코락스를 간헐적으로 사용한다고 하였다. Resotron® (prucalopride) 1 mg qd 처방하고 대장내시경을 시행하였다. 직장에 2 cm 이상의 semi-P polyp이 발견되어 EMR 시행하였다. Carcinoma in situ(제자리암종)으로 진단되었다. CIS는 EMR만으로 충분히 근치되고 재발위험은 매우 낮다.

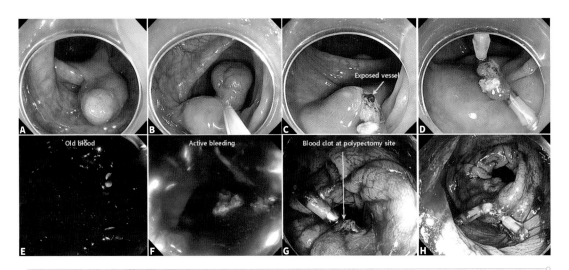

그림 3-3. Post-polypectomy bleeding

49세 남성. 용종이 발견되어 EMR 시행하였다. EMR site에 vessel expose되어 출혈위험 높아 hemoclipping #2 시행 후 귀가하였다. 3일 후 hematochezia로 내원하였다. 응급 대장내시경 시행하였다. 용종 절제부위 주변에 fresh blood가 대량 관찰되고(F), EMR site 궤양과 blood clot이 관찰되어(G), post-polypectomy bleeding으로 판단하고 추가 hemo-clipping #2 시행하였다(H). Hemoclip은 한 개만 보이는데 클립 한 개가 떨어져 나가면서 출혈한 것 같다(G). Colono-scopic polypectomy는 대장암 예방에 매우 중요한 시술이다. Post-polypectomy complications 가운데 출혈이 주요 합병증으로 0.3-6.1%에서 발생한다. 시술 직후 발생한 출혈(immediate bleeding)은 내시경의가 바로 지혈 조치할 수 있다. 귀가 후 수시간-수일 후 발생하는 delayed bleeding은 hematochezia로 내원하게 된다.

04

장폐색
Intestinal obstruction

가장 흔한 원인은 postoperative adhesion (> 50%)이다. 그 외 carcinomatosis, IBD, intus-susception 등 다양하다. 고령에서 기계적 폐색 없이 기능적 폐색(functional obstruction)이 오는 것을 colonic pseudo–obstruction (ileus)라고 한다. 장폐색이 되면 장내로 fluid 유출이 일어나 hypovolemia 및 전해질 불균형이 생길 수 있다. Stasis로 bacterial overgrowth (E. coli, Streptococcus faecalis, Klebsiella)도 생긴다. 폐색이 진행하면서 blood supply 장애가 생기면 ischemia, necrosis, perforation이 생길 수 있는데 이때는 응급수술 대상이다. 그러나 대부분은 보존치료로 자연 회복된다. 자연적으로 풀리지 않을 때는 외과수술이 필요할 수 있다. 장폐색의 주 증상은 colicky abdominal pain, abdominal distension, vomiting이다. 그리고 방귀가 나오지 않는 것도 중요 증상이다. 치료 중 gas-out되면 장폐색이 풀린 소견일 수 있어 회진 때 항상 물어보게 된다. 보존치료는 ① fluid & electrolyte 교정, ② I/O check (urine output check), ③ decompression (NG tube drainage), ④ antibiotics (controversial)이다.

증례 4-1

53세 남성. 내원 전날 저녁부터 복통, 구역 심하여 응급실 내원하였다. 당뇨, 고혈압, 고지혈증이 있었다. 25년 전 충수 천공으로 수술한 적 있고 유착에 의한 장폐색 병력도 있었다. 응급실에서 CT 촬영하였다(그림 4-1). NPO, L-tube drainage, hydration하였다. 2일째 gas-out되고 obstruction 풀린 것으로 판단하여 식이 시작하고 4일째 퇴원하였다.

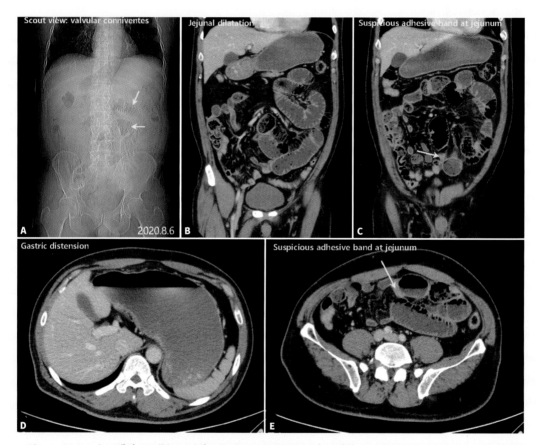

그림 4-1. Scout view에서 small bowel의 valvular conniventes가 보인다. Small bowel obstruction 소견이다 (A). Jejunal dilatation 심하나 ileum은 dilatation이 보이지 않는다(B). Jejunum을 tracing하면 갑자기 좁아지고 angulation되는 부위에 adhesive band 의심되는 소견이 있다(C, E). Gastric distension이 심한데 이런 경우 L-tube natural drainage하는 것이 좋다(D).

V
대장질환

증례 4-2

77세 여성. 복통과 구토로 응급실 내원하였다. 일주일 전부터 배변하지 못하였고, 4일 전부터 구역질과 복통이 있다가 내원 당일 복통 심해지고 구토를 3회하여 응급실 내원하였다. 류마티스관절염이 있었으며, 복부 수술한 적은 없었다. 응급실 혈액검사에서 K 3.1, CRP 0.96 mg/dL였다. 단순복부사진과 CT 촬영하였다(그림 4-2).

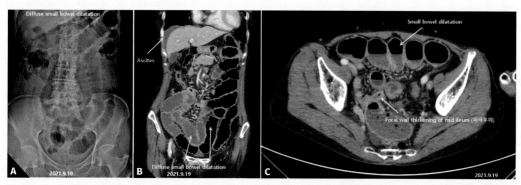

그림 4-2. KUB에서 diffuse small bowel dilatation 보인다(A). CT에서도 마찬가지로 diffuse small bowel dilatation 보이고 복수도 관찰된다(B). 골반부위 ileum에 focal wall thickening으로 좁아진 부위가 관찰된다. Small bowel obstruction 소견이다.

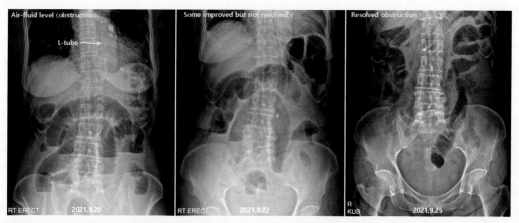

그림 4-3. L-tube insertion 하였다. NPO, hydration and antibiotics (triaxone + metronidazole) 사용하였다. 6일째 gas-out과 함께 폐색이 풀려 L-tube 제거하였다. 이후 괜찮아져서 퇴원하였다. Enteritis에 의하여 소장폐색이 생겼을 가능성이 많으나 follow-up CT를 refuse하여 폐색부위가 완전 호전되었는지 확인하지는 못하였다.

해설 수술을 받은 적 없는 환자에서 enteritis(특히 ileum)에 의한 wall edema로 partial small bowel obstruction으로 내원하는 경우도 자주 경험한다. 이런 경우는 금식, 수액, 항생제 등 보존치료하면 대부분 자연적으로 호전되고 폐색이 풀린다. 장의 기저질환(염증성장질환 등)이 의심되는 경우는 추후 CT follow-up 및 내시경을 계획하게 된다.

증례 4–3

64세 남성. 어제 구토, 속쓰림, 복통으로 응급실 내원하고 귀가하였다가 음식을 먹을 수가 없고 밤새 잠을 못 이룰 정도로 괴로워 소화기내과 방문하였다. 방귀가 안 나온다고 하였다. 오래전 (> 10년) 위암 및 대장암 수술을 받은 병력이 있었다. 진찰 후 입원시켰다(그림 4–4).

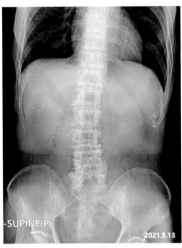
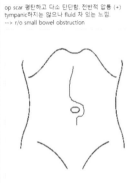
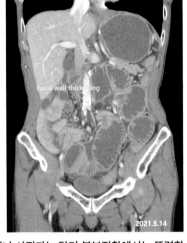

신체검사
op scar 평탄하고 다소 단단함. 전반적 압통 (+)
tympanic하지는 않으나 fluid 차 있는 느낌.
--> r/o small bowel obstruction

치료계획
장폐색 가능성. 입원 권유. 금식, 수액+영양제 ~3L
복부 CT, lab.
--> 결과보고 항생제 사용여부 결정.

그림 4–4. 응급실에서 촬영한 단순복부사진은 이상이 없어 보인다(A). 그러나 사진과는 달리 복부진찰에서는 뚜렷한 이상 소견이었다(B). 입원 후 촬영한 CT에서 small bowel obstruction 소견과 remnant gastric distension 심하여 L–tube insertion하였는데, 1 L 정도 즉시 배액되었다. 금식과 L–tube drainage, hydration과 함께, WBC 16.8 K, CRP 1.92 mg/dL로 증가되어 항생제(ceftriaxone + metronidazole) 사용하였다. 3일 후 non–contrast CT follow–up에서 폐색은 완전히 풀려 L–tube 제거하고 sips of water로 시작하여 식이하고 2일 후 퇴원하였다.

해설　Intestinal obstruction에서 공기와 액체와 섞여 있지 않고 fluid만으로 가득찬 경우는 air-fluid level이 보이지 않아 '이상 없음'으로 오인할 수 있다. 진찰이 중요하고 장폐색이 의심될 때는 CT 확인이 필요하다.

70세 남성. 당뇨병이 있던 환자로 일주일 전부터 변이 안 나온다고 내원하였다. 복부팽만이 심하고 tympanic하였다. 압통은 없었고 아랫배가 단단하게 느껴졌다. 입원하여 CT 촬영하였다(그림 4-5).

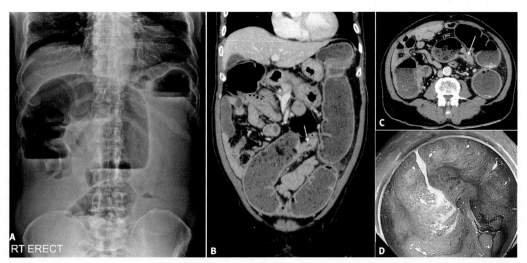

그림 4-5. Simple abdomen (erect)에서 colon dilatation with air-fluid level이 관찰된다. Colon obstruction 소견이다(A). CT에서 S-colon segmental wall thickening의 cancer obstruction 소견이다(B, C). Sigmoidoscopy에서 whole circumference의 encircling mass with obstruction 소견을 보인다. Biopsy로 adenocarcinoma 진단되었다. 틈새로 fecal fluid가 약간 흘러내려오는 것이 보이지만 near complete obstruction 소견이다(D).

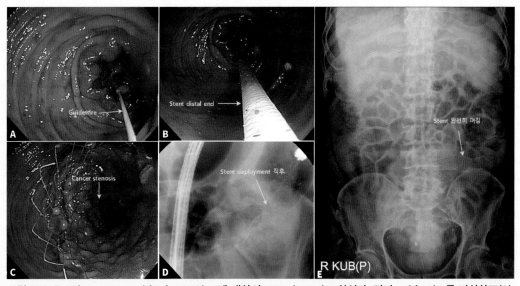

그림 4-6. S-colon cancer with obstruction에 대하여 stent insertion하였다. 먼저 guidewire를 거치하고(A), guidewire를 따라 stent를 삽입하여 deploy할 위치를 정한다. 노란색 표식이 스텐트의 distal end이다(B). Stent deployment 직후에는 stenosis로 인하여 폐색이 바로 해소되지는 않았다(C, D). 2일 후 스텐트가 완전히 펴지면서 폐색이 완전 해소되었다(E). 이후 외과로 전과하여 수술을 받았다.

해설 Colon cancer obstruction에서 폐색을 해결하기 위해 stent를 시행한다. 폐색 상태에서 응급수술을 하는 경우에는 대장이 변으로 가득하여 한번에 근치수술이 어렵고, colostomy하고 나중에 2차 수술을 해야 하는 등 불리한 점이 많다. Stent 후 충분한 preop work-up 및 술전 bowel preparation을 충분히 하고 elective op를 하는 것이 좋다.

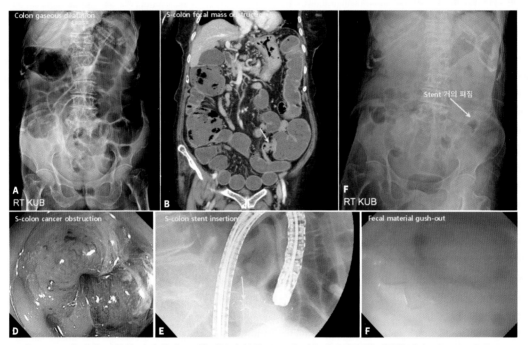

그림 4-7. 91세 여성. 고혈압 있던 환자로 4일 전부터 복통, 구토가 지속되어 응급실 내원하였다. Simple abdomen (supine)으로는 전 대장에 걸쳐 gaseous distension 심한데 true obstruction인지 pseudoobstruction인지 감별이 어렵다(A). 복통이 있으면서 진찰상 복부팽만하고 tympanic하며, 장음 증가 및 전반적 압통이 있어 mechanical obstruction 의심되었다. CT에서 S-colon에 focal mass에 의한 obstruction 소견을 보인다(B). SFS에서 S-colon cancer obstruction 보였다(C). Stent insertion 하였다(D). Stent deployment 직후 대변이 gush-out 되었다(E). Follow-up KUB에서 stent 펴지고 colon obstruction은 해소되었다. 고령을 이유로 보호자 수술 거부하여 7개월째 follow-up 중이다.

해설 수술이 불가능하거나 거부하는 경우에 palliative 목적으로 stent 시술을 하기도 한다.

05

장허혈
Mesenteric vascular insufficiency

1. Arteriocclusive mesenteric ischemia

위험인자는 Afib, recent MI, valvular heart disease, recent cardiac or vascular catheterization이다. Embolic clots으로 일어난다. 진단이 어려운 것 중의 하나이고 발생시 mortality > 50%이다. 생존을 결정하는 indicator는 얼마나 빨리 진단과 치료가 이루어지느냐이다. Acute ischemia는 arterial embolus or thrombosis로 일어난다. 갑자기 심한 복통 + N/V + 때로는 bloody stool로 내원하게 된다. 나중에는 peritonitis, cardiovascular collapse 소견을 보인다. 즉시 혈액검사(CBC, chemistry, PT/PTT, ABGA, amylase, lipase, lactic acid, blood type, cross match, cardiac enzymes)를 시행한다. ICU로 입원 및 모니터링하고 외과에 협진한다. EKG (arrhythmia), Echo, 복부사진(free air, pneumatosis intestinalis), CT (CT angio) 확인하고, mesenteric angiography (gold standard)를 시행한다. 치료는 surgical exploration을 통한 embolectomy & compromised bowel resection이다.

2. Nonocclusive ischemia

Nonocclusive ischemia는 기존 동맥경화 환자에서 서서히 나이가 들어가면서 생길 수 있다. High-dose vasopressin infusion (cardiogenic or septic shock 때 주로 사용), cocaine overdose, cardiovascular surgery 때 생길 수 있다. Cardiovascular surgery의 흔한 GI complication이다. Elective aortic repair 후 5-9%에서 ischemic colitis가 발생하고, emergent op 때는 3배 더 높다. Ischemic colitis가 의심될 때는 내시경으로 확인한다. 주로 rectosigmoid에서 이상소견을 보인다. 내시경적으로 mild (erythema), moderate (pale mucosal ulceration), severe (severe ulceration with black or green discoloration)로 구분한다. Mild ischemic colitis는 100% mucosa reversible하고, moderate는 50% reversible하다.

증례 5-1

73세 여성. 3일간의 복통으로 내원하였다. 1년여 전 복통으로 소화기내과 입원한 적 있는데 이후로도 계속 복통이 지속되어 여러 병원 다니면서 약 복용해 보았으나 효과가 없다고 하였다. 3일 전부터는 배가 많이 아프고 구토한다고 하여 내원하였다. 진찰상 병색이 심하였고 탈수소견과 우상복부 압통이 있어 입원하였다. 입원하여 촬영한 CT에서 SMA 70% 정도의 stenosis가 관찰되었다(그림 5-1). 이는 1년여 전 입원당시 CT와 동일한 소견이었는데, 당시 진료한 소화기의사는 위내시경 후 PPI 처방하였고, SMA stenosis with thrombus에 대하여는 심장내과 협진하였다. 심장내과에서는 aspirin과 atorvastatin을 처방하였고, 한 달 단위로 두 번 외래 진료 후 follow-up loss되었다. SMA stenosis에 의한 abdominal angina 증상일 가능성을 생각하였다. 혈관외과 및 인터벤션 영상의학과와 협진하여 stent 삽입에 대하여 상의하였다. 처음에는 stent 삽입을 고려하였다가 1년여간 사진상 변화가 없고 stent insertion 후 thrombus가 떨어져 나감으로써 생길 수 있는 합병증의 위험성을 고려하여 stent 삽입하지 않고 항혈소판제제를 먼저 사용해 보기로 하였다. PPI를 포함한 기본적 위장약에 hydration하면서 복통이 호전되었다. Cilostazol (Pletaal®) 100 mg bid를 처방하였다. 5년 동안 통증 없이 외래 follow-up하고 있다. 3년째 추적 CT에서는 SMA stenosis 변화없이 동일한 소견을 보였다.

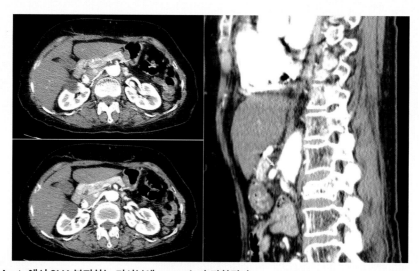

그림 5-1. Aorta에서 SMA 분지하는 기시부에 stenosis가 관찰된다.

해설 Chronic intestinal ischemia는 post-prandial abdominal pain으로 발현한다. 식후 intestinal blood flow 요구량이 증가하는데 반해 공급이 부족하므로 복통이 발생한다. 항혈소판제제 + lipid lowering medication을 사용하고, angioplasty with stenting을 고려할 수 있다.

증례 5-2

92세 남성. 2일간의 복통과 설사로 응급실 통해 입원하였다. 당시 열이 있었고, 내원 시 설사는 소실된 상태였다. 고혈압과 전립선비대증이 있었다. 응급실에서 촬영한 CT에서 mild enteritis 소견을 보이고(그림 5-2), CRP 10.78 mg/dL, WBC 16.9K (poly 92%), AST/ALT 102/39 U/L, CK 2,276 U/L, BUN/Cre 31.4/1.3 mg/dL이었다. 통상의 장염에 준하여 수액과 항생제(ceftriaxone 2 g qd + metronidazole 500 mg bid IV)를 사용하였다. 항생제를 사용하면서 CRP 10.8 → 13.7 → 13 → 4.6 → 1.8 → 0.76으로 감소하고, 백혈구, AST, CK, BUN 등 혈액검사가 교정되었으나 좌상복부 복통이 지속되었다. Tridol®, Ketorac® 등의 일반 치료에 효과가 없어 CT follow-up하였다 (그림 5-3). 통상의 장염과는 다른 multiple thickened loops으로 mesenteric ischemia에 의한 ischemic enteritis 소견일 가능성 있어 cilostazol (Pletaal SR®) 200 mg qd를 사용하였다. 점차 통증 완화되고 소실되어 통증 없이 1년째 건강한 모습으로 외래 추적관찰 중이다.

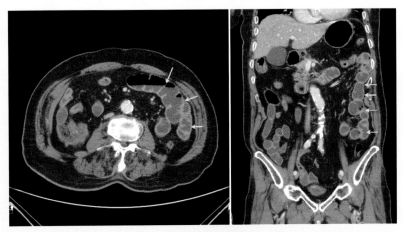

그림 5-2. Jejunum 부위에 액체가 고여 있고 bowel wall 조영증강되는 enteritis 소견이다.

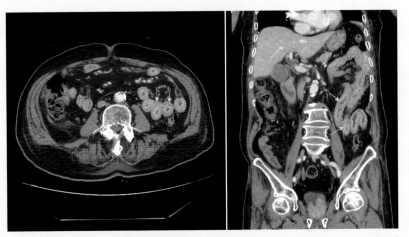

그림 5-3. Jejunum wall thickening, multiple thickened loops with enhancement를 보이는데, 입원 당시보다 악화소견이고 통상의 enteritis와는 다른 모양이다.

3. Mesenteric venous thrombosis

Mesenteric venous thrombosis는 덜 흔한 편이다. Hypercoagulable state (protein C or S deficiency, antithrombin III deficiency, polycythemia vera or cancer)와 관련이 있다. Gradual or sudden onset의 vague abdominal pain, N/V을 보인다. 진단은 CT로 bowel wall thickening, ascites, SMV thrombosis를 확인한다. 치료는 fluid, IV antibiotics, anticoagulation이다.

증례 5-3

44세 남성. 8일 동안 배가 부어오르는 느낌과 통증, 팽만감으로 외래 내원하였다. 배변은 잘 하였다. 구역과 구토는 없었다. 진찰상 복부는 부드럽고 장음은 보통이며 복부 중앙부와 우하복부에 압통이 있었다. Apex® 1 T bid, Suprax® 1 c bid, Flasinyl® 2 T bid 1일분 처방하고 CT, 혈액검사 시행 후 다음날 결과를 보았다(그림 5-4). 혈액검사는 CRP 0.83 외 특이소견 없었다.

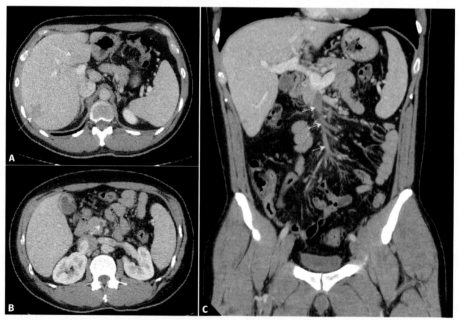

그림 5-4. CT상 SMV thrombosis와 주변 mesenteric edema가 관찰되었고(B, C), 간 내 두 군데 저음영 병변이 보였는데, SMV thrombosis와 관련되었을 것으로 추정하였다(A).

입원하여 low-molecular heparin (exoparin 60 mg SC q 12hr × 5일)과 와파린(5 mg qd PO)을 overlap하고 이후 와파린 단독으로 변경하였다. 와파린은 5 mg으로 시작하여 10 mg으로 증량하였다가 prothrombin time을 참고하여 7.5 mg로 감량하였다(PT INR 2-2.5 타깃). 항생제

triaxone을 같이 사용하고 퇴원 때 suprax®로 변경하였다. 항응고 치료하면서 복통과 복부팽만 증상은 빠르게 호전되었다. 환자의 병력을 다시 청취한 결과, 11년 전 폐색전증으로 와파린을 6개월 복용하다가 임의중지한 적 있다고 하였다. Hypercoagulabiltiy가 있다고 판단하였다. 응고검사는 다음과 같다.

- Factor V Leidein은 G/G 정상형
- Lupus anticoagulant: negative
- Protein C activity 83% (참고치 70-130%)
- Protein S activity 18% (73.7-146.3%)

Protein S deficiency에 의한 SMV thrombosis로 진단하였다. 3개월 후 외래에서 CT follow-up 하였다(그림 5-5).

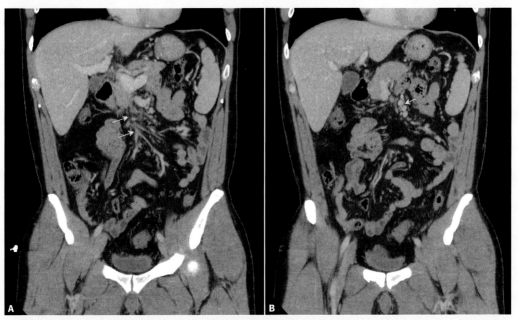

그림 5-5. SMV는 obliteration되어 보이지 않고(A), collaterals을 통해 portal vein으로 유입되는 소견이었다(B). 간 내 병변은 소실되었다. 와파린을 1년 유지할 계획이다.

Protein S

Protein S는 vit K-dependent anticoagulant protein으로 activated protein C (APC)의 cofactor이다. 부족 시 thrombosis (thromboembolism)가 생길 수 있다. 선천적 또는 후천적으로 생길 수 있다. 선천성인 경우는 PROS1 gene mutation에 의하고 autosomal dominant 유전이다. Warfarin 치료는 장기간 필요하다. Thrombotic episode 후 3-6개월 이상 치료한다.

증례 5-4

47세 남성. 4일간 명치통증으로 동네의원 치료하였으나 호전이 없어 본원 응급실 내원하여 혈액검사와 CT 시행해 두고 소화기내과에서 결과보도록 안내받고 귀가하였다. 혈액검사에서 CRP 10.02 mg/dL, WBC 14.4K (poly 79%)였다(그림 5-6).

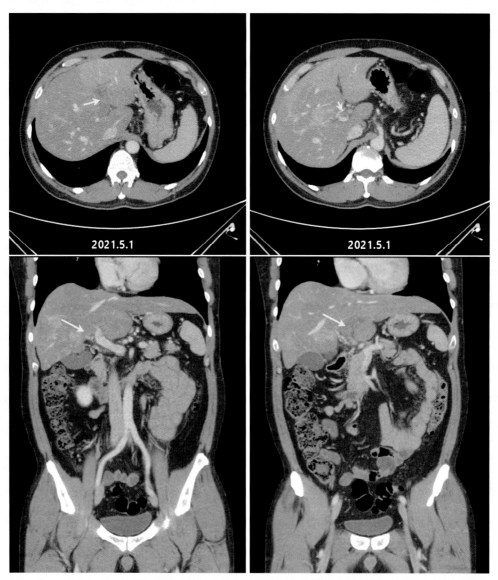

그림 5-6. Lt PV과 Rt anterior PV의 thrombotic occlusion과 간 내 불균일 지방침윤이 있고, ill-defined arterial enhancing lesion 있어 tumorous condition 감별을 위해 MRI가 권고되었다. MRI를 추가로 시행하였다(그림 5-7).

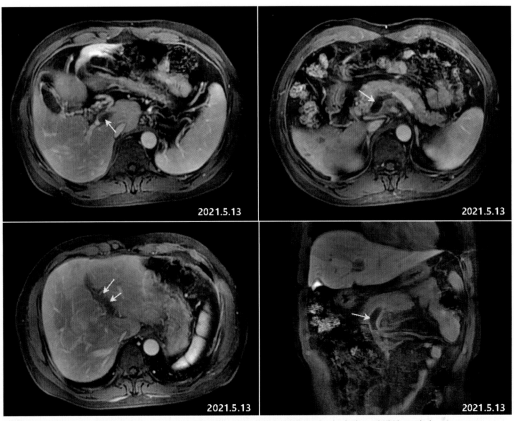

그림 5-7. MRI (5/13)에서 SMV, PV thrombosis 보이는데, 5/1(CT)보다 더 아래로 진행하고 있다.

입원하여 항응고치료를 시행하였다. 입원 중 복통이 완화되고 특이소견이 없어 와파린 5 mg으로 퇴원하였다. CRP 21.3 → 16.4 → 7 mg/dL. Hypercoagulability study 결과는 다음과 같았다.

- Factor V Leidein: G/G 정상형 (참고치 G/G)
- Lupus anticoagulant: positive 1.65 (negative <1.2)
- Protein C activity 68% (참고치 70-130%)
- Protein S activity 51% (참고치 73.7-146.3%)

해설　시커먼 지방간에 가려 간문맥이 간과될 수 있는데 지방간이 심할수록 간문맥은 더 선명히 보여야 한다. 문맥혈전증일 때 tumor thrombus인지 non-tumor thrombus인지 감별이 중요하다. Non-tumor thrombosis의 흔한 원인은 cirrhosis 환자에서 생기는 bland thrombosis이고, 간경변이 없는 환자에서 생기는 noncirrhotic portal vein and SMV thrombosis는 별개의 disease entity로 다룬다.

Portal vein thrombosis (SMV, IMV, SV 포함)

Noncirrhotic patient에서 PVT가 생기면 congestion에 의한 bowel ischemia로 복통을 일으킨다. 흔히 복통으로 내원하여 검사도중 PVT가 발견된다. 대부분 noncirrhotic patients는 prothrombotic disorder가 발견된다(예: Factor V leiden mutation, lupus anticoagulant, protein C/protein S deficiency, underlying myeloproliferative disorders, thrombin gene mutation). 치료하지 않고 두었을 때는 bowel ischemia에 의한 장괴사가 발생할 수 있다. Long-standing PVT 는 cavernous transformation (collaterals)과 같은 sequelae를 남긴다.

① Factor V leiden mutation: 변이가 생기면 분비된 항응고물질이 factor V에 정상결합을 할 수 없어 과응고상 태가 된다.

② Lupus anticoagulant (anti-phospholipid antibody): 대부분 SLE 환자에서 발견되나 약물에 의해서 생길 수도 있다(phenothiazine, phenytoin, hydralazine, quinine, amoxicillin). 염증성장질환, infections, tumors에서 생길 수도 있다.

③ Protein C deficiency: Protein C는 vit K dependent anticoagulant로 간에서 합성된다. Protein C deficiency상태에서 vit K antagonist (warfarin)을 투여하면 skin necrosis 발생할 수 있다. 와파린은 protein C 생성을 억제하므로 와파린 투여 중에는 protein C 검사를 해서는 안 된다. 다른 약제(heparin, direct thrombin inhibitors, direct factor Xa inhibitors, fondaparinux)는 protein C level에 영향을 미치지 않는다.

④ Protein S deficiency: protein S는 protein C의 cofactor

⑤ Myeloproliferative diseases: 골수질환, MDS, AML 등을 포함

Anticoagulation (heparin) + warfarin overlap하다가 안정되면 warfarin (coumadin)으로 변경한다.

*Gastroenterol Hepatol (N Y). 2008;4:699-700.

06

대장게실
Colonic diverticular disease

미국에서 80세 이상의 70%에서 diverticulosis가 있다. 예전에는 선진국에만 있었으나 점차 후진국에서도 서구식 식이를 하면서 전 세계적 질환이 되고 있다. 미국에서는 주로 sigmoid colon에 생기는데, 우리나라는 대부분 cecum & A-colon에서 발견되고 sigmoid colon은 일부이다. Sigmoid colon에 생기는 게실은 후천적이고 나이가 들면서 점차 증가한다. High-pressure zone (sigmoid colon)에서 high amplitude contraction + constipated high fat stool로 장벽의 가장 약한 지점에 게실을 일으킨다. 우측대장 게실은 나이와 별 관련 없고, S-colon diverticula보다 훨씬 젊은 나이에서 발견된다. 대부분 무증상이나 일부에서 게실염과 출혈을 일으킬 수 있다. 무증상 게실증은 섬유질 식이를 권장(fiber 30 g/일)한다. 게실염이 생기면 심한 복통으로 내원하게 되고, WBC, CRP 증가소견을 보인다. 주변 농양과 localized peritonitis를 일으키기도 한다. 항생제과 bowel rest로 흔히 회복된다. 항생제는 aerobic G(-) rod & anaerobes를 타깃으로 한다. Trimethoprim/sulfamethoxazole, ciprofloxacin, metronidazole 등 7-10일 치료한다. 재발을 예방하기 위해 gut dysbiosis 개선에 초점을 맞추어 high-fiber diet, probiotics (Lactobacillus, Bifidobacteria)를 사용할 수 있다. 재발을 감소시키는지에 대한 항염증약제 mesalazine이 연구 중이고, rifaximin + high fiber diet가 재발을 30% 줄였다고 보고되었다. 반복 재발하거나 fistula, 천공 등의 합병증이 생긴 경우는 수술이 필요할 수 있다. 수술은 diseased colon resection이다. 술후 재발이 10% 정도 되는데 불충분한 절제로 인한다. 게실출혈은 통증 없이 갑작스러운 심한 혈변으로 내원한다. 60세 이상에서 가장 흔한 하부위장관 출혈의 원인이다. 우측 대장에서 흔하다. Diverticulosis 환자의 20% 정도에서 출혈이 발생한다. 고혈압, 동맥경화, 아스피린/NSAIDs 복용이 위험인자이다. 대부분(~80%) 저절로 멎는다. Rebleeding risk는 평생 25% 정도이다. 출혈 시 mesenteric angiography를 통한 coil embolization을 시행할 수 있다(80% 성공률, colon ischemia의 합병증 생길 수 있음). 근치로 segmental resection을 고려할 수 있다. 환자가 unstable하거나 24시간 내 6-units 이상 수혈이 필요할 때는 수술을 해야 한다.

증례 6-1

48세 남성. 내원 전 갑자기 심한 우측 옆구리 통증으로 응급실 내원하였다. A-colon diverticulitis with perforation 진단되었다. 환자 general condition tolerable하여 응급수술 시행하지 않기로 하고 소화기내과로 입원하였다. 항생제 사용 후 열이 내리고 전반적인 컨디션이 호전되었다. 3일 후 CT 추적 촬영하였다. 사진상 악화된 소견이었으나 임상적으로는 호전되는 경과였다. 환자에게 설명하고 수술 없이 항생제 치료 계속하면서 경과보기로 하였다. 4일 후 추적 CT 촬영하였다. 항생제 치료로 완전 호전되었다.

	5/23	5/25	5/26	5/27	5/28	5/30	6/1	6/4	6/7	6/19
WBC	20.5	19.4	12.8	7.3	6.4	6.9	8.7	6.6	5.1	5.9
CRP	0.03	28.5	21.8	14.3	10.4	6.3	5.8	1.7	0.8	0.04

Triaxone + metronidazole ──────────────────────────────→ 6/7 suprax 단독

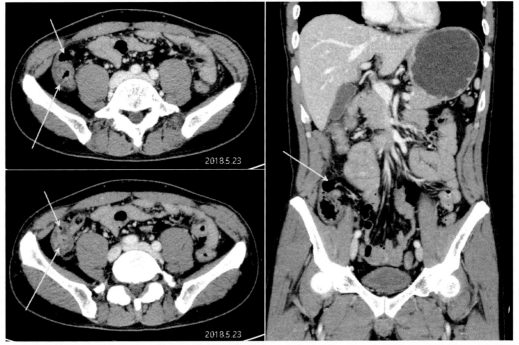

그림 6-1. 우측 대장 게실들 주변으로 wall thickening 보여 게실염 소견이다. 대장밖으로 공기 음영이 관찰되는데 게실염의 천공이다.

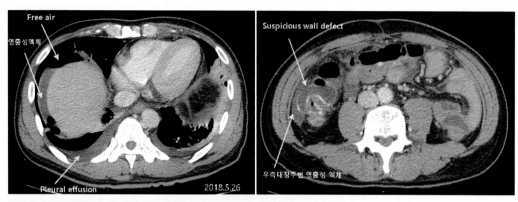

그림 6-2. Both pleural effusion 관찰되는데 염증이 늑막으로 번진 소견이다. 간 주변으로 염증성 액체와 free air 관찰되는데 hallow viscus perforation에 의한 복막염 소견이다. 우측대장 주변으로 염증성 액체들이 고여 있고 측면에 wall defect가 의심된다.

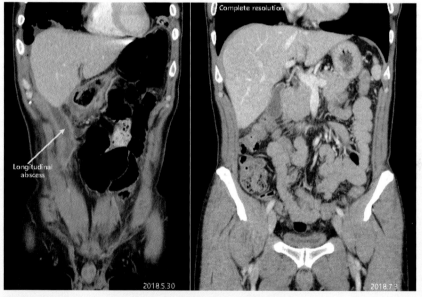

그림 6-3. 간 주변 free air와 pleural effusion은 그대로 관찰된다. 간 아래쪽으로 길쭉하게 농양이 생성되어 있다. 우측대장의 염증은 호전되어 보인다. 퇴원 후 follow-up CT에서 완전 호전되었다.

해설 Colon diverticular perforation에 의한 peritonitis는 수술이 필요하다. 이 환자에서 5/26 CT 보고 응급수술을 시킬 것인가에 대해 고민을 하였다. CT상으로는 복막염이 심한데 임상적으로 환자는 열이 내렸고 컨디션 양호하고 통증이 완화되었다. 내원 당시 게실염 천공이 생겼다가 자연적으로 sealed up 되었고, 사진상으로는 뒤늦게 반영된 것으로 판단하고 항생제 치료를 계속하기로 하였고 호전되었다. A-colon diverticulitis perforation 때는 retroperitoneal perforation으로 generalized peritonitis가 없다면 자연 seal-up되어 경과관찰할 수 있고, S-colon diverticulitis perforation 때는 free perforation으로 generalized peritonitis가 되기 때문에 수술이 필요한 경우가 많다. 지속 천공이 되고 있는지 환자의 clinical signs을 보고 수술 여부의 빠른 판단이 필요하다.

증례 6-2

61세 남성. 고혈압과 전립선비대증이 있던 환자로, 3일 전부터 오한과 복통이 심하여 비뇨기과 먼저 방문하여 CT 촬영 후 소화기내과로 의뢰되었다. 만성 음주자였다. 진찰상 하복부 압통이 심하였다. 입원 당시 WBC 12.8 K, CRP 18.59 mg/dL였고, 항생제 사용하면서 2일째 열이 내리고, 3일째 WBC 6.4 K, CRP 4 mg/dL로 호전되었다. 외래에서 CRP 정상 확인 후 진료 종결하였다.

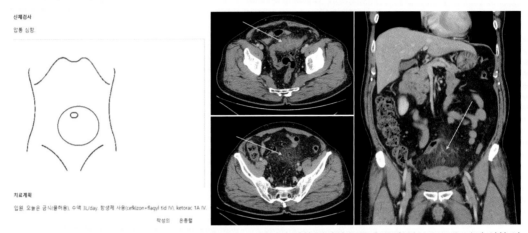

그림 6–4. S–colon diverticulitis. S–colon에 약 7 cm 길이의 심한 점막하 부종과 주변부(mesocolon)의 심한 염증성 침윤이 관찰된다. 주변에 작은 공기방울들이 몇 개 보이는데 microperforation 시사하는 소견이다. 게실염 가능성이 많으나 게실은 염증에 묻혀서 잘 안 보인다.

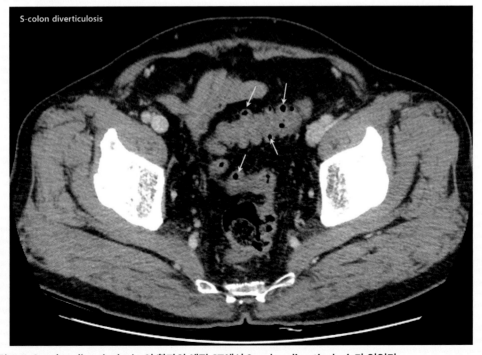

그림 6–5. S–colon diverticulosis. 이 환자의 예전 CT에서 S–colon diverticulosis가 있었다.

증례 6-3

53세 남성. 우하복부 통증으로 내원하였다. RLQ tenderness가 있었다. 충수염과 게실염 가능성을 생각하고 CT와 혈액검사 처방하고, 결과볼 때까지 복용할 항생제 처방하였다(그림 6-6).

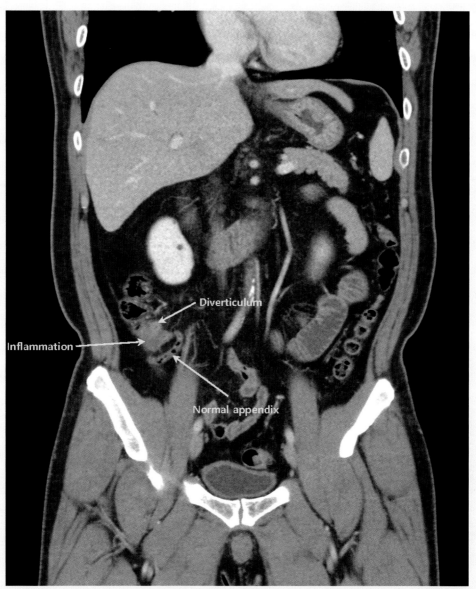

그림 6-6. Normal appendix를 보이고 cecum에 게실 한 개와 주변부 염증이 있어 게실염으로 생각된다. 결과 보러 올 때는 통증이 소실된 상태였다.

해설　RLQ pain & tenderness일 때 임상적으로 게실염과 충수염 구분이 어려운 경우가 있다. 게실이 우측대장에 흔하고 증상과 진찰 소견이 유사하다.

증례 6-4

73세 남성. 기저질환 없던 환자로 내원 당일 대량의 선홍색 혈변으로 내원하였다. Hb 3.9 g/dL였다. 응급실에서 시행한 CT에서 large bladder tumor (cancer) 우연히 발견되었다. 수혈하고 EGD + Sigmoidoscopy 시행하였다. EGD에서는 우연히 Zenker's diverticulum 발견된 것 외에 출혈 없었다. 대장 내 출혈되고 있어 cecum까지 내시경 진입하였다.

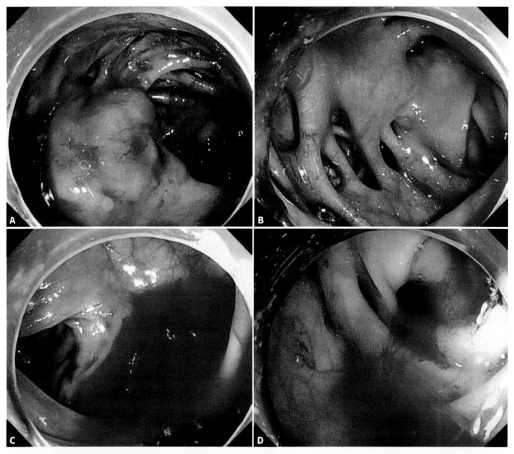

그림 6-7. 내시경 진입 시 전 대장에 걸쳐 fresh blood 관찰되었고 proximal colon으로 진행할수록 혈액량이 많았다. Cecum & A-colon에 diverticulosis가 관찰되고(A, B), 주변에 fresh blood 관찰되며(C), diverticular bleeding이 관찰되었다(D). 물로 씻어가며 관찰하였는데 자연적으로 출혈이 멎었다. 내시경을 회수하면서 관찰하였는데 S-colon diverticulosis도 있었으나 출혈되지는 않았다.

해설   Colon diverticular bleeding은 자연적으로 멎는 경우가 많고, 재출혈 위험은 평생 25% 정도로 알려져 있다. 출혈이 멎지 않으면 angiography (embolization) 또는 수술을 고려해야 한다. 이 환자는 이번에 방광암이 진단되어 비뇨기과로 의뢰되었다.

07

C. difficile infection & Pseudomembranous colitis

C. difficile은 anaerobic Gram (+) spore–forming bacillus이다. 병원 또는 요양시설 환자에서 항생제 사용으로 normal colonic microbiota가 손상된 상태에서 발생한다. C. difficile spores를 섭취한 후 위산에서 생존하고 소장을 통과한다. 대장에서 colonize하여 toxin A (enterotoxin)과 toxin B (cytotoxin)를 분비하여 장점막세포벽을 손상시켜 설사를 일으키고 pseudomembrane을 형성한다. 모든 항생제와 관련 있으나 clindamycin, ampicillin, cephalosporin, fluoroquinolone이 흔한 원인이다. 진단은 임상적 판단(설사)과 stool toxin A or B로 한다. 치료는 가능하면 항생제를 중지하고 metronidazole or vancomycin을 사용한다. IV vancomycin은 효과가 없으므로 사용하지 않는다. 치료 후 재발은 ~15–30%이다.

① Mild-moderate colitis(설사 < 6회/일, 열없고 WBC < 20,000/μL)에서는 항생제 중단하고 metronidazole 500 mg tid PO 또는 vancomycin 125 mg qid PO를 10–14일 사용한다.

② Severe colitis(설사 > 6회/일, 열과 복통, WBC > 20,000/μL)에서는 vancomycin PO를 우선한다. Vancomycin에 반응하지 않는 중증 CDI는 metronidazol 500 mg qid IV + vancomycin 500 mg qid PO를 사용한다.

③ Fulminant colitis (4–10%)는 MOF, shock, ileus, toxic megacolon이 발생하는 응급상황으로 치사율은 50%에 달한다. 응급수술(colectomy)을 고려해야 한다.

Probiotics의 효과가 결론나지는 않았으나 보조적으로 도움이 될 수 있다. Fidaxomicin이 새로운 치료제로 FDA 승인되었다. Overall CDI mortality는 0.6–3.5%이다. 최근 severe and fulminant CDI 유행의 원인 균주는 NAP1 strain이다.

증례 7-1

67세 남성. 1주일 전부터 하루 10회 이상의 심한 설사와 복통으로 입원하였다. 고혈압 있었고 만성신부전으로 주 3회 혈액투석 중이었다. 2개월 전 타병원 위내시경 후 헬리코박터 제균치료한 적 있었다. 내원 시 WBC 41,400/μL (poly 89.3%), CRP 16.95 mg/dL였다. Noncontrast CT에서 severe proctocolitis 소견을 보였다(그림 7-1). 통상의 세균성장염의 가능성 생각하고 수액과 함께 ceftriaxone 2 g qd IV + metrodidazole 500 mg tid IV 시작하였다. 입원 시 나간 급성설사균 선별검사에서 C. difficile toxin(+) 검출되었다. 검사 확인 후 vancomycin 250 mg qid PO 추가하였다. 이후 SFS follow-up에서 PMC 소견 확인하고 triaxone은 중지하고 metronidazole IV + vancomycin PO 유지하였다.

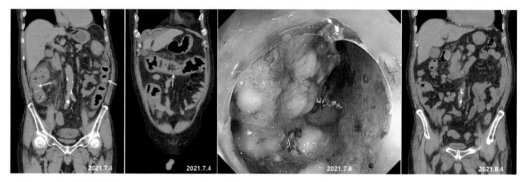

그림 7-1. 전 대장에 걸쳐 wall thickening이 심하다. SFS에서 rectosigmoid에 yellowish nodules or plaques가 정상 점막을 뒤덮어 pseudomembrane을 형성하고 있다. Biopsy에서도 PMC였다. 이후 follow-up CT (pre)에서 호전되었다.

 해설 이 환자는 severe CDI로 분류되어 metronidazole IV + vancomycin PO 치료를 하였다. 헬리코박터 제균치료 때 사용한 항생제가 원인으로 추정된다.

08

급성충수염
Acute appendicitis

10-19세 사이에서 가장 흔하다(70%가 30세 미만). 가장 흔한 합병증은 천공인데 내원 당시 20%(특히 > 5세, > 65세)에서 천공된 상태로 진단된다. 원인이 아직 완전히 규명되지는 않았으나 fecaliths, incompletely digested food residue, lymphoid hyperplasia, intraluminal scarring, tumors, infection (bacteria, virus), IBD 등이 알려져 있다. 어떤 원인이든 appendiceal luminal obstruction으로 충수염이 시작된다. Bacterial overgrowth & luminal distension되면 intraluminal pressure가 증가하고 blood & lymphatic flow 장애가 생긴다. Vascular thrombosis & ischemic necrosis로 인해 충수 끝에서 천공이 일어날 수 있다. 천공이 일어나는 gangrenous appendicitis의 50%에서 appendicoliths가 발견되고, simple appendicitis는 저절로 호전되거나 항생제 치료로 가라앉기도 한다. 천공 시에는 abscess formation되거나 peritonitis가 된다. 조기진단으로 합병증 위험을 최소화할 수 있다. 증상 발생 후 48시간 이상 지나면 천공위험이 증가한다. 처음에는 권태감 등 모호하고 비특이적 증상을 보인다. 명치 또는 배꼽 주변으로 간헐적 경련성 복통을 호소하다가 12-24시간 후 RLQ로 이동한다. 이때 tenderness가 뚜렷해지게 된다. > 38.3℃ 이상. 심한 오한(rigors) 시 abscess, phlegmon, perforation 등의 합병증 상황일 수 있다. 혈액검사를 하면 70%에서 leukocytosis (10,000-18,000 cells/μL)(poly dominant)를 보인다. 단순 복부촬영은 거의 도움이 안 된다. 초음파는 검사자의 skill을 요한다. CT가 민감도/특이도가 가장 우수하다. 치료는 lapa or open appendectomy를 시행한다. Abscess (> 3 cm)의 경우 drainage를 먼저하고 염증을 가라앉히고 6-12주 후에 수술을 하는 것이 더 안전할 수 있다. 단순 충수염에서의 mortality는 매우 낮으나 천공 시에는 3-15%(고령)에 달할 수 있다.

증례 8-1

74세 남성. 어제 낮부터 심한 명치통증으로 내원하였다. 동네의원에서 r/o appe로 진료의뢰 되었다. 금요일 오전 진료였다. CT, lab + 4일분 약을 처방하고 통증 심하면 응급실 내원토록 안내하였다. 환자는 당일 5PM CT 찍고 귀가하였다. WBC 18.4 K (83.6%), CRP 1.14 mg/dL였고, CT는 acute appendicitis 소견이었다(그림 8-1). 토요일 오전 환자에게 내원토록 유선연락하였다. 외과 의뢰하였고 laparoscopic appendectomy 시행하고 월요일 퇴원하였다.

그림 8-1. 외래기록지 예시

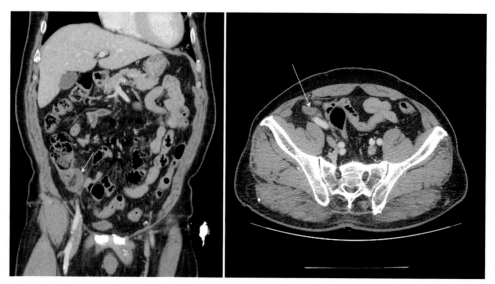

그림 8-2. Appendix는 직경이 1 cm 정도로 부었고 벽이 두꺼우며, 주변 염증성 침윤도 있는 acute appendicitis이다.

해설   항생제 사용 후 복통은 완화되었다. Simple appendicitis는 항생제로 가라앉기도 한다. 그러나 치료원칙은 수술이다. 충수염은 흔히 명치 또는 배꼽통증으로 시작하였다가 RLQ로 옮겨간다. 그러므로 명치 또는 배꼽 주변 통증이 충수염의 초기 증상일 수 있음을 기억해야 한다.

증례 8-2

은〇〇 (M/11). 11세 남아인 은〇〇는 일요일 학원숙제를 늦게 한다는 이유로 엄마에게 잔소리를 들었다. 평소에도 화장실로 자주 도피하였는데 화장실에 오래도록 앉아 있는다는 이유로 엄마에게 심하게 혼이 났다. 소화기내과 의사인 아빠는 이 상황을 회피하고자 병원 연구실로 갔다. 얼마 후 아들에게 전화가 왔다. "아빠, 배가 너무 아파, 병원 데리고 가 주면 안돼?" 아빠는 순간 꾀병이나 기능성복통을 먼저 생각하였다. 일단 청진기를 가지고 집으로 귀가하여 진찰을 하였다. 배는 부드러웠고 장음은 normoactive하였다. Buscopan®과 suprax®를 한알씩 먹이고 밖으로 데리고 나왔다. 차안에서 구토를 하였다. 물어보니 낮에 설사를 3회 하였다고 하였다. 꾀병은 아니었다. 주변에서 산책을 하였다. 다소 컨디션이 처지고 누워서 움직이지 않으려 하였다. 돌아오는 길에 물어보니 좀 괜찮다고 하였다. 이때까지는 '장염'으로 생각하였고 밤이 지나면 호전될 것으로 생각하였다. 귀가 후 밥을 먹지 않으려 하고 잠이 들었다. 다음날(월요일) 아빠는 출근하였다. 엄마로부터 아이가 40℃ 고열이 나고 오한이 심하다고 연락이 왔다. 심상치 않다는 생각이 들었다. 우선 해열제를 먹이도록 하였다. 3시경 조퇴하여 아이의 복부를 만졌는데 RLQ tenderness가 심하였다. 가슴이 철렁하였다. 즉시 차에 태워 근무하는 병원 응급실로 향했다. 'Appendicitis'가 아니고 mesenteric lymphadenitis이기를 바랬다. 응급실 접수하고 즉시 혈액검사와 CT를 진행하였다. 혈액검사는 WBC 8,800/μL (poly 92.6%), CRP 6.36 mg/dL였다. CT를 열어보는 순간 가슴이 철렁하였다(그림 8-3). 외과선생님에게 연락하여 응급수술을 시행하였다.

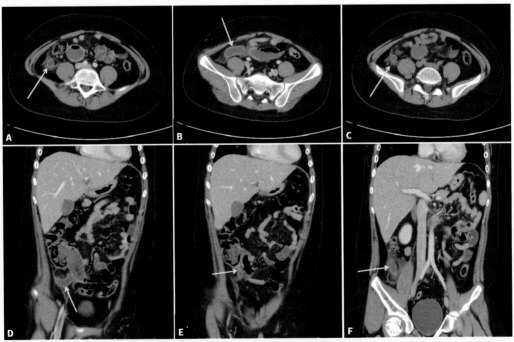

그림 8-3. Appendix가 소시지처럼 심하게 부풀었다. 주변 복막으로 염증성 침윤이 보인다. 천공이 임박한 상태이다.

해설 충수염 초기 진단이 어려울 수도 있고, 의사는 직계가족이나 VIP를 진료할 때 감정이 개입할 수 있으므로 적절한 판단을 하지 못할 수도 있다. 아이 엄마에게 심한 비난을 듣지는 않았으나, '당신 말은 맞는 게 없어'라는 핀잔을 들었다. 첫째날에는 비특이증상으로 진단이 쉽지 않았다. 우하복부통증과 압통이 뚜렷해지면서 진단이 구체화되었다. 하루 더 neglect 했으면 천공되어 복막염으로 악결과가 초래되었을 것이다. 소아는 부모의 판단에 의해 병원에 가게 되므로 초기 진단이 모호할 경우에는 close observation이 중요하겠다.

09

숙변대장염
Stercoral colitis

만성변비 환자에서 fecal impaction으로 발생한다. 단단한 대변 덩어리가 focal pressure ulcer, 심하면 천공을 일으킨다. 대부분(77%) rectum과 S-colon에 ulcer를 일으킨다. Colon distention으로 intraluminal pressure를 증가시켜 vascular supply 장애를 초래하여 ischemic colitis를 일으킬 수도 있다. 고령에서 주로 발생하고 여성에 많다. 부적절한 식이, physical activity 감소, 많은 약제들이 원인이 된다. 우리나라는 고령화 사회가 되어 가면서 요양원과 요양병원에서 bed-ridden state로 있다가 혈변으로 내원하는 경우가 많다. CT로 fecal impaction이 보인다. 치료는 manual disimpaction을 시행한다. 내시경적으로 시행하기도 한다. 필요시 항생제 치료를 한다. 천공이 되면 수술이 필요할 수 있다. 식이조절, 섬유질 복용, 물 섭취 장려 등의 교육을 한다. 변비를 예방하기 위한 약제, osmotic and stimulant laxative를 1차 약제로 사용한다.

증례 9-1

87세 여성. 요양원에서 거의 누워 지내는 환자로 빨간색 혈변으로 전원되었다. 내원 시 WBC 19.5 K, Hb 11.3 g/dL, BUN/Cre 30.3/0.8, Na/K 152/3.4, CRP 19.5였다. CT에서 fecal impaction에 의한 stercoral proctitis소견을 보였다(그림 9-1). 수액과 항생제(triaxone + metronidazole) 사용, 물을 섭취시키고, 내시경실에서 finger enema하여 직장 내 변을 모두 제거하였다. 이후 magmil 로 배변 조절하였다. Follow-up SFS에서 다발직장궤양 관찰되었고 누공도 의심되었으나 임상적 으로 호전되어 요양원으로 재전원하였다.

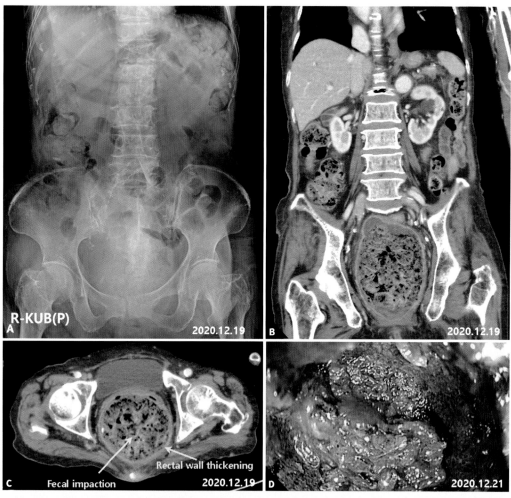

그림 9-1. Stercoral colitis. 단순사진에서는 골반부위가 다소 뿌옇게 보이고(hazziness), 대장 내에 대변들이 보 이나 특이소견 없는 것처럼 보인다(A). CT에서는 직장 내 fecal impaction과 rectal wall thickening 및 직장 주변 염증성 침윤도 관찰되어 stercoral colitis 소견이다(B, C). 관장으로는 변이 배출되지 않았고, 내시경실에서 finger enema로 단단한 변을 파내었다(D).

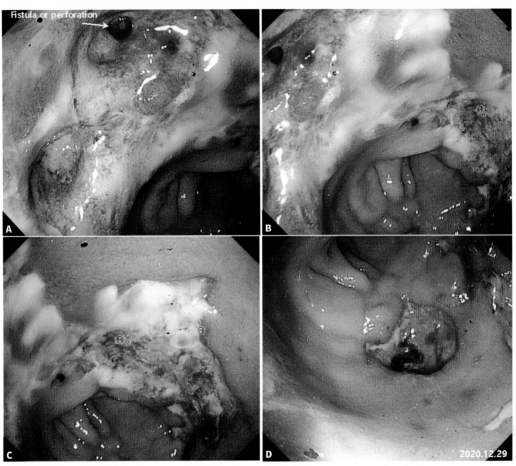

그림 9-2. Magmil을 사용하여 배변시키고 8일 후 SFS follow-up 하였다. 직장 내 크고 깊은 궤양(pressure ulcer)들이 관찰되고, 일부는 fistula or perforation 의심되는 부위도 관찰되었다. 임상적으로 호전되고 있어 외과적 치료는 고려치 않았다. 마그밀로 배변 잘 조절되어 요양원으로 재의뢰하였다.

> **해설** 요양원 또는 요양병원으로부터 혈변으로 많이 의뢰받는데 fecal impaction에 의한 stercoral colitis인 경우가 많다. 이 환자에서 hypernatremia (Na 152)는 free water loss (dehydration)을 의미한다. Stercoral colitis는 고령, dementia, stroke 환자, 수분섭취부족, 만성변비로 발생하게 된다. Finer enema (manual disimpaction)로 치료한다. 내시경으로 따뜻한 물을 주입하여 변을 파내기도 한다. 천공된 경우 수술이 필요할 수도 있다(bowel resection, colostomy, Hartmann pouch 등).

대장질환 문제

1. 크론병을 앓고 있는 30세 여성 환자이다. 치료에 대해 옳은 것은?

   ① 출산 시까지 치료를 유보한다.

   ② Methotrexate는 비교적 안전하다.

   ③ Azathioprine은 사용 가능하다.

   ④ 출산 시 자연분만을 우선 고려한다.

   ⑤ 출산 후 1년까지 모유 수유는 피하는 것이 좋다.

2. 23세 여성이 2년 전 궤양성대장염을 진단받고 5–ASA 4g/일 복용하면서 증상 없이 지내다가 1주일 전부터 설사 8–10회/일 있고 매번 혈변 및 점액변이 동반되고, 복통, 발열이 있어 내원하였다. 다음은 혈액검사 및 내시경사진이다. 환자의 몸무게는 45 kg이었다. 치료 방법에 대한 설명 중 맞지 않는 것은?

   > WBC 10,800/μL, Hb 11.0 g/dL, Plt 232,000, Albumin 2.9 g/dL,
   > hs–CRP 7.5 mg/dL, ESR 48 mm/hr

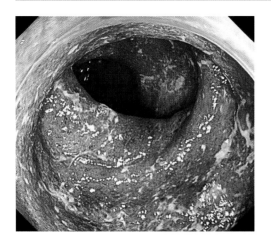

   ① Hydrocortisone 300–400 mg/일 정주로 시작한다.

   ② C. difficile 감염 확인 위해 C. difficile toxin 검사를 시행한다.

   ③ 치료에 대한 평가는 약물 투여 1주째 시행한다.

   ④ 5–ASA 효과가 없었으므로 중단하고 관해를 위해 azathioprine을 빨리 시작한다.

   ⑤ Toxic megacolon의 발생을 예방하기 위해 적절한 칼륨 공급이 필요하다.

3. 65세 남성이 1일 전부터 복통, 복부 팽만감으로 내원하였다. 조현병으로 요양병원에서 거의 누워지내는 분으로 평소 변비가 심했고 3일 전 이후로 대변을 보지 못했다고 했다. 내원 당시 활력징후는 혈압 120/70 mmHg, 심박동수 95회, 호흡수 18회, 체온 37.7℃였다. 복부 진찰 시 배 전체에 압통이 있었고, 장음은 저하되어 있었다. 다음은 내원 당시 복부 x-ray 및 복부 CT 소견이다. L-tube를 삽입하였고 그 다음에 시행해야 처치는?

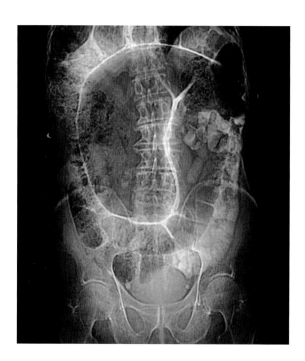
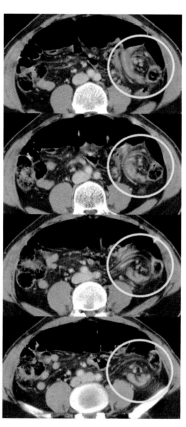

4. 22세 남성이 2개월 동안의 설사, 복통으로 내원하여 대장 크론병으로 진단 받고 5-ASA (pentasa® 4 g/일), 경구 prednisolone 30 mg으로 약물 치료를 시작하였고 3개월 후 관해 되었다. 이 환자의 치료에 대해 적절한 것은?

① 관해 유지에 5-ASA는 도움이 된다.

② 관해 유지를 위해 스테로이드를 저용량으로 최소 6개월 동안 유지한다.

③ 스테로이드 투여 기간 동안 독감 및 B형 예방접종은 하지 않는다.

④ 5-ASA로 관해가 유도되었으므로 azathioprine을 추가할 필요는 없다.

⑤ Fecal calprotectin이 질병의 활성도를 관찰하는 데 도움이 된다.

5. 55세 여성 환자가 수년간 지속된 만성 변비를 주소로 내원하였다. 신체검진, 갑상선 기능검사, 일반 혈액 및 일반 화학검사 등에서 이상소견은 없었으며, 대장내시경검사도 정상이었다. 대장 통과 시간검사(colonic transit time study)에서 전체 대장 통과 시간은 38시간이었고, 항문직장 내압검사에서 배변 시 직장내압과 항문괄약근압이 동시에 상승하였다(사진). 이 환자에서 우선적으로 추천되는 치료법은?

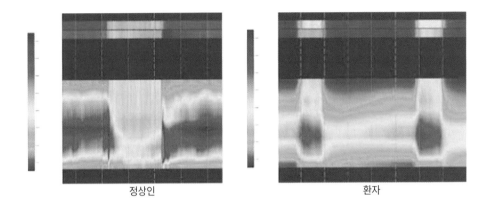

정상인   환자

6. 20세 여성이 3개월 이상 지속되는 하복부 불쾌감과 반복적인 변비와 설사 때문에 병원에 왔다. 기질적인 원인보다는 과민성장증후군에 적합한 증상은?

① 대변에 피가 섞여 나온다.

② 복통과 설사로 잠을 깨게 된다.

③ 최근 3 kg의 체중감소가 있었다.

④ 변을 보고 나면 증상이 호전된다.

⑤ 배가 고플 때 증상이 악화한다.

7. 55세 남성이 궤양성대장염을 진단받고 추적관찰 중이며, 내원 3주 전부터 혈변, 복통이 있어 prednisolone 40 mg를 2주간 치료받았으나 증상 호전이 없었다. 상기 환자의 대장내시경과 조직검사 소견이다. 일차 치료 약제는?

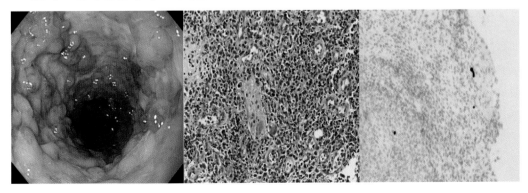

8. 47세 남성이 흑색변을 주소로 응급실로 내원하였다. 입원 후 상부 및 하부 위장관 내시경과 복부 CT 시행하였지만 출혈의 원인을 알 수가 없었고 지속적인 출혈과 더불어 입원 2일째부터는 흑색변이 선혈변으로 바뀌는 양상이 있었다. 환자의 혈압은 수축기 90 mmHg 이완기 60 mmHg였으며 맥박은 105회/분이었다. 다음으로 시행해 볼 수 있는 검사방법 중 가장 적절한 것은?

① 캡슐내시경

② (99 m) Tc RBC scan

③ 혈관조영술

④ 복부 MRI

⑤ 소장내시경

9. 평소 고혈압으로 치료 중인 77세 남성 환자가 혈변을 주소로 내원하였다. 대장내시경 소견이다. 설명으로 옳은 것은?

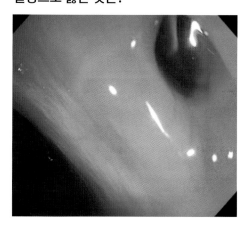

① 복통을 흔히 동반한다.

② 60세 이상의 고령에서 혈변의 가장 흔한 원인이다.

③ 좌측 대장에서 우측 대장보다 출혈의 발생빈도가 더 높다.

④ 출혈은 흔히 저절로 멈추고 재출혈의 빈도는 극히 드물다.

⑤ 환자 상태가 안정된 후 수술적 절제를 통해 재출혈을 예방한다.

10. 41세 남성 환자가 건강 검진을 주소로 내원하였다. 내원하여 시행한 위내시경 검사에서 다음 소견이 관찰되었고(사진 1), EUS(사진 2)을 시행하였고 조직 절제 후 병리 사진(사진 3)이다. 이 진단에 대한 설명 중 틀린 것은?

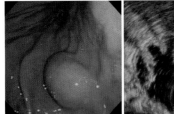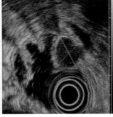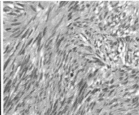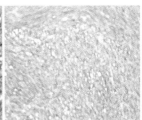

사진1. 내시경 사진   사진2. 내시경 사진   사진3. H & E stain.   C–kit 염색

① Cajal 세포에서 기원한다.

② 소장이 가장 흔한 발생 부위이다.

③ 90% 이상에서 c–Kit에 대한 면역조직화학염색에서 양성을 보인다.

④ 종양의 크기와 세포분열지수가 악성도 판정에 중요하다.

⑤ 평활근종이나 신경집종과의 감별진단이 필요하다.

11. 77세 여성이 내원 4시간 전부터 좌하복부 통증과 함께 선홍색 피가 항문으로 나와서 응급실에 왔다. 과거력에서 5년 전 당뇨병을 진단받은 후 투약 중이었다. 혈변의 양은 약 200 cc 정도 되었고 직장 손가락 검사에서 선홍색 피가 묻어 나왔다. 대장내시경을 시행한 결과 다음과 같은 소견을 보였다. 이 질환에 대한 설명으로 옳은 것은?

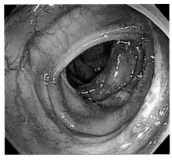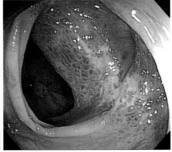

① 혈관의 폐쇄로 혈류량이 감소되어 조직의 염증과 괴사를 유발하는 질환이다.

② 대부분 환자에서 좌측 대장을 침범한다.

③ 내시경 소견은 다발성의 궤양 및 삼출물, 주위 부종, 쉽게 출혈하는 경향을 보인다.

④ 대장내시경은 진단에 도움이 되지 않아 다른 영상학적 검사들이 필요하다.

⑤ 대부분의 경우 내과적 치료로 호전되지 않아 수술적 치료가 필요하다.

12. 대장암의 전구 병변인 선종성 용종의 특성으로 악성변화의 가능성을 시사하는 요인으로 적절한 것은?

> 가. sessile polyp
> 나. high grade dysplasia
> 다. 크기 > 2 cm
> 라. villous histology

① 가, 나, 다　② 가, 다　③ 나, 라　④ 라　⑤ 가, 나, 다, 라

13. 다음 중 크론병보다 장결핵을 더 시사하는 소견은 무엇인가?

> 가. ASCA 양성
> 나. 종주성 궤양(longitudinal ulcer)
> 다. anal lesion
> 라. 건락성 육아종(caseating granuloma)

① 가, 나, 다　② 가, 다　③ 나, 라　④ 라　⑤ 가, 나, 다, 라

14. 70세 남성 환자가 1주일 이상 설사로 내원하였다. CKD로 주 3회 혈액투석을 받고 있었고, 한달 전 위내시경 후 헬리코박터 제균치료를 받았다. 설사는 하루 10회 정도 되었고, 혈액검사에서 WBC 20,000/μL였다. 대변 C. difficile toxin 양성이었다. 가장 부적절한 치료는?

① Metronidazole 500 mg tid PO

② Metronidazole 500 mg tid IV

③ Vancomycin 250 mg qid PO

④ Vancomycin 1 g qd IV

⑤ Fidaxomicin 200 mg bid PO

정답과 해설

1. ③ 2. ④ 3. Endoscopic decompression(내시경감압술) 4. ⑤ 5. Biofeedback 6. ④ 7. Ganci-clovir 8. ③ 9. ② 10. ② 11. ② 12. ⑤ 13. ④ 14. ④

1. 임신 전 6개월은 관해상태를 유지해야 한다. MTX는 금기이다. 자연분만 시 episiotomy 부위에 fistula가 생길 수 있어 제왕절개를 하는 것이 좋다. 모유수유는 안전하다. 다만 생물학적제제를 치료한 경우에 신생아에서 live vaccine은 피한다.

2. Azathioprine은 효과가 나타나는 데 3-4주 걸리고, 4-6개월 걸리기도 한다.

3. Sigmoid volvulus로 내시경으로 풀어주어야 한다.

4. 5-ASA 제제는 궤양성대장염의 관해유도와 유지에 효과적이지만, 크론병에서의 효과는 불분명하다. UC와 크론병 모두 steroid는 관해 도달 후 tapering하고 유지치료로 사용하지는 않는다. Azathio-prine은 유지치료의 목적으로 사용하고, 효과가 나타나는데 시간이 많이 걸리고, CBC follow-up이 필요하다.

5. 정상인의 colon transit time은 평균 40시간, 95%가 84시간 이내이다. 38시간은 정상적인 colon transit time이다. 항문직장내압검사 소견은 dyssynergic defecation으로 biofeedback 치료가 최선이다.

7. 면역억제 상황에서 발생한 CMV colitis이다. 조직검사에서 basophilic intranuclear inclusion bodies (Cowdry's bodies)가 보이고, CMV antibody에 대한 immunohistochemical stain(짙은 점들)으로 확진한다. 치료는 ganciclovir IV이다.

11. Ischemic colitis는 non-occlusive disease이다. Splenic flexure or RS junction과 같은 water-shed area에 잘 생기고, 내시경으로 진단(submucosal hemorrhage)하고 hydration 등 보존치료로 잘 회복된다.

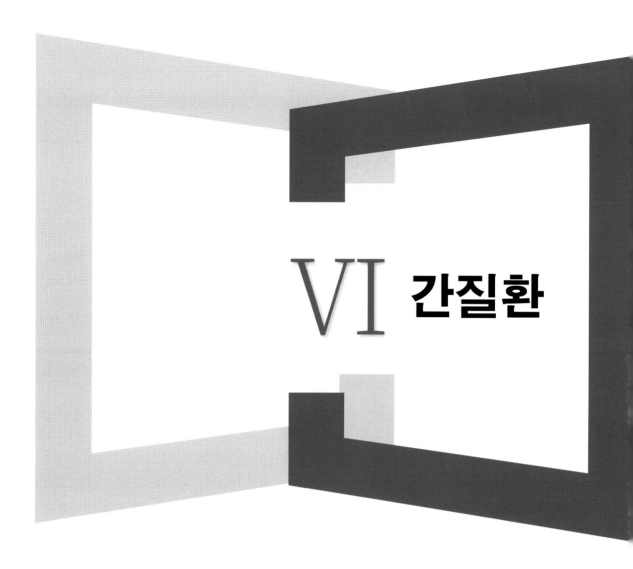

VI 간질환

간기능검사의 이해

간 분야는 급성간염, 만성간염, 간경변증과 합병증, 간암, 감염성간질환 및 기타간질환으로 나눌 수 있다. 원인에 따라 바이러스, 알코올, 비알코올, 자가면역, 약인성, 감염성 등으로 나눌 수도 있다. 진료는 진단과 특정 질환의 치료로 이루어진다. 원인 진단이 간단하기도 하지만 때로는 원인을 찾는 과정이 어려운 경우도 있다. 마지막에 본과 2학년 학생들과 수업했던 PBL 증례를 소개하였다.

간은 합성, 해독, 배설기능이 있다. 간세포가 괴사될 때 나오는 AST, ALT는 간기능을 반영하지 않는다. 그동안 관행적으로 간기능검사(liver function, test, LFT)라는 표현을 사용해 왔으나 정확한 표현은 아니다. 그러므로 환자에게 설명할 때 '간수치' 또는 '간 혈액검사'라는 표현이 더 정확할 것 같다. 간 혈액검사의 목적은 크게 다음과 같다.

① 간질환 유무 판정: 간수치 이상처럼 보이지만 간 이외의 질환인 경우가 있다.
② 원인 진단
③ 중증도 판단
④ 치료에 대한 반응 추적

표 1-1. LFT 이상에서 간 이외의 원인들

검사	간 이외의 원인	확인검사
AST	심근경색, 근육관련	임상소견, CK, CK–MB
ALP	골질환, 임신	ALP isoenzyme, GGT
T-bilirubin	용혈, 출혈, 수혈	D–bilirubin, CBC, reticulocyte
Albumin	영양실조, 급만성염증, 신증후군, 단백소실성장병증	
PT	약제(와파린, 항생제)	vit K에 대한 반응

증례 1-1

78세 여성. 정형외과에서 술전 협진 의뢰되었다.
"우측 고관절 골절로 수술 예정입니다. 금일 간수치 이상으로 의뢰 드립니다."

	2017/5/12	5/17	5/28
WBC (K/μL)	8.2	–	–
Hb (g/dL)	11.1	–	–
Platelet (× 10^3)	173	–	–
PT (%)	–	–	–
Albumin	3.9	2.6	3.3
T-Bil	2.06		
ALP	376	–	–
AST	47	34	37
ALT	37	27	29
GGT	25	–	–
CK	202	–	–

해설   ALT는 비교적 liver-specific하지만, AST는 간 이외에 심근, 횡문근 등에도 존재하므로 심근경색과 근육손상 때 증가할 수 있다. 이 환자는 골절 때 근육손상이 동반한 것으로 추정된다. 외래진료 중에 '간수치 이상'으로 의뢰된 환자들이 있는데, AST만 증가된 경우가 있다. 문진을 해 보면 '헬스장에서 근력운동을 무리하게 하였다'는 경우가 있고, CK를 같이 시행해 보면 근육손상인지 확인할 수 있다.

증례 1-2

56세 여성. 내원 전날 회를 먹고 난 후 심한 epigastric pain 발생하여 동네의원 방문하여 시행한 혈액검사에서 이상 발견되어 급성간염 의심으로 ER로 전원되었다. 3년 전 유방암 수술(invasive ductal cancer)하여 유방외과 다니고 있었다. 3주 전 PET-CT에서 이상 없었고, 혈액검사에서 T-Bil 0.8, AST/ALT 36/43, ALP/GGT 349/35로 특이사항 없었다. 약물 복용력은 특이사항 없었다. 동네의원에서 시행한 혈액검사는 다음과 같다. 이 환자에서 의심해야 하는 상황은?

T-Bil/D-Bil 1.6/1.0, AST/ALT 959/917, ALP/GGT 933/520

급성간염은 보통 통증이 없거나 미미하다(A형간염에서 명치통증이 있기도 하지만 담석 또는 담관결석에 비할 바는 못된다). 응급실 내원할 정도의 심한 명치통증을 동반한 간수치 이상은 담도계 이상(담관결석)을 생각해야 한다. 검사결과는 **그림 1-1**과 같다.

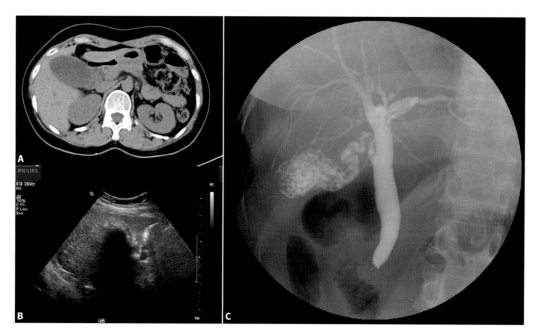

그림 1-1. GB distension & wall thickening 보이나 내부에 담석 여부는 알 수 없다(A). CT로 담석이 안보이는 경우가 많다. 담석을 확인하기 위해 초음파도 같이 시행하였는데, 담낭 내 acoustic shadow를 동반한 담석이 가득하였다(B). ERCP를 시행하였다(C). ERCP에서 GB 내 multiple filling defects (stones) 보이고, 담관에는 결석이 발견되지 않았다. 자연 배출된 것으로 생각되었다(passed CBD stone). 자연 배출된 경우는 통증이 빠르게 완화되고 간수치도 빠르게 호전된다. 간수치 호전 후 외과로 담낭수술(laparoscopic cholecystectomy) 의뢰하였다.

해설 심한 명치통증과 초음파 또는 CT에서의 GB distension or collapse 여부는 간염과 담도계 이상을 구분하는 데 중요하다. 이 환자는 담관결석에 의한 biliary obstruction으로 통증과 간수치 이상을 초래하였다.

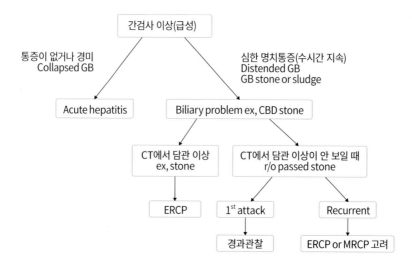

그림 1-2. 간수치 이상에서 approach(저자가 사용하는 방법)

증례 1-3

67세 남성. 심한 명치통증으로 내원하였다(그림 1-3).

T-bil 2.25, AST/ALT 50/209, ALP/GGT 334/398

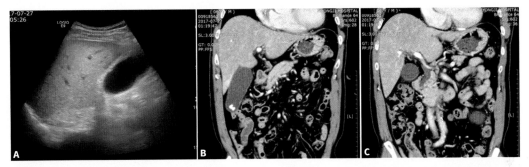

그림 1-3. 초음파에서 GB wall thickening 보인다. CT에서 담낭벽 비후는 뚜렷하지 않고 담석이 보인다. Mild CBD dilatation 있으나 stone은 보이지 않는다. Passed CBD stone으로 생각하였다.

	7/26	7/28	7/31	8/18
WBC	5.4	4.9	5.8	6.3
Hb	14.5	13.9	14.9	16
Plt	145	140	226	197
PT (%)	124	97	–	–
T-CHO	212	158	–	–
Alb	4.2	3.3	3.6	–
T-Bil	2.25	5.53	2.17	0.94
ALP	374	563	480	28
AST	50	71	48	33
ALT	209	152	84	36
GGT	398	540	406	164

해설 Passed CBD stone처럼 biliary obstruction이 해소되면 간수치는 빠르게 호전된다.

증례 1-4

70세 남성. DM, HTN 있으며 6개월간 2 kg의 체중감소가 있어 내분비내과 외래에서 시행한 혈액검사에서 이상이 발견되어 소화기내과 협진 의뢰되었다.

T-bil 0.99, Albumin 4, ALP/AST/ALT/GGT 1275/64/69/605, Glucose 181, HbA1c 8.1%

해설 ALP/GGT가 증가된 경우는 biliary obstruction, cholestasis, liver infiltration 3가지 가능성이 있다. Liver infiltration(cancer) 가능성을 항상 생각해야 한다. 암 진단을 놓치면 괴로운 상황에 직면하게 된다. CT를 시행하였다(그림 1-4).

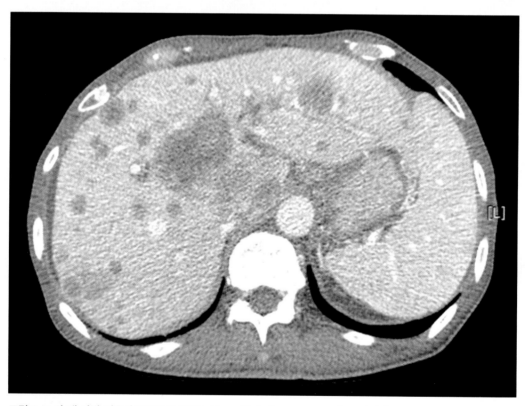

그림 1-4. 간 내 다발 저음영 종괴들이 보이는데, multiple liver metastasis 소견이다. ALP와 GGT가 증가된 환자들은 주의해야 한다.

증례 1-5

45세 여성. DM, HTN, CKD 있으며 Lt renal abscess로 Lt nephrectomy 시행 예정으로 간수치 이상을 보여 협진 의뢰되었다(3/15).

	2/28	3/15	3/20	3/22
WBC	8.1	–	–	14.3
Hb	7.4	–	–	10.6
Plt	149	–	–	110
PT (%)	83	–	–	79
T–CHO	–	–	–	–
Alb	–	–	–	–
T–Bil	0.2	–	–	–
ALP	268	1,057	699	284
AST	24	247	43	35
ALT	13	290	81	33
GGT	–	–	–	–

기록검토에서 tazolactam(3/8~), atorvastatin 20 mg 계속 사용되고 있었다. 환자에서는 tazolactam 때문으로 추정하였고, 간수치 호전 때까지 atorvastatin을 보류하였고 항생제 변경하였다. 간수치 호전되었다.

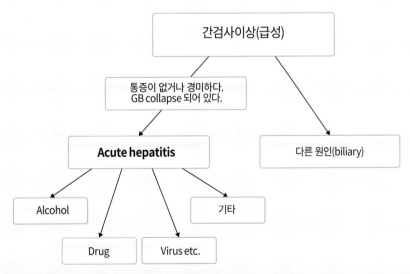

그림 1-5. 급성 간손상(acute hepatitis)의 대표적 원인은 약제이다. 임상에서 흔히 접하는 약인성 간손상의 대표적 prototypic agents은 다음과 같다: acetaminophen, isoniazid, valproate, phenytoin, chlorpromazine, amiodarone, erythromycin, oral contraceptive, anabolic steroid, bactrim, HMG-CoA reductase inhibitor (statin), TPN, methyldopa, halothane.

증례 1-6

흔한 협진의 예를 소개한다.

"뇌경색, 협심증 환자로 LFT 이상으로 의뢰드립니다."

→ 사용약제를 검토해 본다(그림 1-6).

그림 1-6. 처방 검토. HMG–CoA reductase inhibitor (statin)는 임상에서 약인성 간손상의 흔한 원인이다. Statin 사용 시 1–2%에서 발생하고, reversible AST/ALT elevation (> 3배), acute hepatitis-like histologic change, centrilobular necrosis and cholestasis를 보인다. 다수에서 치료 첫 주 AST/ALT가 약간 증가한다. 주의깊게 모니 터링하면 일시적 증가인지, 심하고 지속적인 이상인지 구분할 수 있다. 일시적 증가이면 약제사용을 지속하고, 심하고 지속적이면 중지한다.

증례 1-7

42세 남성. 4일간의 두통과 전신근육통으로 동네의원에서 시행한 간 혈액검사에 이상이 있어 응급실로 전원되었다. 4일 전 발열, 오한이 있었다고 하였다. HBV 보유자(20년)로 매년 동네의원에서 정기검진을 받아왔다고 하였다. 최근 과음을 자주 하였다고 하였다. 내원 시 혈액검사는 다음과 같다(2009.10.1.).

CBC: 1,720/15/107K, T-Bil/D-Bil: 2.4/1.1, AST/ALT 4830/3450
PT: 14.3 sec (72%), HBsAg (+)/sAb (−)/cAb (+), HBV DNA: not detected
anti-HAV (IgM): negative, anti-HAV (IgG): negative

CT는 간을 포함하여 특이사항 없었다. 환자의 혈액검사 경과는 다음과 같다(그림 1-7).

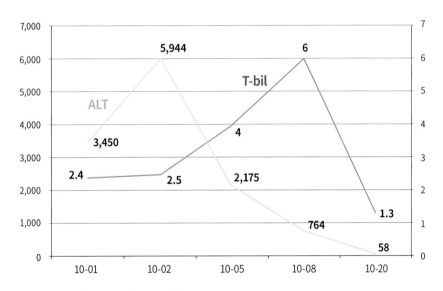

그림 1-7. 통상의 급성간염의 경과로 회복되었다.

혈액검사 및 증상이 빠르게 좋아지므로 환자 퇴원하기를 원하였다. 퇴원 전날 HAV 항체검사를 한 번 더 하고 퇴원, 외래에서 결과 확인하였는데 결과는 다음과 같다.

anti-HAV (IgM): positive   anti-HAV (IgG): positive

문제   왜 이런 결과가 나왔는가?
       A형간염이 의심되나 초기 검사에서 음성으로 나오는 경우는 재검이 필요할 수 있다.
(약 7%에서 초기 검사에서 음성으로 나올 수 있다)

16세 여성. 이비인후과로부터 다음과 같은 협진 의뢰를 받았다.
"편도염으로 입원치료 중인 환자로 시행한 혈액검사에서 간수치 상승소견보여 의뢰드립니다."

CBC 10.1K/11.6/140K, PT 93%, Albumin 3.9
T-Bil 0.35, ALP/AST/ALT 546/319/412

환자는 별다른 조치 없이 간수치 회복되었다. EBV anti-VCA IgM (+)으로 Infectious mononuleosis (감염성단핵구증)으로 진단되었다.

	3/18	3/20	3/22	3/28
WBC	10.1	–	–	–
Hb	11.6	–	–	–
Plt	140	145	158	270
PT (%)	93	–	–	–
T-CHO	94	–	–	–
Alb	3.9	–	–	–
T-Bil	0.35	0.31	0.24	0.39
ALP	546	551	454	354
AST	319	286	121	32
ALT	412	422	208	57
GGT	–	–	–	–

Infectious mononucleosis

주로 EBV 감염에 의한다. 어릴 때 감염되면 무증상으로 지나갈 수 있다. 선진국에서는 young adult(15-24세)에 주로 발생한다. 주로 타액을 통한 감염으로 kissing disease라는 별칭이 있다. 임파선을 주로 침범한다. 감염 후 4-7주의 잠복기를 거쳐 fever, sore throat, lymphadenopathy, splenomegaly와 같은 증상을 일으킨다. 2-4주에 대부분 자연 회복된다. < 1%에서 splenic rupture의 합병증이 생길 수 있다. 혈청학적으로 IgM 항체를 확인하여 진단한다. anti-VCA IgM은 감염직후 나타나 4-6주 후 소실된다. 저자는 학생 때 ① Generalized lymphadenopathy(특히 cervical lymphadenopathy), ② Splenomeglay, ③ Pharyngitis, ④ Skin rash, ⑤ LFT abnormality 'GS PS는 술을 많이 마시니까 간기능이 불량하다'고 앞 글자 따서 외웠는데, 아직 외우고 있다. 20세 전후에서 심한 인후통으로 내원하였는데 간수치가 증가되어 있으면 감염성단핵구증을 의심하고, 목에 림프절 만져지는지와 splenomegaly 만져지는지 진찰하며, anti-VCA IgM을 확인한다.

증례 1-9

44세 남성으로 이비인후과로부터 다음과 같은 협진 의뢰를 받았다.
"편도염 진단하에 입원하였는데 간수치 증가하여 의뢰드립니다(5/25)."

   CBC 10.3K/14.8K/189K, T-CHO 200, Albumin 4.1, T-bil 1.47
   ALP/AST/ALT/GGT 377/166/232/217, CRP 1.47
   anti-HAV IgM (−), HBsAg (−), Anti-HCV (−), EBV VCA IgM (−)

이 환자도 편도선염의 호전과 함께 간수치도 자연 호전되었다.

	5/24	5/31	6/14
WBC	10.3	–	–
Hb	14.8	–	–
Plt	189	–	–
PT (%)	105	–	109
T-CHO	200	–	–
T-Bil	1.47	–	–
Alb	4.1	–	–
ALP	377	382	208
AST	166	89	29
ALT	232	197	45
GGT	217	194	–
CRP	7.75	–	0.65

문제　　이 환자에서 간수치 증가의 원인은?

해설　　급성간염의 흔한 원인은 약제와 바이러스이다. 바이러스성일 때는 열과 몸살(근육통)
이 선행하는 경우가 많다. 바이러스성 간염은 크게 viral hepatitis와 non-hepatitis
viral infection으로 구분할 수 있다. Acute viral hepatitis의 대표적 원인은 A, B, C, E형 간염이
다. 다른 바이러스 또는 세균 등의 전신감염증일 때 간수치가 증가하는 경우도 흔하다. 이런 경우는
'systemic infection with liver involvement'라는 category로 취급한다(**그림 1-8**).

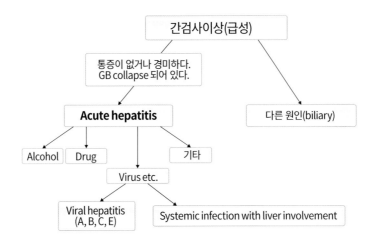

그림 1-8.

Systemic infection with liver involvement

① Bacterial infection; ex, sepsis
② Non-hepatitis viral infection; EBV, CMV, HSV1-2, VZV, HHV6,7,8,
          parvovirus B19, adenovirus (respiratory sx, GI sx)
* 기전 i) CD8+ T cells activation에 의한 immune mechanism
  ii) direct cytopathy
  iii) inflammatory cytokines
   sinusoidal and canalicular transporting system에 영향을 미치면 cholestasis를 일으키기
   도 한다.
③ Fungal infection
④ Parasite infestation; malaria, Schistosomiasis, liver flukes etc.

 해설   진료할 때 원인이 될 수 있는 parvovirus, adenovirus 등 모든 바이러스를 검사하지는 않는다. 대부분 자연 회복되고 수십만 원 이상하는 고가 검사를 할 이득이 없다.

증례 1-10

56세 여성. 정형외과로부터 다음과 같은 협진 의뢰를 받았다(2017.4.10).
"교통사고로 다발골절(pelvic bone fracture 포함) 및 delayed bowel perforation으로 수술 및 ICU care 후 상태 호전되어 일반병실에서 치료 중입니다. T-bilirubin 계속 증가되어 의뢰드립니다 (4/20)."

	3/30	4/3	4/7	4/13
WBC	8.5	–	–	–
Hb	10.6	–	7.9	10.3
Plt × 10³	138	–	–	–
PT (%)	80	90	–	98
T–CHO	119	–	–	–
Alb	2.9	2.9	3	3.2
T–bilirubin	1.9	7.9	7.35	5.1
ALP	184	394	438	599
AST	32	50	42	67
ALT	29	35	64	113
GGT	–	–	–	–

문제 이 환자에서 추가로 필요한 혈액검사는? D–bilirubin (indirect hyperbilirubinemia 인지 확인)

해설 이 환자는 급성간손상(acute hepatitis) 가운데 '기타' 카테고리이다. 외상 또는 수술 환자에서는 postop jaundice라는 범주로 접근한다(**그림 1–9**). 이 환자에서는 출혈로 인해 Hb down과 함께 indirect hyperbilirubinemia 소견이었다. Postop jaundice의 대표적 원인은 출혈이다. 출혈로 인해 heme이 많아지면 이는 빌리루빈 증가의 원인이 된다.

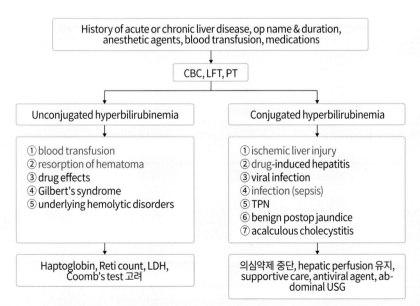

그림 1–9. Approach of postop jaundice. Direct or indirect hyperbilirubinemia를 구분하는 것이 원인 진단의 첫 순서이다.

증례 1-11

81세 남성으로 Cardiac arrest로 응급실에서 CPR 시행 후 심장내과로 입원하였다. 간수치 증가의 원인은?

CBC 23.7K/12.9/119K, PT 13%, Albumin 2.9, T-CHO 85
ALP/AST/ALT/GGT 419/9109/3221/70, BUN/Cre 43.4/3.5

해설 Massive hepatocellular injury 소견이다. Shock 후에 생기는 전형적인 ischemic liver injury이다. 환자는 심장내과에서 적절한 치료를 하면서 간수치들이 같이 호전되었다.

	3/8	3/11	3/14	3/17	3/24	4/28
WBC	23.7	9.1	9.6	–	–	–
Hb g/dL	12.9	14.4	13.9	–	–	–
Plt	119	111	98	–	–	–
PT (%)	13	22	45	–	–	–
T–CHO	85	–	–	–	–	–
Alb	2.9	2.6	2.6	2.7	3.1	3.3
T–Bil	3.08	3.3	4.19	3.55	2.08	0.71
ALP	419	390	442	554	636	–
AST	9,109	1,234	111	70	34	21
ALT	3,221	106	387	182	54	11
GGT	70	72	–	–	62	41
BUN	43.4	44.1	16.7	23.3	19.9	13.4
Cre	3.5	2.4	1.2	1.2	1.2	1.4

Ischemic liver injury (Ischemic hepatitis or shock liver)

ICU 환자의 1-2.5% 정도에서 발생한다고 알려져 있다. Shock으로 liver perfusion에 장애가 생긴 후 혈류 회복 시 oxygen free radicals에 의한 reperfusion injury이다. AST/ALT가 정상의 20배 이상 증가한다. 혈압 등 hemodynamic stability가 유지되면 대부분 자연 회복된다. AST/ALT는 7-10일 정도면 회복되고 빌리루빈은 좀 더 오래 지속된다. Ischemic liver injury는 대부분 자연 회복되나, 사망률은 25% 정도에 달할 정도로 예후가 불량하다. 예후는 underlying systemic disease의 중증도와 관련 있다. Cirrhosis 환자에서 ischemic liver injury가 발생하면 60-100% 정도의 사망률을 보일 정도로 매우 예후가 불량하다.

증례 1-12

16세 남성. 무증상으로 검진 혈액검사에서 ALP만 235로 증가되어 의뢰되었다.

문제 진단은?
정상입니다.

해설 청소년기에 골성장이 일어나므로 ALP는 정상적으로 증가된다. 정답은 normal adolescence이다. ALP isoenzyme을 해보면 확실히 알 수 있다(bone fraction인지, liver fraction인지). 간담도계일 때는 GGT도 같이 증가된다. 환자와 보호자에게 정상임을 설명해 준다.

증례 1-13

38세 남성으로 신경외과로부터 협진 의뢰되었다.
"5 m 높이에서 낙상한 환자로 craniotomy, T10 cord injury POD #12로 LFT abnormality로 의뢰 드립니다."

CBC 6.5K/11.6/440K, Albumin 2.4, 그 외 간수치 정상, CRP 8.3
감염증으로 cefobactam+minocin + fluconazole + vancomycin 사용 중이었다.

해설 알부민 저하를 간기능이상으로 생각하여 소화기내과(간)로 협진 의뢰가 많다. 이 환자는 간수치 정상이고 알부민만 저하되어 있다. Hypoalbuminemia에 대해 알아야 한다.

문제 이 환자에서 hypoalbuminemia의 원인은?

해설 이 환자는 전신감염 및 염증으로 알부민 저하가 발생한 것으로 보인다. 알부민은 serum-binding protein으로 중요한 역할을 하고 oncotic pressure를 유지한다. 간에서만 합성되고 반감기는 21일 정도이며 degradation rate은 하루 4% 정도이다. 전신 염증반응 때는 간 내 알부민 합성이 ~60% 감소한다. Hypoalbuminemia를 일으키는 원인으로는 ① 급만성 간질환, ② nephrotic syndrome, ③ malnutrition, ④ protein-losing enteropathy, ⑤ acute and chronic inflammatory responses 등이다. 감염증 관련 입원 환자들에서 알부민 저하는 흔하다.

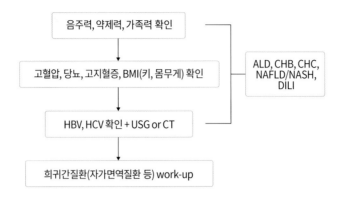

그림 1-10. 지속 간수치증가(만성)의 접근. 알코올, 약제, HBV, HCV, NAFLD를 배제하고 나면 autoimmune hepatitis, PBC와 같은 자가면역간질환을 고려한다.

요약

1. 심한 명치통증과 함께 ALP/GGT가 증가된다면 담관결석과 같은 담도계 이상을 의심한다.
2. AST만 증가한 경우 근육 손상을 의심한다. 이때 CK와 GGT를 참조하면 근육 손상과 알코올간질환을 구분할 수 있다.
3. ALP만 증가한 경우 뼈의 문제일 수 있다. ALP isoenzyme과 GGT를 확인하면 뼈인지 간담도계인지 구분할 수 있다.
4. ALP, GGT가 증가된 경우는 biliary disease, cholestasis, liver infiltration이 있다. Metastatic liver cancers에서 ALP, GGT가 증가됨을 기억해야 한다.
5. 급성간손상의 흔한 원인은 알코올, 약제, 바이러스 등이다.
6. 흔한 약인성 간손상으로는 항생제(β-lactam, macrolide 등)와 statin이 있다.
7. 임상적으로 A형간염인데 음성으로 나온 경우는 재검이 필요할 수 있다. A형간염 초기에 약 7%에서 음성으로 나올 수 있다.
8. 젊은이에서 심한 인후통과 간수치가 증가한 경우 infectious mononucleosis를 의심한다.
9. 열/근육통과 함께 간수치 증가인 경우 systemic infection with liver involvement를 생각한다.
10. Shock 발생 후에 massive hepatocellular injury는 ischemic liver injury이다.
11. 만성간질환의 흔한 원인은 바이러스(B형간염, C형간염), 알코올 및 비알코올지방간질환이다.
12. 만성간질환에서 상기 흔한 원인들이 배제되면 자가면역간질환을 고려한다.

02

바이러스간염: A형간염

1912년 황달을 동반한 전염병이 자주 발생하여 '감염성 간염'이란 용어가 사용된 기록이 있다. A형간염이란 용어는 1967년 Krugman 등이 처음 사용하였고, 1973년 환자의 대변에서 A형간염 바이러스가 처음 분리되었다. 급성 A형간염은 전 세계적인 감염으로 수질 위생이 개선되고 예방접종이 시행됨으로써 역학이 변하고 있다. 우리나라도 1970년대 중반 이후 급속한 경제발전에 따라 anti-HAV 보유율에 변화가 나타나기 시작하였는데, 1970년대 말 15세 이상 국내인구의 거의 100%가 anti-HAV를 보유할 정도로 당시 우리나라는 A형간염의 'endemic area'였다. 그러나 1998년 anti-HAV 보유율을 재조사하였을 때 청소년층의 미감염자가 급증하였다.

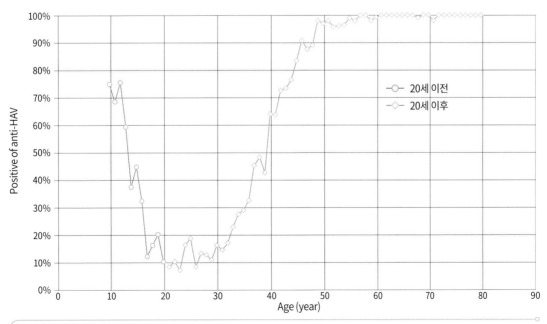

그림 2-1. 2015년 우리나라 A형간염 항체 양성률

20세 이전의 항체양성인 사람들은 예방접종을 통해 생성된 것이다.

1. Hepatitis A virus

HAV는 27 nm 길이의 단일가닥, 선형의 RNA 바이러스로 Picornaviridae family에 속하는 nterovirus이다. pH3의 강산, 바닷물, 마른대변, 60℃의 온도에서도 생존하지만 85℃에서는 1분만에 불활성화된다. 7가지 유전형(genotypes) 가운데 I, II, III, VII형은 사람에게, IV, V, VII 형은 원숭이에 존재한다. 그러나 혈청형(seroteype)은 한 가지만 존재하므로 한번 HAV에 감염된 환자는 세계 어느 지역에 가더라도 재감염되지 않는다. 처음 감염경로는 대변–경구 경로(fecal-oral route)이며, 사람과 사람의 접촉이나 오염된 음식 혹은 물을 섭취하면서 감염된다. 비록 드물지만 비경구적 경로, 예를 들어 수혈이나 혈액제제를 통해 감염된 예가 보고된 바 있다. 일단 섭취된 HAV는 위산에서 생존하여 소장점막을 통과한 후 간문맥을 통하여 간에 도달한다. 간세포 표면의 수용체에 부착하여 간세포 내로 들어오면 피각을 벗고(capsid uncoating), 숙주의 리보소체(ribosome)와 결합하여 무리리보소체(polysomes)를 형성한 다음 큰 당단백(large glycoprotein)으로 전사된다. 이 당단백은 P1, P2, P3의 세 부분으로 구성되는데, 이중 P2, P3가 바이러스 증식에 관여한다. 바이러스는 림프절, 비장, 신장 등에서도 발견되지만 증식은 오직 간에서만 이루어진다. 성숙한 바이러스는 간 굴모양혈관(hepatic sinusoid)을 통해 전신순환계로 나가거나 담세관(bile canaliculi)을 통해 소장을 통과하여 대변으로 배출된다(10^9 virions/g). 바이러스가 간손상을 일으키는 기전이 완전히 규명되지는 않았지만 직접 간세포를 손상시키는 것은 아니고, 면역학적 기전에 의해 간세포 손상을 일으키는 것으로 생각된다. HAV 감염은 만성화를 일으키지는 않지만, 드물게는 지속형 또는 재발형의 경과를 보일 수 있고 때로는 심한 담즙 정체를 보일 수 있다. 잠복기는 2–4주이고, 경미한 증상 후 자연 회복되는 것부터 전격성간염까지 다양한 임상 스펙트럼을 보일 수 있다. 나이와 증상은 비례하는데 6세 미만에서는 70%가 무증상인데 반해, 청소년과 성인에서는 70%가 황달을 동반한다. 전구증상으로 발열, 두통, 근육통, 설사, 구토, 복통 등이 있어 감기몸살로 치료하기도 하고, 장염 증상으로 치료하다가 황달이 생긴 후 진단되기도 한다. 증상은 수일에서 수주 동안 지속할 수 있고, 황달이 생긴 후부터는 점차 감소한다. 완전한 증상의 회복은 2개월 내에 60%, 6개월까지는 거의 모든 환자에서 회복된다. 전체적 예후는 건강인에서 우수한데, 드물게 전격성 간염과 같은 치명적 합병증이 생길 수도 있다. 급성 A형간염을 치료하기 위한 특정약물은 없다. 대증치료가 기본이며 감염을 예방하기 위해 면역글로불린을 사용할 수 있지만 우수한 백신이 나온 후부터 면역글로불린은 불필요하게 되었다. 그러나 2주 안에 A형간염 위험지역에 여행하거나 A형간염 환자와 접촉한 후에는 예방 목적으로 면역글로불린을 사용할 수 있다. 이때 2주 안에 사용해야 하고 0.02 mL/kg를 근주할 것을 권고하며, 85% 이상에서 예방할 수 있다. 2주 이후에 여행할 경우에는 백신접종을 하도록 한다.

전격간부전의 가장 많은 원인은 바이러스이다(40-60%).

급성바이러스간염 후 fulminant hepatitis 위험은,

- acute hepatitis A: 0.015-0.5%
- acute hepatitis B: 1%
- acute hepatitis C: 매우 드물다.
- acute hepatitis E: 0.5-4%(임신 때는 20%)

2. Hepatitis A vaccination

HAV 백신은 1995년 미국에서 처음 승인되었다. 우리나라에서는 2011년부터 소아대상 국가예
방접종에 포함되었다. 주로 발생하는 연령층은 20–40대인데 예방접종이 활발히 이루어지지 않
은 연령대이다. 예방접종 후 항체는 20년 이상 검출되며 면역력은 그 이상 지속한다.

표 2-1. A형간염 백신과 스케줄

Vaccine	Age (yr)	횟수	Dose (mL)	Schedule (mo)
Havrix (GSK)	1–18	2	0.5	0, 6–12
	≥ 19	2	1.0	0, 6–12
Vaqta (Merck)	1–18	2	0.5	0, 6–18
	≥ 19	2	1.0	0, 6–18
Avaxim (SanofiPasteur)	1–15	2	0.5	0, 6–36
	≥ 16	2	1.0	0, 6–36

Deltoid area에 근육주사(IM)한다.

03

바이러스간염: B형간염

1968년 Blumberg 박사가 Austraila Antigen을 발견하였다. 이것이 HBsAg이다. HBV 발견 공로로 노벨상을 수상하였다. 1980년대 1세대 백신(Hepavax)은 환자의 혈청에서 추출한 HBsAg으로 만든 것이다. 현재의 백신들은 Yeast에서 배양한 recombinant HBsAg으로 만든다.

1. Hepatitis B virus

DNA 바이러스이다. 4개의 유전자로 구성된다(S, P, C, X genes).

- S gene → HBsAg code한다.
- P gene → DNA polymerase
- C gene → HBcAg, HBeAg 2개의 nucleocapsid proteins을 code한다.
    HBeAg은 pre-C 영역에서 시작되고, HBcAg은 pre-C 뒷부분에서 시작된다.
- X gene → HBxAg, 잘 알려져 있지 않으나 p53과의 결합을 통하여 carcinogenesis에 관여하는 것으로 생각된다.

바이러스 표지자의 의미는 다음과 같다.

- HBsAg: B형간염 감염을 의미한다.
- anti-HBs: HBsAg에 대한 항체이다. 예방접종 또는 감염 후 형성된다.
- anti-HBc IgM: 급성 B형간염을 의미한다.
- anti-HBc IgG: 급성 감염 후 시간이 경과한 후에 형성된다.

- HBeAg: 바이러스 증식상태를 의미한다(highly infectious, viral replication).
- HBV DNA 정량검사: 바이러스 증식 정도를 정량적으로 측정한다.

표 3-1. 바이러스표지자의 일반적 해석

HBsAg	HBsAb	anti-HBc IgG	anti-HBc IgM	해석
+	–	+		chronic hepatitis B
+	–		+	acute hepatitis B
–	+	+		recovery from acute hepatitis B
–	–	+		**remote past infection**
–	+	–		vaccination
+	+	+		HBsAg subtype와 HBsAb subtype이 서로 다름(chronic hepatitis B)

2. B형간염의 자연경과

전파경로는 혈액 또는 체액(성관계 등 친밀한 접촉)을 통한 전파이다. 급성간염 후 HBsAg은 1–2개월 후 자연소실된다. HBsAg이 6개월 이상 지속되면 만성 B형간염이라고 한다. 만성화율은 감염된 시기와 관련 있다. 우리나라 B형간염 환자들의 대부분은 출산시 감염되는 수직감염(모자감염)이다. 이 경우는 > 90%에서 만성화된다. 성인에서 감염되면 대부분 자연 회복되고

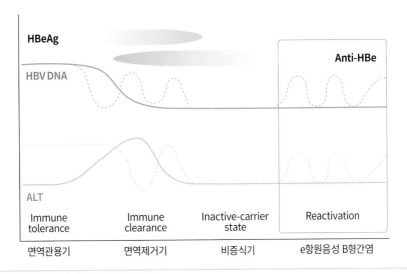

그림 3-1. B형간염의 자연경과

< 1%에서 만성간염이 된다. 수직감염이 되면 성인이 될 때까지 면역관용상태로 지내게 된다. HBV는 그 자체로 간손상을 일으키지 않고 간세포를 증식장소로만 이용한다. 우리 몸의 면역세포들(T cells)이 HBV를 인지하지 못하는 상태이다. 그러므로 HBV 증식상태나 간수치(ALT)는 정상이다. 이를 면역관용상태라 한다. 성인이 되어 면역체계가 성숙해져서 HBV를 제거해야 할 이물질로 인식하면 면역세포들이 바이러스를 공격한다. 바이러스가 제거되는 과정에서 간세포 손상이 일어난다. 이 과정이 10-20여 년 지속하는 과정에서 간은 심각한 손상을 입게 되고 간경변으로 진행하게 된다. 적극적으로 항바이러스치료를 해야 하는 시기이다. 바이러스가 모두 제거되면 비증식상태가 되고, 때로는 재활성화되기도 한다.

① 면역관용기(immune tolerant phase)
   HBV DNA (++), HBeAg (+), ALT 정상 → 경과관찰(정기검진)
② 면역제거기(immune clearance phase)
   HBV DNA (++), HBeAg (+), ALT 증가 → 항바이러스치료
③ 비증식기(non-replicative phase)
   HBV DNA (–) HBeAg (–), ALT 정상 → 경과관찰(정기검진)
④ 재활성화기(reactivation phase)
   HBV DNA (+), HBeAg–/HBeAb+ → 항바이러스 치료

HBV DNA량에 따라 증식기(replicative phase)와 비증식기(non-replicative phase)로 구분하기도 한다. 면역관용기/면역제거기/재활성화기는 모두 바이러스 증식상태(증식기)이다. HBeAg 상태에 따라 HBeAg 양성 만성B형간염 또는 HBeAg 음성 만성B형간염으로 구분하기도 한다.

① HBeAg (+) chronic hepatitis B
   HBeAg 양성인 경우는 반드시 바이러스 증식상태로 HBV DNA는 high viral load이다.
② HBeAg (-) chronic hepatitis B
   바이러스 증식 상태여부는 HBV DNA를 확인해야 알 수 있다.

HBV DNA가 검출되지 않으면(< 2,000 IU/mL) 비증식상태이고, 검출되면(≥ 2,000 IU/mL) 증식상태이다. HBeAg (–)인데 HBV DNA가 high viral load인 경우는 pre-core mutation 때문이다.

3. 우리나라 B형간염 예방접종의 역사

- 1981년: 백신 상용화
- 1988년: 학동기 대상으로 예방접종 시행
- 1991년: 신생아 대상으로 예방접종 시행(소아과학회 중심)
- 1995년: 신생아 대상으로 예방접종 시행(복지부)

전국민 필수 예방접종 시행(universal vaccination)으로 1980년대 성인 유병률 8%에서 현재 3%(20세 이전은 < 0.3%)이다(그림 3-2).

2014 국민건강통계
연령별 B형간염 바이러스 표면항원 양성률

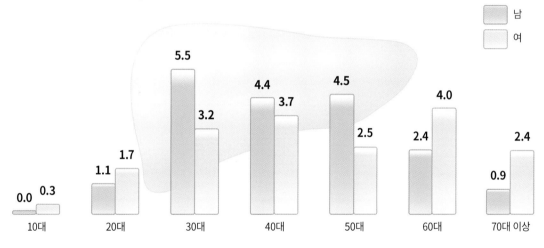

그림 3-2. 우리나라 B형간염 유병률

4. B형간염 수직감염(모자감염)의 예방: 면역글로불린 + 백신 (3회)

백신이 도입되기 전에는 B형간염 산모로부터 신생아로의 수직감염이 62.5–75%로 매우 높았다. 수직감염을 예방하기 위해 출산 후 면역글로불린을 투여하고 백신(3회)을 스케줄에 따라 접종한다. 그 결과 4.8%로 수직감염 위험이 감소하게 되었다. 이처럼 예방조치를 하더라도 완전한 예방은 되지 않는다. 수직감염 위험은 산모의 HBV viral load와 관련이 있다. 따라서 임신 3기 항바이러스제(tenofovir)를 사용하여 산모의 viral load를 줄이고, 출산 후 신생아 예방조치를 시행하면 수직감염을 거의 예방할 수 있다.

5. 항바이러스치료 목적과 약제

항바이러스치료를 통하여 바이러스를 완전히 억제하고 염증을 억제(바이러스 음전 + 간수치 정상 유지)하면, 간섬유화를 예방하고 손상된 조직이 호전된다. 그 결과, 간질환의 진행을 예방하고 간세포암 위험을 줄일 수 있다. HBV 자체는 oncovirus이다. 바이러스 억제 자체가 간암 예방에 중요하다. Peg-interferon도 치료제로 인정되나 임상에서는 대부분 경구제를 사용한다(그림 3-3). 대표 약제는 entecavir와 tenofovir이다. 비대상간경변에서는 인터페론 주사제는 금기이다.

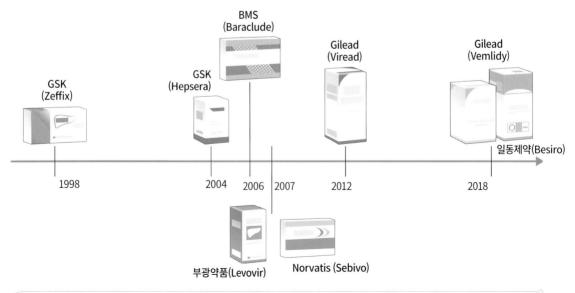

그림 3-3. B형간염 치료제

45세 남성으로 검사 결과는 다음과 같다. 치료가 필요한가?

HBsAg (+), HBeAg (+), HBeAb (−), HBV DNA: 2.7×10^5 IU/mL,
WBC 3,700/mm^3, Hb 11.8 g/dL, Platelet 68 K/mm^3
Bil 1.2/0.7 mg/dL, Albumin 3.2 g/dL, PT: normal
AST/ALT 24/25 IU/mL
USG: coarse echo with mild splenomegaly (cirrhotic change)
EGD: esophageal varix (+)

필요하다.

20세 남성으로 검사 결과는 다음과 같다. 치료가 필요한가?

HBsAg (+), HBeAg (+), HBeAb (−), HBV DNA > 1×10^8 IU/mL
CBC, Bilirubin, Albumin, PT: normal. AST/ALT 24/25 IU/mL
USG; unremarkable

경과 관찰한다.

6. Antiviral prophylaxis

비활동성(비증식상태)의 B형간염이 자연적으로 재활성화되기도 하지만 임상적으로 문제가 되는 것은 면역억제제 사용 또는 항암치료 중 HBV reactivation되는 경우이다. Inactive HBV carrier, recovery of hepatitis B, remote past infection과 같이 평소 문제가 되지 않는 환자가 장기이식 후 면역억제제 투여 또는 항암치료 중 HBV reactivation되면 매우 위험한 상황이 생길 수 있어 예방조치(antiviral prophylaxis)를 해야 한다. Lymphoma환자에서의 rituximab (anti–CD20 monoclonal antibody), high-dose steroid, anti–TNFα inhibitors (infliximab 등)는 고위험군으로 특히 주의가 필요하다.

표 3-2. Risk of HBV reactivation

Risk of reactivation	Immunosuppressive therapies
HBsAg-positive	
High risk (≥10%)	· B-cell depleting agents (rituximab, ofatumumab, natalizumab, alemtuzumab and ibritumomab) · High-dose corticosteroids (prednisone ≥ 20 mg/day, ≥ 4 weeks) · Anthracyclins (doxorubicin and epirubicin) · More potent TNF-α inhibitors (infliximab, adalimumab, certolizumab and golimumab) · Local therapy for HCC (transcatheter arterial chemoembolization)
Moderate risk (1-10%)	· Systemic chemotherapy · Moderate-dose corticosteroids (prednisone 10-20 mg/day, ≥4 weeks) · Less potent TNFα inhibitors (etanercept) · Cytokine-based therapies (abatacept, ustekinumab, mogamulizumab, natalizumab and vedolizumab) · Immunophilin inhibitors (cyclosporine) · Tyrosin-kinase inhibitors (imatinib and nilotinib) · Proteasome inhibitors (bortezomib) · Histone deacetylase inhibitors
Low risk (< 1%)	· Antimetabolites, azathioprine, 6-mercaptopurine, methotrexate · Low-dose corticosteroids (prednisone < 10 mg/day) · Intra-articular steroid injections (extreamly low risk)
HBsAg-negative/anti-HBc positive	
High risk (≥ 10%)	· B-cell depleting agents (rituximab, ofatumumab, natalizumab, alemtuzumab and ibritumomab)
Moderate risk (1-10%)	· High-dose corticosteroids (prednisone ≥ 20 mg/day, ≥ 4 weeks) · Anthracyclins (doxorubicin and epirubicin) · More potent TNF-α inhibitors (infliximab, adalimumab, certolizumab and golimumab) · Systemic chemotherapy · Cytokine-based therapies (abatacept, ustekinumab, mogamulizumab, natalizumab and vedolizumab) · Immunophilin inhibitors (cyclosporine) · Tyrosin-kinase inhibitors (imatinib and nilotinib) · Proteasome inhibitors (bortezomib) · Histone deacetylase inhibitors
Low risk (< 1%)	· Moderate-dose (prednisone 10-20 mg/day) & low-dose (prednisone < 10 mg/day) corticosteroids · Antimetabolite, azathioprine, 6-mercaptopurine, methotrexate

04

바이러스간염: C형간염

과거 'non-A, non-B hepatitis'로 불리던 시절이 있었다. 1989년 Choo와 Kuo의 두 그룹에서 C형간염 바이러스를 처음으로 분리하였다. HCV는 single-strand RNA virus이다. 이들은 C형간염 바이러스를 발견한 공로로 노벨상을 수상하였다. 바이러스의 구조는 C (core region, nucleocapsid region을 code), E1/E2 (envelope glycoprotein을 code), NS (nonstructural) regions으로 이루어진다. NS regions은 NS 2, 3, 4A/4B protease와 NS 5A/5B polymerase로 되어 있다. 유전자형은 6가지(1-6형)가 있는데 우리나라는 대부분 1b, 2a이다. 1992년 이전의 대부분의 감염은 수혈을 통한 감염이었고, 이후 수혈에 대한 anti-HCV screening으로 수혈을 통한 감염은 없어지게 되었다. 현재 흔한 감염원은 IV drug users, sexual contact이다. 소독되지 않은 기구를 사용한 문신, 침술 등의 신체시술도 감염원이 될 수 있다. 전 세계 1억 7천만 명이 감염되어 있고, 우리나라는 0.7%의 유병률을 보인다. 급성감염 후 만성화율은 85-90%로 매우 높다. 만성 C형간염이 되면 20년 동안 20% 정도에서 간경변증으로 진행한다. Anti-HCV는 neutralizing antibody가 아니다. Anti-HCV 양성은 과거감염 또는 현재 감염을 의미하고, HCV RNA 정량검사를 통하여 현재 감염 여부를 확인한다. HCV RNA 양성인 경우는 원칙적으로 모두 치료대상이다. C형간염 치료는 비약적으로 발전하여 현재는 약으로 대부분 완치되는 수준에 이르렀다. 과거 인터페론 또는 인터페론 + 리바비린, 이후 페그인터페론 + 리바비린을 사용하였는데, 완치율은 상대적으로 낮고 부작용은 심하였다. 최근 수년 동안 경구 항바이러스제(direct acting antivirals, DAAs)의 도입으로 > 95% 이상의 완치율(sustained virological response, SVR)을 보인다. DAAs 제제는 NS3A/4A protease inhibitor + NS5A or 5B polymerase inhibitor의 복합제제이다(그림 4-1).

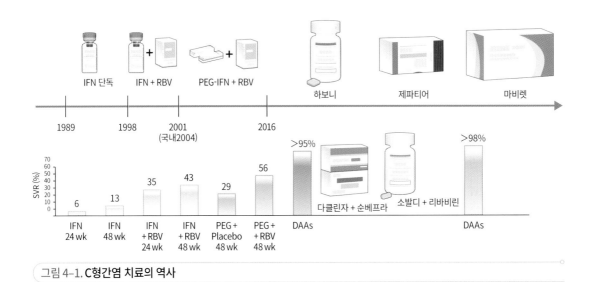

그림 4–1. **C형간염 치료의 역사**

2021년 현재 우리나라에서 사용되는 대표적 C형간염 치료제들

- Harvoni® (S + L, Sofosbuvir + Ledipasvir)
  2014년 FDA 승인. 모든 유전자형, 표준 치료(매일 1정씩 12주), 신장애에도 사용
- Zepatier® (G + E, Grazoprevir + Elbasvir)
  2016년 FDA 승인, 유전자 1,4형, 표준치료(매일 1정씩 12주), 신장애에도 사용
- Maviret® (G + P, Glecaprevir + Pibrentasvir)
  2017년 FDA 승인, 모든 유전자형, 표준치료(매일 3정씩 8주), 신장애에도 사용
  ① NS4A/4B protease inhibitors: Grazoprevir, Glecaprevir 등
  ② NS5A polymerase inhibitor: Ledipasvir, Pibrentasvir, Elbasvir 등
  ③ NS5B polymerase inhibitor: Sofosbuvir

05

알코올간질환
Alcoholic liver disease

3가지 카테고리가 있다; 알코올지방간(fatty liver), 알코올간염(alcoholic hepatitis), 알코올간경변(cirrhosis). 명확하게 구분된 진단명이 아니라 음주자에서 상기 카테고리들이 서로 combine되어 있는 수가 많다(그림 5-1).

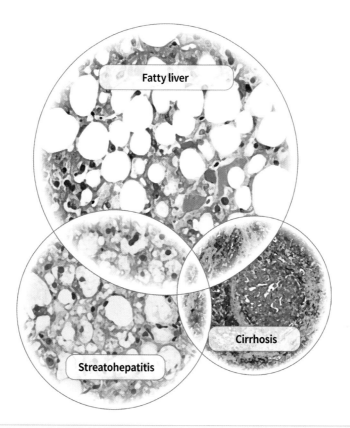

그림 5-1. Alcoholic liver disease. 진단이 clear-cut하게 구분되지 않고 overlap된 경우가 많다.

폭음뿐만 아니라 매일 음주하는 경우의 > 90%에서 지방간이 생긴다. Heavy drinker의 소수에서만 alcoholic hepatitis로 진행한다. Alcoholic hepatitis는 간경변 발생의 선행인자이다. 그러나 지방간처럼 금주 시 reversible하다. Biopsy-proven alcoholic hepatitis의 ~50%에서 cirrhosis가 동반되어 있다. Severe alcoholic hepatitis의 예후는 매우 불량하여 간경변이 동반된 알코올간염 환자의 4년 사망률은 60%이다. 알코올 자체가 direct hepatotoxin이지만 alcoholics의 10-20%에서만 알코올간염이 생기는데, 그 이유는 불분명하지만 drinking pattern, diet, obesity, gender 등 복잡한 상호작용이 관여할 것으로 생각된다. 알코올간질환 발생의 개인별 감수성을 예측할 수 있는 진단적 tool은 없다. 가장 중요한 위험인자는 음주한 양과 기간이다. 남성에서 하루 60-80 g 이상, 여성에서 하루 20 g 이상을 10-20년 이상 마시면 간경변으로 진행할 위험이 있다(5% 맥주 × 500 cc = 25 g, 20% 소주 360 cc = 72 g). 유전적 소인도 관여한다. 여성이 남성보다 취약하다. 비만과 고지방식이도 위험인자로 생각된다. HCV 환자에서의 음주는 알코올간질환 발생위험을 synergistic하게 증가시킨다. 커피는 간 보호효과가 있는 것으로 제시된다. 음주자는 술만 마시고 영양분 섭취를 잘 안하게 되고, 알코올 부산물이 영양분 흡수를 저해하여 malnutrition 상태가 흔하다. 그러나 malnutrition 자체가 알코올간질환 발생에서 주된 역할을 하지는 않는다. Alcoholic hepatitis의 임상스펙트럼은 넓다. 많은 환자들에서 무증상이고, 중증인 경우에는 fever, jaundice를 일으키고, 간경변이 없음에도 불구하고 문맥압 항진, 복수, 정맥류 출혈을 일으킬 수도 있다. 혈액검사를 하면 흔히 AST/ALT > 1, GGT와 triglyceride의 증가를 보인다. 알코올간염에서는 AST, ALT가 정상의 2-7배 증가한다. GGT는 알코올성뿐만 아니라 모든 지방간에서 증가하는 비특이적 항목이다. 초음파는 지방간 침착, 간 크기, 복수 여부를 확인하는 데 유용하다. Severe alcoholic hepatitis (MDF > 32, MELD ≥ 21)의 30일 단기사망률은 50% 이상으로 매우 불량하다. 복수, 정맥류출혈, 깊은 간성뇌증, hepatorenal syndrome의 발생 때는 dismal prognosis이다. 완전금주가 치료의 근간으로, 생존을 향상시키고 간조직을 개선한다. 영양 및 정신사회적 상태에 대한 관심도 필요하다. 알코올간염은 cytokine release와 관여하므로 glucocorticoids가 치료제로 연구되었다. MDF > 32 or MELD ≥ 21의 중증알코올간염에서 prednisone 40 mg/d or prednisolone 32 mg/d를 4주간 사용하고 이후 감량한다. Active GI bleeding, renal failure or pancreatitis는 스테로이드 금기이다. TNF-α가 관여하므로 TNF 억제를 통한 치료적 시도가 이루어졌다. Pentoxyfylline은 nonspecific TNF inhibitor로 hepatorenal syndrome을 감소시킴으로써 생존을 약간 개선하였다. Monoclonal TNF-α antibody는 감염과 신부전 위험을 증가시켜 사망을 초래할 수 있으므로 금기이다. 다른 말기간질환과 마찬가지로 말기 알코올간질환도 간이식이 필요하다.

알코올의 간손상 기전

폭음을 하면 gut permeability가 증가하고 장내세균이 증식한다. 장내세균에서 유래한 endotoxin (= lipopolysaccharide)은 간문맥을 타고 Kupffer cells의 TLR4 같은 수용체를 자극하여 TNF-α와 같은 염증성 사이토카인을 분비하여 염증반응을 촉발한다. 알코올 대사물질인 acetaldehyde도 간손상에 핵심적 역할을 한다(그림 5-2). 아세트알데히드는 간성상세포(hepatic stellate cells)를 활성화시켜 섬유화에 직접 관여하고 콜라겐 유전자 발현을 항진시키기도 한다. 손상된 간세포 및 쿠퍼세포로부터 생산된 ROS (reactive oxygen speces) 역시 HSCs를 자극하여 섬유화를 진행시킨다. 음주자는 CYP2E1 과잉 발현하여 에탄올에 의한 ROS 생산이 항진된다. 에탄올 대사과정에서 lactate가 생성된다. 간내 젖산의 축적은 HSC를 활성화시키고 섬유화를 진전시킨다.

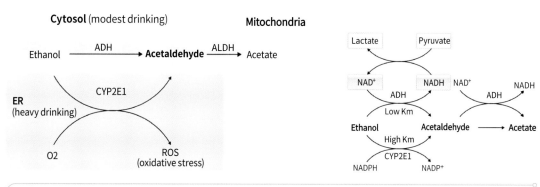

그림 5-2. Alcohol metabolism

증례 5-1

61세 남성으로 성형외과로부터 협진 의뢰를 받았다.
"Nasal bone fracture 환자로 preop consult 의뢰드립니다."

CBC 6.1/13.7/96K, PT 62%, T-CHO 115, Albumin 4.2
T-bil 1.1, ALP/AST/ALT/GGT 359/157/49/931

해설 AST와 GGT가 증가되는 대표적 원인은 알코올이다. 혈소판감소의 대표원인은 간경변이다. 그러므로 이 환자에서는 alcoholic cirrhosis가 의심된다. CT를 추가로 시행하였다(그림 5-3).

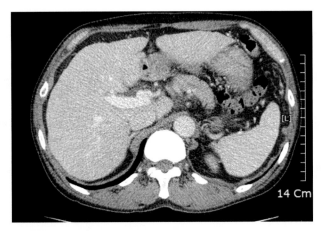

그림 5–3. **간위축과 surface nodularity를 보이는 간경변 소견이다.**

Acute alcohol intoxication 때 알코올의 골수억제로 일시적으로 thrombocytopenia가 생기기도 한다. 이때의 혈소판 수치는 금주하면 금방 회복된다.

환자는 금주하여 간수치 정상화되었다가 재음주하면서 다시 증가하였다.

	1/13	1/19	1/25	8/7
WBC	6.1	–	–	5.7
Hb	13.7	–	–	14.9
Plt	96	–	–	126
PT (%)	62	71	83	83
T–CHO	115	126	126	–
Alb	4.2	3.5	3.4	4.4
T–Bil	1.91	1.19	–	1.35
ALP	359	241	–	344
AST	157	47	44	166
ALT	49	29	34	56
GGT	931	–	–	569

문제 알코올 간질환에서 AST/ALT > 1인 이유는?

① pyridoxal 5'–phosphate (a cofactor for ALT enzymatic activity) deficiency
② 알코올은 AST가 풍부한 mitochondria을 손상시킨다.

알코올 관련 내과적 문제

Alcohol-related medical problems

1. 알코올케톤산혈증(Alcoholic ketoacidosis)

세포가 제기능을 하기 위해서는 당(glucose)과 인슐린(insulin)이 필요하다. 당은 음식을 통해 공급되고 인슐린은 췌장에서 분비된다. 음주를 하면 일시적으로 인슐린 분비가 저하될 수 있고 당 이용에 장애가 생길 수 있다. 인슐린 없이는 glucose metabolism이 일어나지 않고, 당을 에너지원으로 이용할 수 없으면 우리 몸에 저장된 지방을 연소시켜 에너지원으로 사용한다. 이 과정에서 부산물인 ketone body가 생성되고, 이것은 산성으로 축적되면 ketoacidosis가 된다. Ketoacidosis에는 세 가지 형태가 있는데, ① alcoholic ketoacidosis, ② diabetic ketoacidosis (in type 1 DM), ③ starvation ketoacidosis이다. AKA는 만성음주자에서 주로 발생한다. 장기간의 과음과 malnutrition 상태에서 발생한다. 당 이용에 제한이 생기면서 에너지원으로 지방산에 대한 의존도가 높아지고, 지방산 대사과정에서 ketone body (β-hydroxybutyrate)가 생기게 된다. 여기에 vomiting, dehydration 같은 스트레스가 더해지면 counterregulatory hormone인 glucagon, cortisol 등이 분비된다. 그 결과 더욱 free fatty acid와 ketone 생성이 증가하게 된다. 에탄올은 직접 lactic acid 생성도 증가시킨다. AKA 때 복통, 구역/구토, 식욕부진, 착란, 의식소실, 호흡곤란 등의 증상이 생길 수 있다. 치료는 탈수를 보충하기 위해 saline hydration하고, gluconeogenesis를 억제하기 위해 5% D/W IV한다. 그 외 전해질(특히 hypokalemia)을 교정하고, thiamine IV한다. 그 외 phosphorus, magnesium을 교정한다. 예후는 대체로 양호하나 ~10% 정도에서는 cardiac arrest가 발생한다.

High-anion gap metabolic acidosis가 생기는 경우

lactic acidosis, ketoacidosis, ingested toxins, acute & chronic renal failure.

* anion gap = (Na^+) − $[(HCO_3^-) + (Cl^-)]$ 정상치 12 ± 4 mEq/L

Gluconeogenesis(당신생)

저혈당을 방지하기 위한 당조절 기전들 중의 하나이다. 그 외 glycogenolysis 등이 있다.

단백질, lipid (TG) 등을 원료로 glucose를 합성하는 경로이다.

fatty acids → acetyl-coA → pyruvate → G-6-P → glucose
                                        ↑
                                   amino acids

증례 6-1

48세 여성으로 2년 전부터 매일 소주 페트병으로 마셨다고 한다. 최근 설사 지속하고 의식이 쳐져 보호자 신고로 119로 응급실 내원하였다. 응급실 내원과 동시에 intubation 시행하였다. ABGA와 혈액검사이다. CT 시행하였다(그림 6-1).

> pH 6.93, PO2 58 mmHg, PCO2 30 mmHg, Base excess −25 mmol/L (참고치 −2~3),
> Bicarbonate 4 mmol/L (참고치 21−29)
> T/D-bil 5.2/4.1 U/L, AST/ALT/GGT 149/29/992 U/L, Na/K/Cl 132/4.8/91
> BUN/Cre < 4/1.28, PT 63%, amylase/lipase 357/2183 U/L, Ethanol 314 mg/dL (< 100),
> urine ketone trace. Lactate 10.2 mmol/L (0.56−1.39)

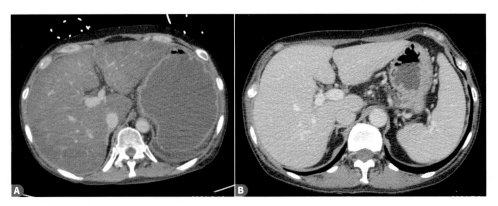

그림 6-1. 내원 당시 심한 간내 지방침착을 보인다. 이후 완전 금주하였고 4개월 후 follow-up CT에서 지방침착이 소실되고 정상 간 모양을 회복하였다.

Massive hydration (0.9% N/S), 5% D/W, sodium bicarbonate 등으로 ABGA를 호전시켰다. Extubation 시점에 aspiration pneumonia 생겨 항생제 치료하였다. 입원 25일째 퇴원하였다.

해설 Anion gap = 132 – 6 – 91 = 35이다. High anion gap metabolic acidosis로 lactic acidosis와 ketoacidosis가 대표적 원인이다. 환자는 임상적으로 alcoholic ketoacidosis와 lactic acidosis가 동반한 것으로 본다. 0.9% normal saline + D/W fluid hydration으로 치료하였다. 간내 지방침착과 위팽창이 심하다. L-tube insertion & natural drainage도 같이 시행하였다. AST/ALT > 2는 알코올 간질환 소견이고, CT와 종합하면 alcoholic fatty liver이다. 금주하면 호전될 가능성이 높다.

2. 알코올금단증후군(Alcohol withdrawal syndrome)

Heavy alcoholics가 갑자기 음주를 중단할 때 일어나는 증상들의 총칭이 alcohol withdrawal syndrome이고, 가장 심한 형태가 alcohol withdrawal DT (delirium tremens)이다. 정신과의 영역이기도 하고, seizure로 내원하는 경우에 신경과로 입원하기도 하고, 간기능이 불량하므로 소화기내과로 입원한 후에 금단증후군이 발생하는 경우도 많다. 알코올은 원래 CNS를 흥분시키는데, 알코올 의존상태에서는 adaptation되어 더이상 흥분되지 않고 억제상태가 된다. 음주를 중단하게 되면 억제상태에 있던 CNS가 갑자기 흥분상태가 되면서 금단증상이 나타나게 된다. NMDA (N-methyl-D-aspartate) receptor는 CNS에서 흥분을 관장한다. Glutamate는 NMDA receptor에 작용하는 excitatory amino acid이다. GABA (γ-aminobutyric acid)는 대표적 inhibitory neurotransmitter이다. GABA activation되면 신체는 sedation & relaxation 된다. 항경련제, 수면유도, 항불안, 근이완제들이 GABA receptor에 작용한다. Low blood ethanol concentration에서는 NMDA receptor를 자극하고 GABA receptor를 억제하여 행복감을 준다. 만성음주는 NMDA excitatory glutamate를 억제하고 NMDA receptor function을 저해한다. 또 GABA receptor를 지속 자극한다(CNS depression). 갑자기 금주하면 NMDA activity는 증가하고 GABA activity는 감소한다(CNS excitation). 그 결과 alcohol withdrawal seizure 등의 금단증상들이 발생하게 된다. 신경계흥분(떨림, 불안, 의식혼미, 불면, 악몽, 두통, 식은땀), 심장 자율신경계 항진(고혈압, 맥박 증가), 소화기계 증상(구역, 구토) 등이 나타난다. 가장 심한 형태는 DT (confusion, agitation, fever, seizure)이다. 마지막 음주 후 6시간~수일에 걸쳐 나타날 수 있는데 주로 1-3일 사이에 발생한다. 진단은 임상적(hand tremor, fast HR and high BP, fever 등)으로 한다. 치료하지 않고 두었을 때 사망률이 5-15%에 이른다. 적절한 치료를 하면 < 1% 이하다.

치료와 예후

1) Underlying medical condition이 악화요인이므로 기저 상태를 체크하고 교정한다.
- 간기능, 위장관 출혈 여부, 부정맥, 감염에 대하여 확인한다.
- glucose, electrolyte imbalance 확인하고 교정한다.
- multi B vitamins (thiamine 100 mg qd daily 포함)

2) Short - acting benzodiazepine (lorazepam = Ativan®)을 사용한다.
- GABA 수용체에 작용하여 ethanol과 유사한 억제효과를 보인다.

3) Long–acting benzodiazepine (chlordiazepoxide 25 - 50 mg = Librium® or Liberty®
- 10 mg/T tid PO or Diazepam 10 mg tid or qid PO 첫날 사용 후 ~5일에 걸쳐 tapering.

* 참고문헌: 알코올 금단 증후군과 알코올 금단 발작의 관리. J Korean Neurol Assoc 2017;35:121–8 등.

43세 남성으로 3개월 전 실직한 이후로 매일 소주 3병씩 마셨다. 2주 전부터 식사를 못하게 되었다. 3일 전 밤 10시경 소주 2병을 마신 이후로 술마실 기력이 없어 술을 못 마시게 되었다. 2일 전부터는 몸을 전혀 가누지 못하여 응급실 통해 입원하였다. 내원 당시 머리가 묵직하고 떨림이 있었다. 응급실에서 Brain CT (pre), Liver CT 촬영하고, 간기능 이상으로 저녁에 소화기내과로 입원하였다(그림 6-2). Hydration and DT prophylaxis 시행하였다.

CBC 6/13.4/78K, T-bil 2.84 mg/dL, AST/ALT/GGT 327/174/2,800 IU/mL, Na/K 132/3.7, BUN/Cre 9.8/0.84

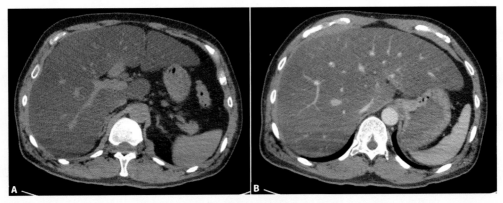

그림 6-2. 조영 전(A)과 조영 후(B) CT이다. Severe fatty infiltration with hepatomegaly 소견이다. 조영제 투여 전(A)임에도 불구하고, 간내 지방침착이 심하여 간문맥 혈관들이 선명히 구분된다. 이처럼 Non-contrast CT에서 혈관이 뚜렷이 보일 때는 중등도 이상의 심한 지방간을 의미한다.

입원 당일 밤 10시 BP 154/93 mmHg check되었다. 0:45AM SBP 170 mmHg, HR 180/min BT 38.6, RR 40회 check되었다. Ativan과 diazepam 반복 투여하였다. 2AM BP check되지 않으면서 arrest 발생하여 intubation & CPR 시행하였다. 이후 ROSC되어 ICU transfer하고 ventilator care하였다. Metabolic acidosis 심하고 sodium bicarbonate로 교정이 되지 않았다. Norepinephrine 사용에도 수축기 혈압은 50–60 mmHg 겨우 유지되고, 소변량 급격히 줄고, 신체 점막 각 부위의 출혈이 생겼다. Multi-organ failure로 급격히 진행하여 다음날 오전 사망하였다.

07

비알코올지방간질환
NAFLD

지방간은 간에 지방이 5% 이상 침착한 상태이다. 간세포 내에 중성지방(trlglyceride)이 축적된 것을 말한다. 음주를 거의 하지 않는 사람(여성 1잔 10 g/일, 남성 2잔 20 g/일) 이하)에서 지방간이 생기는 것을 비알코올지방간질환(nonalcoholic fatty liver disease, NAFLD)이라고 한다. 대부분 비만(overweight/obesity)과 insulin resistance에 의한다. 미국을 포함한 전 세계에서 가장 흔한 만성간질환으로 미국에서 25% 이상(우리나라 약 30%)에서 NAFLD를 가지고 있다. 인종과 관련 있는데 Hispanic American(~50%)에서 African American(~25%) 보다 월등히 많다. 이는 유전과 관련 있다는 의미로 PNPLA3가 대표적 지방간 관련 유전자이다. NAFLD는 경미한 simple steatosis (nonalcoholic fatty liver, NAFL)부터 중증인 NASH, cirrhosis와 primary liver cancer까지 다양한 스펙트럼을 보인다. Simple steatosis의 cirrhosis risk는 매우 낮다. 그러나 일단 NASH에서는 cirrhosis로 진행할 수 있고, 일단 NASH-cirrhosis가 되면 annual HCC risk는 1%이다.

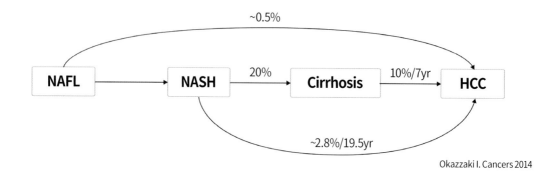

Okazzaki I. Cancers 2014

그림 7-1. 비알코올지방간질환의 임상경과

중성지방 자체는 독성이 없다(not hepatotoxic). Precursors (fatty acids, diacylglycerol) 또는 metabolic by-products (ROS)가 lipotoxicity를 일으킨다. 음주를 거의 하지 않는데 ALT가 증가된 환자에서 바이러스, 자가면역간질환, Fe or Cu overload, 약제 등이 배제되면 임상적으로 의심한다. 초음파는 민감도는 높으나 특이도가 낮다. CT나 MRI가 도움이 되기도 한다. 확진과 NASH staging의 gold standard는 liver biopsy이다. 그러나 통증이 있고 드물지만 심각한 합병증(출혈)이 생길 수 있는 침습적 검사이며, sampling error 및 반복 시행이 어려운 단점이 있다. Keratins 8 and 18 (K 8/18)은 programmed cell death (apoptosis) 동안 쪼개져 나오는 epithelial cytoskeletal proteins로, K8/18 증가는 NASH와 simple steatosis or normal liver를 구분하는데 있어 AST/ALT 보다 신뢰할 만하다. 또한 liver fibrosis 정도와 비례하고, 높은 경우 worse scarring(예: advanced fibrosis or cirrhosis)의 가능성이 있다. 이처럼 희망적인 surrogate marker지만 아직 임상에서 표준검사로는 사용되지 않고 있다. 대신 liver stiffness를 측정하는 FibroScan®이 FDA 승인되어 NAFLD 환자에서 fibrosis progression or regression을 monitoring 하는데 유용하게 사용될 수 있다. 우리나라 많은 병원에서 사용되고 있다(그림 7-2). 비알코올지방간은 비만 및 대사증후군과 동반한 경우가 많으므로 BMI, insulin

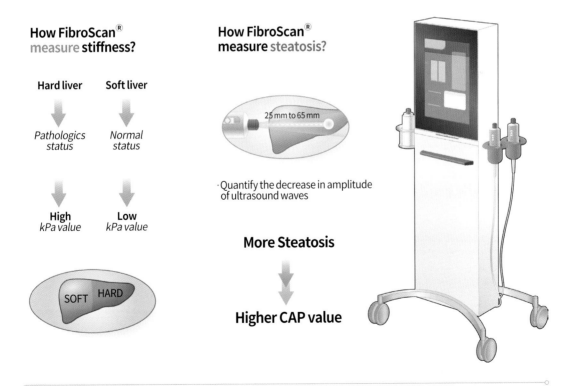

그림 7-2. Fibroscan®

섬유화(fibrosis)와 지방증 정도를 측정할 수 있다. 섬유화 정도는 kPa 단위로, 지방증 정도는 CAP (controlled attenuation parameter, dB/m)로 표시된다.

resistance/type 2 DM metabolic syndrome (hypertension, dyslipidemia, hyperuricemia/gout, cardiovascular disease)을 확인한다. 치료는 간 자체의 치료, comorbidities 치료, 합병증 치료로 나눈다. 아직 FDA 승인받은 약물은 없다. 증명된 치료는 식이조절과 운동을 통한 체중감량이다. Steatosis 호전에는 3–5% 이상, steatohepatitis 호전을 위해서는 ~10%의 체중감량이 필요하다. 비만치료제는 실험적이고 인정받은 것은 없다. 당뇨 치료제인 metformin은 insulin 저항성 개선효과가 있어 당뇨가 동반한 지방간에서 1차 치료제로 사용한다. Thiazolidinediones (pioglitazone, rosiglitazone)은 인슐린 저항성 개선효과와 조직개선 효과도 보고되나 weight gain이 생기고 심혈관계 위험성으로 안전성 문제가 있다. Antioxidant (vit E)도 NASH 개선효과가 보고되었으나 cardiovascular mortality risk를 증가시키는 보고가 있어 매우 주의가 필요하다. UDCA는 조직 개선효과가 증명되지 않았다. Statin은 dysplipidemia 치료제로 cardiovascular risk 감소 효과가 증명되었다. 그러므로 dyslipidemia를 동반한 NAFLD 환자에서 사용하고, dyslipidemia 없는 NASH 환자에서의 치료로는 아직 인정되지 않는다. 비만의 수술적 치료로 bariatric surgery가 시행될 수 있고, 말기간질환에서는 간이식을 고려한다.

08

약인성 간손상
Drug-induced liver injury

약인성 간손상은 급성간손상의 대표적 원인이다. 대부분의 약물은 대사되어 renal or biliary excretion된다. 약물대사과정은 phase I reaction (cytochromc P450) → phase II reaction (conjugation) → phase III reaction (efflux)으로 이루어진다. 이 과정에서 reactive metabolites가 생성되고, 이것이 nonimmune or immune reaction을 일으키면서 cell necrosis/apoptosis를 일으킨다. 약인성 간손상은 크게 두 가지, direct toxic type(대사물질에 의한 간손상)과 idiosyncratic type(면역반응에 의한 간손상)으로 나뉜다. 특징을 간단히 요약하면,

	Direct toxic type	Idiosyncratic type
용량의존적	O	X
빈도	드물지 않다	드물다 (1/1,000-100,000)
예측	가능	불가능
Latent period	short (several hours)	언제든(통상 노출 직후)
기타	간에서 metabolites로 전환	extrahepatic manifestation of hypersensitivity (1/4)

Prototypic agents는 다음과 같다: acetaminophen, INH, valproate, phenytoin, methyldopa, chlorpromazine, amiodarone, erythromycin, oral contraceptive, anabolic steroid, bactrim, HMG-coA reductase inhibitor, TPN.

진단의 특이검사나 기준이 없다. 진단의 gold standard인 약물 재투여는 윤리적으로 허용되지 않는다. 약물 복용력을 바탕으로 인과관계를 규명하려는 노력을 해야 하고, 다른 원인(viral, alcoholic, autoimmune, metabolic)을 배제해야 한다. Acetaminophen toxicity를 제외하고는 대부분 보존치료를 한다. 의심되는 약제를 중지하는 것만으로 호전된다. Fulminant hepatitis에서는 liver transplantation을 고려한다. Allergic feature를 보이는 경우는 glucocorticoids를 사용할 수 있다. 버섯중독에서는 silibinin을 사용한다. 담즙정체형간염에서 UDCA는

효과가 없으므로 권고되지 않는다. 간독성이 알려진 약제(ketoconazole, 항암제, INH, MTX 등)에 대해서는 간기능검사를 하면서 투약한다. 해독제는 acetaminophen intoxication에서 N–acetylcysteine이 유일하다.

09

자가면역간질환
Autoimmune liver diseases

1. 자가면역간염(Autoimmune hepatitis)

지속적 간세포 괴사와 염증, 섬유화로 간경변과 간부전으로 진행하는 만성간질환이다. 여성에서 흔하다. 중증 자가면역간염은 치료하지 않으면 6개월 사망률이 40%에 달한다. 보통의 자가면역간염은 치료하면 10년 생존율 80–98%로 양호하고, 치료하지 않으면 67%이다. 'idio-pathic' or 'cryptogenic' chronic hepatitis의 대부분이 autoimmune hepatitis일 가능성이 많다. 바이러스, 유전/대사성질환(NAFLD 포함), 간독성약물을 배제하고 나면 거의 자가면역간염이다. 자가면역간염의 임상 발현양상은 다양한데 >50%는 서서히 발병하여 만성간질환의 임상소견을 보이고, 30%는 이미 간경변증 상태에서 발견된다. 30–40%는 급성간염으로 발현하여 바이러스간염과 혼동된다. 10–20%는 증상 없이 건강검진/내분비질환/류마티스질환/피부과 진료 중에 혈액검사로 우연히 진단된다. Cellular immune mechanism이 병인에 중요한 역할을 한다. CD4+T lymphocytes가 간세포 막단백을 감작하여 간세포를 파괴한다. 혈액검사는 IgG가 흔히 증가한다(>2.5 g/dL). AST/ALT가 100–1,000 U/L정도로 증가한다. ALP는 정상이거나 중등도로 증가한다. 매우 증가한 경우는 PBC와 overlap 되었을 가능성이 있다. 관련된 자가항체 또는 면역표지자로는 ANA, anti-smooth muscle Ab (70–80%), anti–LKM1 (3–4%), p–ANCA (60–90%), HLA DR3 or DR4이고 rheumatic factor 양성도 흔하다. ANA는 주로 homogenous pattern으로 양상에 따른 임상 차이는 없다. SMA는 desmin, vimentin, tubulin 및 F–factin에 대한 항체이다. Anti–LKM1은 3–6%에서 양성을 보이는데, cytochrome isoenzyme P450 2D6와 반응한다. Chronic hepatitis C 환자의 6%에도 양성을 보이는데, 이 경우를 제외하면 AIH에 매우 특이적이다. 조직소견으로 interface hepatitis(계면간염)과 plasma cells infiltration 소견을 보인다. 자가항체에 따라 3 types으로 분류하기도 한다.

1) Type I AIH

젊은 여성에 많고, ANA/SMA 양성, HLA–DR3 & DR4, pANCA 양성, IgG↑

2) Type II AIH

어린이에 흔하고 HLA–DRB1 & DQB1 관련되고, ANA와 관련이 없고 anti–LKM과 관련 있다.

3) Type III

ANA, anti–LKM1 음성이고, anti–soluble liver antigen 양성이다. 대부분 여성으로 type I AIH와 임상양상이 비슷하거나 중하다.

진단은 지속적 간수치 증가 환자에서 ① 자가항체(IgG↑ 포함), ② 합당한 조직학적 소견(inter-face hepatitis, plasma cells), ③ 다른 원인의 배제(바이러스, 알코올, 약제, 유전/대사질환), ④ steroid 반응으로 이루어진다. 치료의 근간은 glucocorticoids이다. Azathioprine과 병용하면 스테로이드 용량과 부작용을 줄일 수 있다. 일반적인 치료 스케줄은 다음과 같다.

	Prednisone 단독	Pd+AZA
1주	60 mg/d	30 mg + 50 mg/d
2주	40 mg/d	20 mg + 50 mg/d
3-4주	30 mg/d	15 mg + 50 mg/d
5주~	20 mg/d	10 mg + 50 mg/d

2. 원발담관염(Primary biliary cholangitis)

수십 년간 primary biliary cirrhosis(원발담즙성간경변증)란 용어를 사용해 왔으나 용어의 부적절성이 꾸준히 제기되어 결국 명칭이 변경되었다. 간조직검사에서 대부분 간경변이 발견되지 않음에도 불구하고 간경변이란 표현으로 진료현장에서 환자들과의 소통에 큰 문제가 있어 왔다. 결국 PBC에서 'C'가 cirrhosis에서 cholangitis로 변경되었다. PBC는 small bile ducts inflammation을 일으키는 자가면역간질환으로, 서서히 작은 담관을 파괴시켜 cholestasis, fibrosis, 결국 cirrhosis에 이르게 한다. 담즙정체를 일으키므로 가려움증이 주된 증상이고, 진행되면 황달을 일으킨다. 중년(35–60세) 여성에 흔하다(남:여 = 1:9). 90% 이상에서 anti–mitochondrial Ab (AMA) 양성이다. AMA 음성인 환자도 민감도 높은 검사로 하면 양성으로 나올 수 있다. AMA는 mitochondria 내에 있는 pyruvate dehydrogenase complex (PDC–E2)에 대한 항체이다. 다른 자가면역질환과 동반될 수 있다. 혈액검사에서는 담즙정체 소견(ALP, GGT, cholesterol 증가)을 보인다. 진행하면 빌리루빈이 증가한다. 초음파, CT, MRCP 등은 다른 질환을 배제하기 위해 시행한다. 간조직검사에서는 bile duct inflammation, periductal granuloma를 보이고, 진행하면 fibrosis 소견을 보인다. 1차 치료제는 UDCA로 13–15 mg/kg를 사용한다. 90% 정도가 효과가 있고 평생 치료한다. UDCA에 듣지 않거나(non–responder) 사용할 수 없는 경우에는 2차 치료제인 obeticholic acid (OCA)를 사용한다. OCA는 farnesoid X receptor agonist로 bile flow를 개선한다. 5 mg/d에서 반응이 불충분할 때 10 mg/d로 증량한다. 원발담관염의 주된 증상이 담즙정체에 의한 가려움이다. 가려움을 치료하기 위해 cholestyramine 같은 bile acid–binding resin을 사용할 수 있다. 그 외 rifampin, naltrexone 등을 사용해 볼 수 있다. Cholestasis로 인한 fat-soluble vitamins (A, D, E, K) 결핍이 생기므로 보충해 주어야 한다. Vit D deficiency에 의한 골다공증 위험이 있어 골밀도검사(BMD)를 시행하고, 칼슘과 vit D를 보충하며, 필요 시 골다공증 치료를 한다. 다른 말기간질환과 마찬가지로, 말기간경변에서는 간이식이 필요하다. 전체적으로 예후는 excellent하다. 간세포암 발생은 드물다.

증례 9-1

57세 남성. 지속적 간수치 이상으로 의뢰되었다.

BMI 24.4(키 167 cm, 체중 68 kg), CBC 6,500/15.4/351, T-Bil/D-Bil: 1.0/0.3, AST/ALT 143/327, HBsAg -/sAb +/cAb +, anti-HCV -

 문제 다음으로 시행해야 할 검사는?

자가항체 및 면역글로불린(ANA, anti-Smooth muscle Ab, anti-LKM, IgG 등)

검사결과는 다음과 같다.

- ANA: homogenous positive > 1:1280
- IgG: 2703 mg/dL (700-1600), IgA: 459 (70-400)
- IgM: 60 (40-23)

자가면역간염 가능성이 높고, 조직검사를 시행하였다(그림 9-1). 자가면역간염에 합당한 소견으로 스테로이드와 azathioprine 치료하였다.

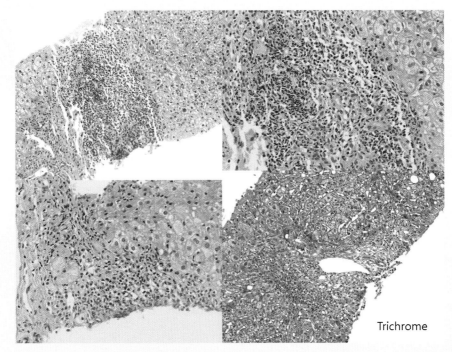

Trichrome

그림 9-1. Interface hepatitis와 lymphoplasmacytic infiltration 소견이다. Interface hepatitis(계면간염)은 과거 piecemeal necrosis로 불렸는데, portal tract 주변의 necroinflammation을 말한다.

증례 9-2

59세 여성. 지속 간수치 이상으로 의뢰되었다. 2004년부터 간수치 이상(100 전후되었다 함)이 있어 추적하였으나 지속되어 의뢰되었다(2007.5).

WBC 4,250/mm^3, Hemoglobin 13 g/dL, Platelet 152K

T-bil/D-bil 1.0/0.3, AST/ALT 76/75 U/L, ALP/GGT 358/181, HBsAg/HBsAb/HBcAb (IgG) -/-/-, anti-HCV -

ANA Di-speckled (1:640), IgG 1,509 mg/dL(참고치 700-1,600)

IgM 44 mg/dL(참고치 40-230), anti-mitochondrial antibody 음성

조직검사결과 PBC 소견이었다(그림 9-2). UDCA로 치료하였다: 1,200 mg #3 → 800 mg #2로 감량 후 유지(9개월째) → 1년째 이후 간수치 정상 유지.

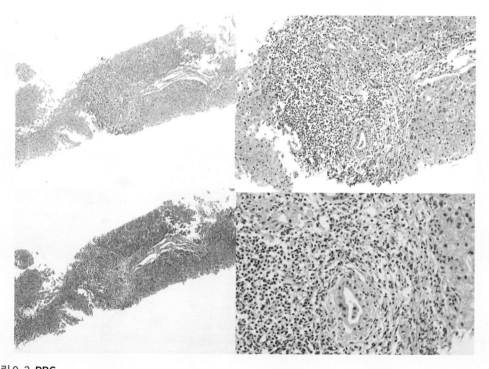

그림 9-2. PBC

10

간경변증
Cirrhosis

1. 간경변증의 정의

간경변증은 간섬유화의 진행으로 재생결절(regenerative nodules)이 생기는 조직병리 상태를
말한다. 다양한 임상 발현과 합병증을 보이고 때로는 생명을 위협하기도 한다. 과거에는 간경변
증이 비가역적이라고 생각하였으나, 현재는 기저 원인이 제거된 경우에 간섬유화의 호전되는
것이 관찰됨으로 가역적일 수 있다고 생각하고 있다. 대표적으로 바이러스 간염에서 항바이러
스 치료 후, 알코올간질환에서 금주 후에 섬유화가 호전되는 것을 관찰할 수 있다.

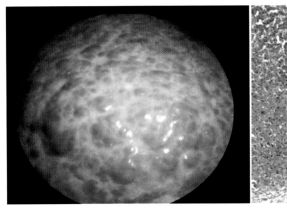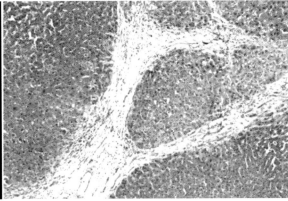

그림 10-1. 간경변증의 복강경 및 조직소견

2. 우리나라 간경변증의 원인

만성 바이러스간염(B형간염, C형간염), 알코올간질환이 대부분이다. 그 외 과거 원인불명 간경변(cryptogenic cirrhosis)으로 분류하였던 경우는 비알코올지방간염(NASH-cirrhosis)이 대부분이고, 자가면역간질환이 원인인 경우도 있다.

3. 간경변증의 병태생리

간손상을 염증의 정도(grade)와 섬유화의 정도(stage)로 평가한다. 간경변증은 섬유화 4단계(fibrosis stage 4)로 정의된다. 그러므로 간경변증의 병태생리를 이해하기 위해서는 섬유화 과정을 이해하여야 한다. 정상 간조직의 space of Disse에는 간성상세포(hepatic stellate cell, HSC)가 비활성화 상태로 존재하는데(quiescent state), 외부자극을 받으면 활성화(activated HSC)되어 세포외기질(extracellular matrix, ECM)을 분비하여 섬유화가 일어난다. 간경변증에서도 안정되고 합병증이 없는 상태부터 합병증이 심한 상태까지 다양한 임상양상을 보일 수 있는데, 임상의들은 간경변증이 안정화되어 있고 비교적 정상적인 간기능을 수행하는 상태를 대상간경변(compensated cirrhosis)이라 하고, 복수, 황달, 간성혼수 또는 반복적 정맥류 출혈을 보이는 상태를 비대상간경변(decompensated cirrhosis)이라고 구분한다. 비대상간경변은 일반적으로 간이식을 고려하여야 하고, 합병증에 대해서는 개별적으로 치료하여야 한다.

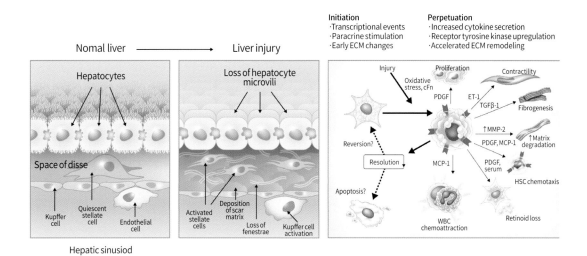

그림 10-2. 간섬유화에서 간성상세포의 역할

4. 문맥고혈압

정상 문맥압은 5-10 mmHg이고, 압력이 10 mmHg 초과할 때를 문맥고혈압으로 정의한다. 실제로 문맥을 직접 천자하여 압력을 재는 것이 어렵고 위험하므로 간접적으로 HVPG를 측정하는데 5 mmHg 초과될 때(정상 ≤ 5 mmHg)를 문맥고혈압으로 정의한다.

HVPG (hepatic venous pressure gradient)
= wedged hepatic venous pressure - free hepatic venous pressure

문맥고혈압은 원인에 따라 prehepatic, intrahepatic, and posthepatic으로 분류할 수 있다. 문맥혈전증(portal vein thrombosis)이 prehepatic의 대표적 예이고, Budd–Chiari syndrome은 posthepatic의 대표적 예이다. Intrahepatic은 다시 presinusoidal, sinusoidal, postsinusoidal로 구분할 수 있는데, 간경변은 sinusoidal portal hypertension의 대표적 원인이다. 문맥압은 간 내 혈관저항과 문맥으로 유입되는 혈류의 상호작용의 결과로 나타난다. 간경변에서는 간 내 혈관저항이 증가하는데, 재생결절에 의한 해부학적 압박보다는 간 내 혈관이 수축하기 때문인데, 간 내에 혈관수축인자(예: endothelin-1)가 우세하고, 혈관이완인자(예: nitric oxide)가 감소하기 때문이다. 그리고 문맥으로 유입되는 혈류량은 증가하는데, 문맥으로 유입되는 내장기관들의 소동맥들이 여러 인자들(nitric oxide가 대표적)에 의해 현저히 확장되기 때문이다. 내장 동맥의 확장으로 혈액이 충만하게 되고(splanchnic vasodilation and pooling) 유효혈량(effective blood volume)은 부족해지므로 이를 보상하기 위해 심박수와 심박출량이 증가하게 되는데, 이러한 상태를 과역동 순환상태(hyperdynamic circulation)라 한다. 문맥고혈압은 정맥류 출혈과 복수의 직접적인 원인이 된다.

11 간경변증의 합병증: 정맥류 출혈

1. 병태생리

간문맥과 하대정맥 간의 압력 차(portal pressure gradient)가 정상 상한선인 5 mmHg 이상 증가된 상태를 문맥압 항진증이라 하고, 문맥압 차가 10–12 mmHg 이상으로 증가하면 문맥압 항진증의 여러 합병증이 발생할 수 있다. 정상 성인에서 문맥의 혈류는 1,000–1,200 mL/min의 많은 혈류량을 가지고 낮은 압력을 보이며(5 mmHg) 간 내 전체 산소공급의 60–70%를 차지한다. 정맥류는 전 장관에 걸쳐 발생할 수 있으나 주로 하부식도와 상부 위 부위에 발생한다. 정맥류출혈을 설명하는 기전으로는 두 가지 학설이 있는데 초기에는 'erosion theory'로 확장되어 얇은 벽을 갖고 있는 정맥류벽이 고형 음식이나 위산 등 외상으로 인해 출혈된다는 개념으로 생각하였다. 그러나 이 학설은 근거가 부족해 현재는 더 이상 받아들여지지 않고 최근에는 'explosion hypothesis'로서 증가된 문맥압의 결과로 정맥류 내의 과도한 정수압이 정맥류 출혈의 원인이라는 것이다. 간정맥 압력차(hepatic venous pressure gradient, HVPG)가 12 mmHg에 이르기까지는 정맥류 출혈이 일어나지 않는다는 여러 연구들이 이 가설을 뒷받침하고 있다(그림 11-1).

2. 대한간학회 식도정맥류 권고사항

1) 1차 예방

(1) 간경변증으로 처음 진단된 환자는 위식도 정맥류 존재 유무를 확인하기 위해 내시경검사를 권장한다.

(2) 작은 정맥류가 있는 대상성 간경변증 환자는 2–3년, 큰 정맥류가 있는 비대상성 간경변증 환자는 1–2년마다 내시경검사를 시행하나, 간격은 간질환의 원인과 진행 정도를 고려하여 조정할

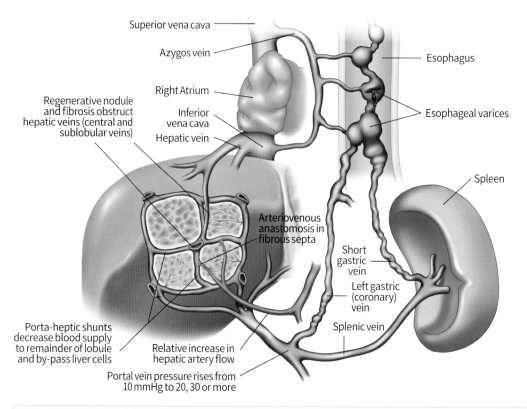

그림 11-1. 식도정맥류 출혈이 일어나기 위해서는 최소 HVPG > 12 mmHg 되어야 한다.

수 있다.

(3) 정맥류가 없는 간경변증 환자에게 베타차단제는 권고하지 않는다.

(4) 출혈한 적이 없는 작은 정맥류 환자에서 출혈 예방을 위한 베타차단제 또는 carvedilol을 고려할 수 있다.

(5) 출혈한 적이 없는 큰 정맥류 환자는 초출혈 예방을 위해 비선택적 베타차단제, carvedilol 사용 또는 내시경적 정맥류결찰술을 권장하며, 두 가지 병합치료도 고려할 수 있다. 베타차단제는 심박수가 55–60회에 이를 때까지 2–3일 간격으로 조절한다.

2) 급성 식도정맥류출혈 권고사항

(1) 정맥류 출혈이 있으면 응급조치를 우선 시행한다. 혈액 보충은 농축 적혈구를 이용하여 혈색소치가 7–9 g/dL 유지를 목표로 한다.

(2) 정맥류 출혈이 의심될 때는 혈관수축제를 가능한 빠른 시간 내 투여한다. 사용할 수 있는 약물로는 terlipressin, somatostatin, somatostatin 유사체(octreotide) 등이 있다.

(3) 가능한 빠른 시간 내에 내시경검사를 권장한다.

(4) 정맥류 출혈 환자에서는 내원 당시부터 단기간 예방적 항생제 치료를 권장한다.

(5) 지혈치료가 실패하였거나, 지혈 후 재출혈 위험이 높은 환자에서는 TIPS를 고려할 수 있다.

(6) 내시경적 지혈에 실패한 급성 식도정맥류 출혈 환자에서 가교치료로서 풍선탐폰삽입법을 고려할 수 있다.

3) 재출혈 예방 권고사항

(1) EVL + 비선택적베타차단제 병합을 권장한다. 병합이 어려울 때는 EVL or 베타차단제 단독치료를 권장한다.

(2) 1차치료 실패 시 TIPS를 고려한다.

(3) 반복 정맥류출혈 시 간이식을 고려한다.

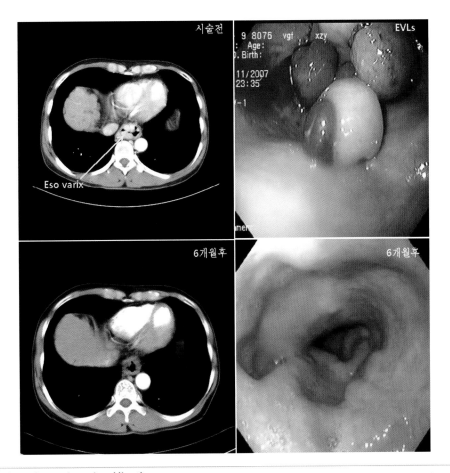

그림 11-2. Endoscopic variceal ligation

토혈로 내원한 환자에서 위정맥류에 대하여 히스토아크릴®을 주입하고, 식도정맥류에 대하여 밴드결찰술을 시행하였다. EVL 후 식도정맥류가 호전되었다.

3. 대한간학회 위정맥류 권고사항

1) GOV1 초출혈 예방 또는 출혈 시 치료는 식도정맥류와 동일하게 적용한다.
2) GOV2 or IGV1 출혈 고위험군(크기가 크거나 RC sign+)에서 BRTO, PARTO 또는 EVO (Endo-scopic variceal obliteration, cyanoacrylate)를 고려할 수 있다.
3) 시술 후 궤양 출혈 예방을 위해 PPI를 사용할 수 있다.
4) 출혈 후 구조요법으로 BRTO, PARTO 또는 TIPS를 시행한다.
5) 내시경 치료 실패 시 풍선탐폰삽입법을 시행할 수 있다.

- BRTO = Balloon-occluded retrograde transvenous obliteration
- PARTO = Plug-assisted retrograde transvenous obliteration

Gastro esophageal varices (GOV)

GOV1

GOV2

Isolated gastric varices (IGV)

IGV1

IGV2

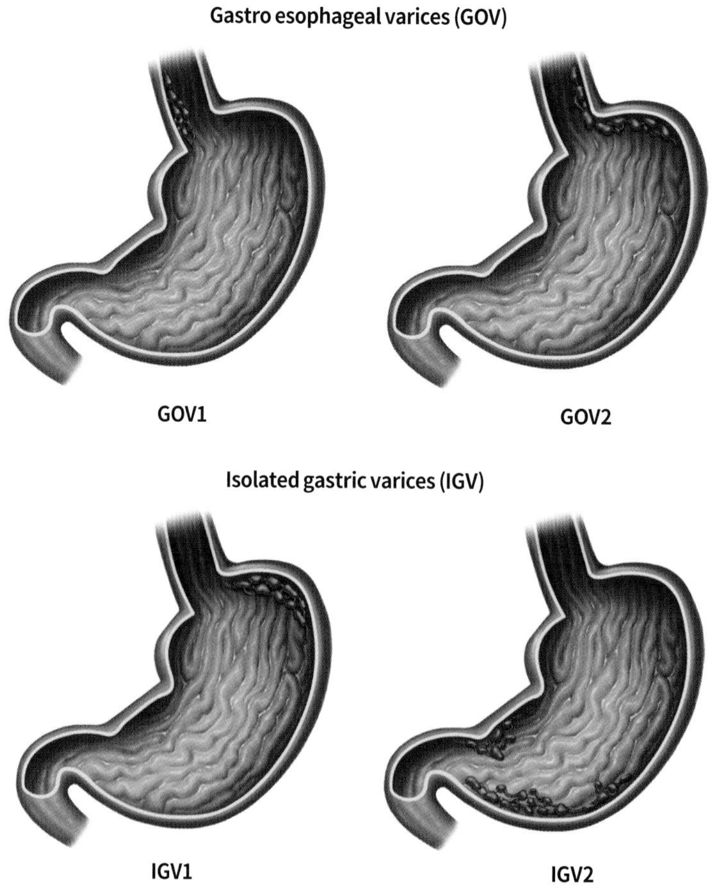

그림 11-3. 위정맥류 분류

Balloon-occluded retrograde transvenous obliteration (BRTO)

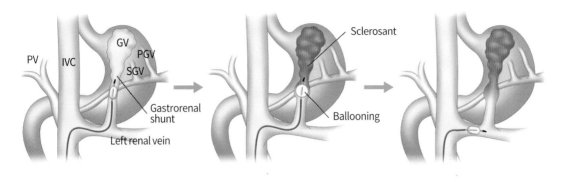

그림 11-4. BRTO 모식도

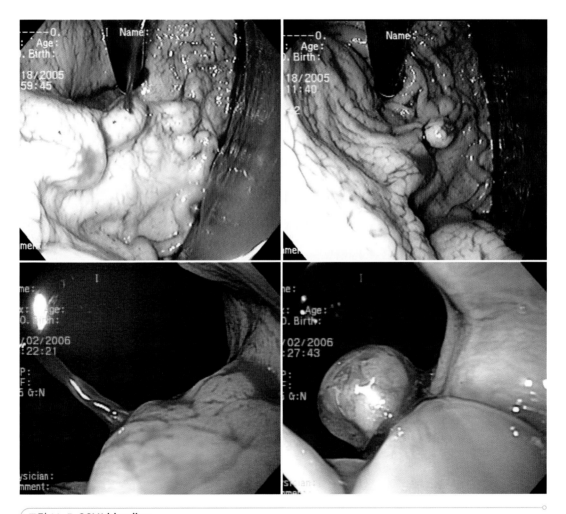

그림 11-5. GOV1 bleeding

식도정맥류 출혈 치료에 준하여 치료한다. EVL 시행하였다.

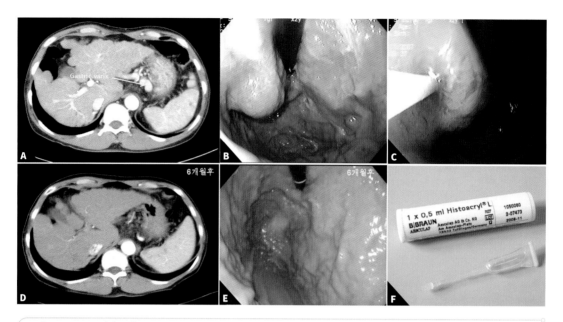

그림 11-6. GOV2 bleeding

토혈로 타병원에서 위정맥류 진단 후 의뢰되었다. 위정맥류에 대하여 히스토아크릴(cyanoacrylate) 주입술을 시행하였다. 히스토 아크릴은 혈액과 접촉 시 응고되는 성질을 이용한 glue인데, 원액은 농도가 진하여 리피오돌과 희석하여 사용한다. 저자는 보통 히스토아크릴 0.5 cc + lipiodol 0.8 cc를 mix한 것을 1단위로 하여 사용한다. 주입 후 카테터나 인젝터로 표면을 만져보고 단단하면 충분히 주입된 것이고, 말랑하면 부족하여 추가 주입하기도 한다. 6개월 후 follow-up에서 위정맥류 치료가 잘 되어 소실되었다.

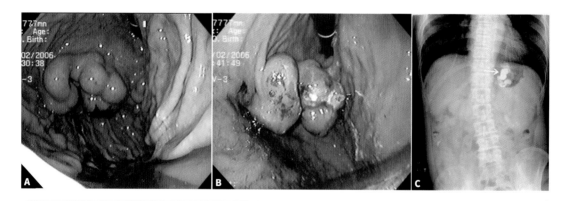

그림 11-7. IGV1 bleeding

위정맥류에 혈흔이 있어 위정맥류 출혈이었음을 알 수 있다. 시술 후 사진을 찍는 이유는 히스토아크릴이 잘 주입되었는지, 다른 부위로 유출되어 embolism은 생기지 않았는지 확인하기 위함이다. 사진에서 보이는 radio-opaque material은 리피오돌이다.

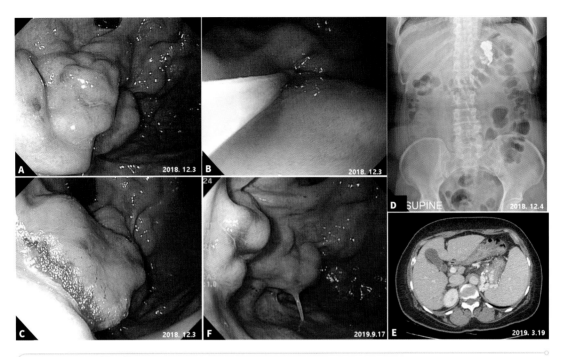

그림 11-8. IGV1 bleeding

58세 여성. HBV-related LC 환자로 3일 전부터 melena 있다가 내원 전 hematemesis 하여 응급실 내원하였다. 응급실 내원 시 Hb 11.4, vital signs stable하여 일반병실로 입원하였다. 익일 내시경 시행하였다. Large isolated gastric varix 관찰되었고, bleeding stigmata로 생각되는 표면궤양이 관찰되었다(A). Histoacryl injection 시행하였다(B). 히스토아크릴 0.5 cc + lipiodol 0.8 cc mix를 한단위로 하여 5 amp(총 6.5 cc) 주입하였고, 주입 직후 정맥류가 충분히 단단하였다(C). 익일 시행한 복부사진에서 위정맥류 치료가 잘되어 있었다(D). 3개월 후 follow-up CT에서 히스토아크릴이 거의 소실되었고, 위정맥류와 collaterals이 크게 관찰되었다(E). 1년 후 재출혈로 입원하여 시행한 내시경에서 여전히 큰 위정맥류가 관찰되어 히스토아크릴 주입술을 시행하였다(F). 추적 사진에서 히스토아크릴이 빠져나가고 위정맥류가 관찰되나 2년 동안 재출혈은 없었다.

증례 11-1

50세 남성. B형간염 관련 간경변 및 복수, 간세포암으로 대형병원 다니고 있었다. 대량의 토혈과 혈변(hematochezia)으로 본원 응급실 내원하였다. 항바이러스제(entecavir 0.5 mg) 복용 중이 었고, 간세포암에 대하여 여러 번 TACE하였다. 내원 시 Hb 7.9 g/dL, WBC 22.3K, Plt 111K, PT 41%, albumin 2 g/dL, T-bil 1.4 mg/dL였다. 내원 당일 응급 상부내시경 시행하였다(그림 11-9) 수일 후 촬영한 CT 및 내시경에서 히스토아크릴은 잘 들어 있었다(그림 11-10). 복수 및 전신쇠약으로 반복 입원하던 중 출혈(Hb 5.8, 위정맥류출혈로 추정)하면서 shock & arrest로 사망하였다(그림 11-11).

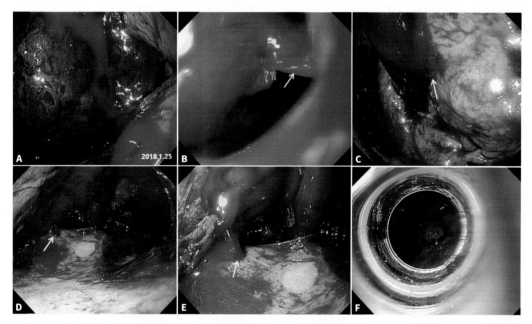

그림 11-9. 내시경이 위강에 진입 시 피로 범벅된 음식이 가득하였고, cardia로부터 피가 흘러내리는 것이 관찰되었다(A). 내시경 시행 중 cardia에서 spurting bleeding이 관찰되었다(B). 반전하여 관찰하면 cardia에서 출혈이 내시경 scope을 타고 흘러내리는 것이 보인다(C). 자세히 보면 피가 뿜어지는 상태(spurting bleeding)이다(D, E). 히스토아크릴만으로 지혈이 힘들다고 판단하여 우선 밴드결찰술로 지혈시키고 히스토아크릴을 주입하였다(F).

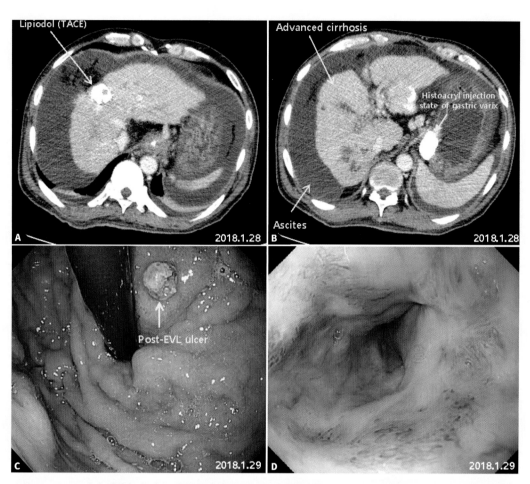

그림 11-10. CT에서 간위축이 매우 심하고 대량의 복수와 간세포암에 대하여 TACE 시행한 것이 보인다(A). 문맥혈
전도 있었다(사진 제시 없음). 히스토아크릴이 위정맥류에 잘 들어 있다(B). EGD follow-up에서 cardia는 histoac-
ryl 주입으로 단단해져 있고, EVL 부위는 궤양이 생겨 있다(C). 식도정맥류는 이전 병원에서 여러 번 EVL 시행한 것으
로 보이는 전반적인 scar change가 관찰되었다(D).

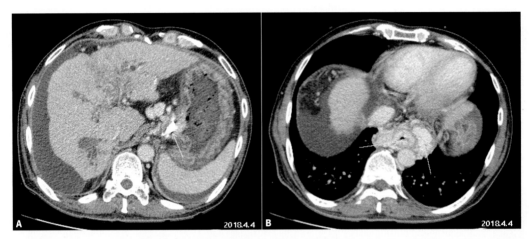

그림 11–11. 환자는 복수 및 전신쇠약으로 반복 입원하고 난치성 복수에 대하여 PCD하고 있었다. 2개월 후 follow-up CT에서 식도 및 식도주변 정맥류가 매우 심하고 이전 히스토아크릴은 상당 부분 빠져나가 있다.

해설　간세포암을 동반한 비대상성 간경변으로 간이식 없이는 예후가 매우 불량하다. 특히 위정맥류출혈은 대량출혈로 생명이 위험한 경우가 많다. 출혈하는 경우 시야가 좋지 않아 내시경치료에 어려움이 많다. 위정맥류 출혈은 히스토아크릴 주입술을 보편적으로 시행한다. 출혈부위가 크고 spurting하여 히스토아크릴만으로 충분치 않아 EVL도 같이 시행하였다. 지혈술 시행 후 histoacryl injection site에 궤양이 생기면서 재출혈하기도 한다. 이 환자는 EVL한 부위에 궤양이 생기면서 대량출혈했을 가능성을 생각하였다.

12

간경변증의 합병증: 복수
Ascites

1. 복수의 생성기전

복강내 액체가 고이는 것을 복수라 한다. 복수의 가장 흔한 원인은 간경변에 의한 문맥고혈압이지만 악성종양, 감염 등 다른 원인을 배제하여야 한다. 간경변에서는 문맥고혈압과 함께 내장혈관이 확장된다. 혈류가 내장혈관에 모이므로(splanchnic pooling) 다른 신체장기로의 혈류량은 감소하게 된다(effective intravascular volume 감소). 신혈류량의 감소로 인해 신장에서의 renin–angiotensin–aldosterone system은 활성화되고, 그 결과 염분과 수분이 저류하게 된다. 저류한 액체는 혈관에서 복강으로 빠져나가는데, 이때 저알부민혈증으로 인한 혈관내 낮은 삼투압이 복강으로의 액체 유출의 원인이 된다. 알부민은 간에서만 합성되는데 간경변에서는 합성기능이 감소해 있다.

Splanchnic vasodilation & pooling (by NO) → effective blood volume 감소
  → HR, CO 증가로 보상
  → 보상기전이 더 이상 작동하지 못하면 peripheral artery vasoconstriction
    (대표적 혈관이 renal arteriole)
  → RAAS system activation
  → Na, fluid retention → ascites

2. 복수의 치료

기본치료는 염분 섭취의 제한이다. 대한간학회 가이드라인에서는 하루 5 g 미만의 염분 섭취를 권장하고 있다. 침상안정의 효과는 증명된 바 없고, 수분 섭취 제한은 저나트륨혈증에서 고려할 수 있으나 반드시 필요한 것은 아니다. 이뇨제의 사용은 spironolactone이 1차 선택이고, 100–200 mg/d에서 최대 400–600 mg/d까지 증량할 수 있다. Spironolactone과 함께 furosemide를 추가 처방하는 경우가 많은데, 전해질 불균형을 예방하는 장점이 있다(spironolactone은 hyperkalemia, lasix는 hypokalemia의 부작용이 있음). 일반적 복수의 치료에 듣지 않는 것을 난치성 복수(refractory ascites)라 하는데, 최대 용량의 이뇨제로 조절되지 않는 diuretic–resistant ascites와 이뇨제의 부작용으로 사용하지 못하는 diuretic–intractable ascites로 구분하기도 한다. 난치성 복수의 치료로 반복적 대량 복수천자(repeated large volume paracentesis), 경경정맥 간내문맥전신정맥단락술(transjugular intrahepatic portosystemic shunt, TIPS)을 고려할 수 있다. 그러나 TIPS는 시술 후 간성뇌증의 위험성이 증가하므로 환자 상태에 따라 결정하여야 한다. 복수를 동반하는 간경변의 전체적 예후는 불량하여 복수 발생 순간부터 < 50%에서 약 2년 정도 생존한다는 보고가 있다. 그러므로 이들의 궁극적 치료로는 간이식을 고려하여야 한다.

3. 자발세균복막염(Spontaneous bacterial peritonitis, SBP)

복강 내의 감염원이 없이 복수가 자발 감염되는 상태를 말하고, 복수로 입원한 간경변 환자의 25–30%에 이르고, 이 가운데 25%의 입원 사망률을 보일 정도로 흔하고도 심각한 합병증이다. SBP가 일어나는 기전은 장내세균의 전위(bacterial translocation)이다. 간경변에서는 문맥압이 항진되어 있고, 장의 부종이 심하므로 장내세균이 복강으로 전위되기 쉽다. 또한 복강 내 면역체계가 약화되어 있어 전위된 세균이 증식하기 쉽다. 가장 흔한 원인균으로는 E. coli와 같은 장 내 그람 음성균이다. 그러나 그람 양성균도 발견된다. SBP의 진단기준은 복수천자에서 다형핵구(absolute neutrophil count) $\geq$ 250/mm^{3}로 진단한다.

증례 12-1

62세 남성. 수십 년간 매일 소주 1병 이상씩 마시던 만성음주자로 10여 일 전부터 abdominal distension, both leg edema 심하여 응급실 통해 입원하였다. 당시 혈액검사에서 혈소판 138K, PT 62%, T-bil 14.3 mg/dL, AST/ALT/GGT 131/22/718 U/L였다. 2015.2.20–3.30 입원 동안 8회에 걸친 치료적 복수천자를 하였다. 이뇨제 증량에도 불구하고 복수가 줄지 않고 BUN이 증가되는 경향을 보였다. 이후에도 주 1회 정도의 반복적 복수 천자가 있었고, 담당의는 저자에게 환자를 의뢰하였다. 저자가 환자를 인계받을 때는 계속 금주상태로 간경변은 심하지만 간실질은 비교적 호전되었고, Plt 114K, T-bil 1.67 mg/dL, albumin 2.9, Cre 1.5, PT 69% 등이었다. 난치성복수로 규정하고 TIPS를 결정하였다(2015.8.4.). 2015.10.1. 마지막 복수천자 후 최근까지 이뇨제를 사용하지 않고 복수 없이 잘 유지되었다. 계속 금주하므로 간기능도 안정적이었으나 수개월 전부터 음주를 재개하여 복수가 다시 생겨 치료적 복수천자하였고, 금주 강조하여 다시 간기능 안정되고 복수 조절되고 있다(2021.1.20.).

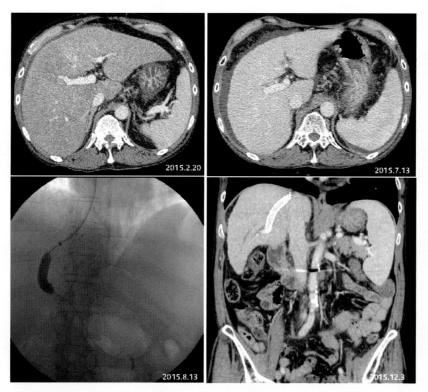

그림 12-1. 난치성 복수에서의 TIPS

해설   난치성복수에서 TIPS가 고려될 수 있다. 그런데 난치성복수 환자들은 진행간경변으로 간기능이 불량한 경우가 많으므로 시술 후 hepatic encephalopathy 발생 위험성이 높아 시술 대상이 되지 못하는 경우가 많다. IVC와 portal vein의 혈관상태도 중요하므로 인터벤션 영상의학과 의사의 경험이 또한 중요하다. Stent occlusion은 covered stent를 사용하므로 중대한 문제는 아니다. TIPS가 성공적인 경우 복수 조절뿐만 아니라 정맥류출혈도 예방할 수 있다.

13

간경변증의 합병증: 간성뇌증
Hepatic encephalopathy

1. 간성뇌증의 병태생리

의식과 인지능력의 장애를 초래하는 것을 간성뇌증이라고 하는데, 만성간질환의 심각한 합병증이기도 하고, 급성 간손상에서의 간성뇌증의 발생은 전격간부전(fulminant liver failure)을 진단하는 소견이다. 장에서 흡수된 신경독소(neurotoxins)가 간에서 제거되어야 하지만, 진행된 간경변에서는 제거되지 못하고 우회하여(vascular shunt) 뇌로 이동하여 축적되어 뇌증을 유발한다. 많은 물질들 가운데 암모니아가 중요한 역할을 할 것으로 생각하고 대부분의 간성뇌증 환자에서 증가되어 있지만, 암모니아 수치와 중증도와는 관련이 없다. 그러므로 암모니아 수치를 간성뇌증의 진단 혹은 중증도를 평가하는 데 사용하여서는 안된다.

2. 간성뇌증의 유발 원인

위장관 출혈, 고단백섭취, 변비와 같은 장내 nitrogen load가 증가가 흔한 원인이다. 그 외에 전해질불균형(hypokalemia, alkalosis, hyponatremia, hypovolemia), 감염, 수술, 약물(진정제) 등이 원인이 될 수 있다.

3. 간성뇌증의 치료

유발인자를 찾아 교정하는 것이 가장 중요하고, 필요한 경우 수액공급 및 전해질을 교정한다. 약물로는 lactulose (nonabsorbable disaccharide)를 사용하여 대장을 산성화시키고, 설사를 유발하여 장내 nitrogenous products를 제거한다. 부드러운 변을 하루 2–3회 볼 정도로 용량을 조절한다. 다른 약물로는 항생제(neomycin 혹은 metronidazole)를 사용할 수 있는데, neomycin은 renal toxicity 때문에 현재 잘 사용하지 않고, metronidazole은 현재도 사용하지만 peripheral neuropathy의 부작용이 있다. 최근에 rifaximin이 부작용이 적고 효과적인 항생제로 사용되고 있다. 단백 섭취의 제한은 과거에 많이 시행하였으나 효과가 의문시되고 있다.

4. Noncirrhotic hyperammonemia

의식이상으로 신경과 입원한 환자에서 간질환이 없음에도 불구하고 고암모니아혈증이 발견되거나, 또는 의식은 명료한데 고암모니아혈증 자체로 소화기내과로 가끔 협진이 온다. 이런 경우를 noncirrhotic hyperammonemia 또는 noncirrhotic hyperammonemic encephalopathy라 한다. 암모니아 생성의 주된 source는 섭취한 단백질을 장내세균(urea–producing colonic bacteria)이 암모니아로 전환한 것이다. 건강인에서는 독성이 있는 암모니아(NH3)를 요소(urea)로 전환하여 소변으로 배출한다. 이때 urea cycle enzymes이 관여한다(그림 13–1).

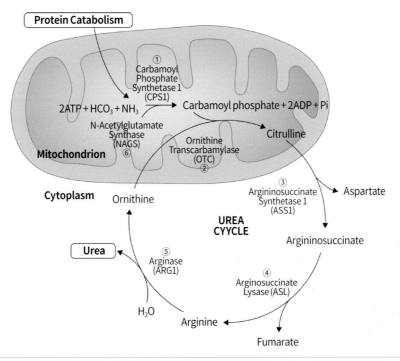

그림 13–1. Urea cycle

고암모니아혈증의 원인으로 선천적 대사이상으로 urea cycle enzyme deficiency가 있다. 많은 약제들이 urea cycle에 영향을 미쳐 고암모니아혈증을 일으킬 수 있다.

간경변에서는 대사되지 않은 암모니아가 portosystemic shunt를 통하여 뇌로 전달되어 astro-cyte 내에서 glutamine으로 전환되어 뇌부종 등의 간성뇌증을 일으킨다(**그림 13-2**). 간질환 없이도 고암모니아혈증을 일으킬 수 있는데 대표적 원인은 감염(urea producing bacterial infection)과 약제 등이다. 대표적 약제로 valproic acid는 urea cycle enzyme(ornithine transcarbamylase) deficiency를 초래한다. 다른 항경련제들(phenobarbital, phenytoin, carbamazepine)과 sulfasalazine, high-dose salicylate, ribavirin도 관련이 있다.

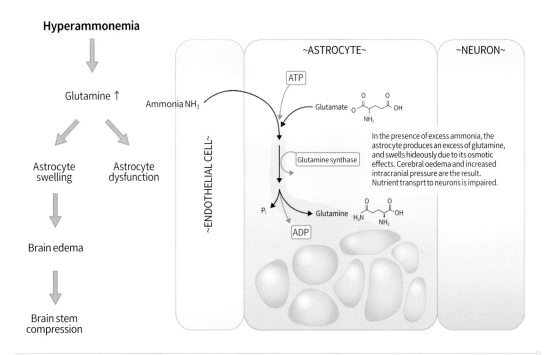

그림 13-2. 간성뇌증의 기전

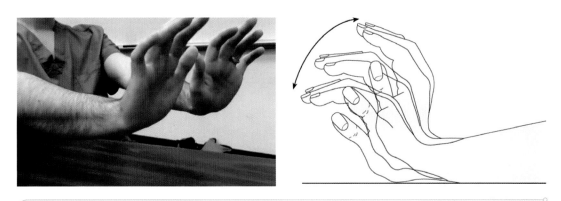

그림 13-3. Asterixis (Flapping tremor)

퍼덕이기 진전은 간성뇌증의 중요한 진찰소견이다.

14

간세포암
Hepatocellular carcinoma

원발 간암은 간세포암, 담관암, 혈관육종 등이 있고, 이 가운데 간세포암(hepatocellular carcinoma)이 90% 정도를 차지한다. 우리나라에서는 위암, 폐암에 이어 암 등록순위 세 번째로 흔한 악성종양이다. 간세포암은 위험인자가 분명한 대표적 악성 종양으로 HBV, HCV와 같은 간염 바이러스감염, 알코올, 아플라톡신 등이 알려져 있다. 과거에는 복통, 체중 감소, 황달, 복수 등의 자각증상이 생긴 후 검사를 해서 진행된 상태로 진단받는 경우가 대부분이었고 치료시기를 놓쳐 중앙 생존기간이 2-4개월로 매우 짧았다. 그러나 최근에는 고위험군 환자들을 대상으로 정기적으로 복부초음파검사와 AFP를 검사하여 간세포암을 조기에 발견하는 경우가 많아 생존과 예후가 많이 향상되었다. 간세포암의 자연경과는 간세포암의 진행정도뿐만 아니라, 동반된 간경변증의 합병증 및 잔존 간기능의 정도에 의해서도 좌우된다. 따라서 간세포암의 치료를 결정하는 데는 동반된 간질환의 상태도 반드시 고려해야 한다.

1. 발암과정

대부분의 종양들은 여러 단계의 발암과정을 거치면서 전암 병변에서 침윤성 암종으로 진행된다. 간세포암은 발암 개시, 발암 촉진, 발암 진행이라는 단계적 과정을 거쳐 발생되는데, 발암 진행과정을 거치면서 결절 내에 새로운 변형 간세포 집단('nodule in nodule')이 생기고 이들이 결국 HCC를 만든다. 이런 전통적 발암개념과는 구별되는 새로운 발암기전으로 다능성(pluripotent) 간줄기세포의 비정상적 분화 및 증식에 의한 HCC 발생 가능성이 최근에 제시되고 있다. 대부분의 간세포암은 간경변증과 전암 병변으로 알려진 이형성결절(dysplastic nodule, DN)의 과정을 거친다. DN 내에서 분화가 매우 좋은 간세포암이 발생하는 것을 드물지 않게 경험하는데 이것을 조기 간세포암(early HCC)이라고 부른다. 정상 간소엽과 재생결절은 간문맥 및 간동맥 분지로부터 혈액이 공급되지만 간세포암은 오로지 간동맥으로부터만 혈액이 공급된다(**그림 14-1**). DN은 간세포암으로 발전하는 중간 단계이므로 동맥을 통한 혈액공급의 증가와 함께 문맥을 통한 혈액공급은 점차 감소하며, 결절 내에서 발견되는 동맥 구조의 수도 점차 증가한다.

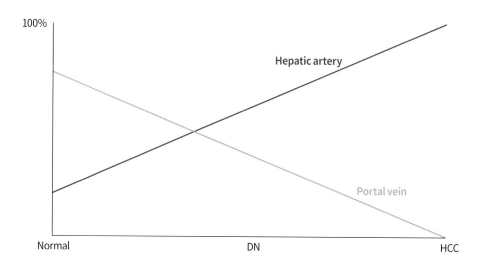

그림 14-1. **Hepatic arterial and portal blood flow in hepatocarcinogenesis**

Normal liver의 blood supply는 portal vein으로부터 약 75%, hepatic artery로부터 약 25%의 dual supply를 받는다. 그런데 이형성결절(dysplastic nodule)을 거치면서 hepatic artery로부터의 혈류공급량이 많아지다가 HCC가 되면 100% hepatic artery로부터 blood supply를 받는다. 그러므로 HCC의 dynamic CT 소견은 조영제 주입순간에는 간세포암 부분이 주변 정상부분보다 빨리 조영증강되고(early enhancement), 시간이 지나면서 간세포암에 주입된 조영제는 주변 간보다 빨리 빠져나간다(delayed wash-out).

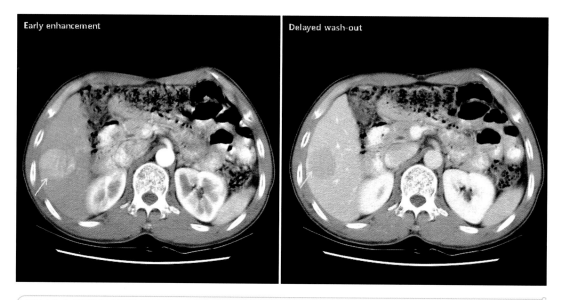

그림 14-2. **전형적 HCC의 CT 소견: Early enhancement & delayed wash-out**

2. 병기 및 진단

고형암의 예후는 일반적으로 진단 시 종양의 병기와 연관이 있어 종양의 병기는 치료계획 수립에 지침이 된다. 그러나 간세포암 환자는 종양 자체뿐만 아니라 기저 간기능이 예후에 영향을 주므로 간암 병기에 대해서도 일치된 의견이 없다. 종양 관련 인자만을 고려한 TNM 병기분류가 있으며 종양인자와 간기능 인자를 통합한 Okuda병기, CLIP (The Cancer of the Liver Italian Program) score, JIS (Japanese Integrated score), BCLC (Barcelona Clinic Liver Cancer) 병기 등이 있다. 간세포암 환자의 예후를 정확하게 평가하기 위해서는 종양병기, 간기능, 신체상태를 모두 고려해야 한다. 간세포암은 한국에서 흔한 암으로 진행된 상태에서 발견된 경우는 효과적인 치료가 어려우며 대부분이 6개월 이내에 사망하기 때문에 조기진단이 간암의 생존율을 높일 수 있는 가장 효과적인 방법이다. 간세포암의 진단 방법에는 초음파검사, CT, MRI 등의 방법과 혈청태아단백(AFP), PIVKA-II (protein induced by vitamin K absence-II) 등의 혈청 종양표지자가 있다.

표 14-1. Modified UICC stage

Stage	T	N	M
I	T1	N0	M0
II	T2	N0	M0
III	T3	N0	M0
IV A	T4	N0	M0
	T1–3	N1	M0
IV B	T1–4	N0–1	M1

| | T1 (3/3) | T2 (2/3) | T3 (1/3) | T4 (0/3) |

① Number 1
② Size < 2 cm
③ Vascular invasion (–)

*adopted from Livet Cancer Study Group of Japan: Ueno S, et al. Heptol Res 2002;24:395-403.

3. 영상진단

간세포암에서 영상진단의 역할은 작은 병변의 조기진단, 암의 병기결정과 그에 따른 치료 방침 결정, 치료 후 반응의 추적관찰, 그리고 재발에 대한 진단 등으로 요약할 수 있다. 사용되는 영상 진단기기로는 초음파, CT, MRI 등이 주로 이용되고 있다.

1) 초음파검사
방사선 조사 없이 신속하면서도 안전하며, 간편하고 편리한 검사라는 장점이 있기 때문에 선별 검사에서 가장 많이 이용되고 있다. 우리나라 국가암검진 프로그램에서는 40세 이상의 B형간염 또는 C형간염, 또는 간경변 환자를 대상으로 6개월마다 초음파 + AFP 검진 프로그램이 운용되고 있다. 그러나 간의 첨부나 늑골에 의해 가려질 수 있고, 검사자의 경험과 숙련도에 따라 영상을 얻는 과정에서부터 그 질이 달라질 수 있다.

2) CT
방사선을 받는다는 단점이 있으나, 현재 일반적으로 사용하고 있는 다검출 나선식 CT (MDCT)는 아주 짧은 시간 내에 고해상도의 영상을 제공하며 삼차원 영상도 원활하게 구현할 수 있는 등 많은 장점이 있기 때문에, 간세포암의 영상진단에 가장 일반적으로 널리 사용하는 진단방법이다.

3) MRI
MRI는 CT검사 후 병변의 특성화를 위해 더 필요하거나, 작은 간세포암 검출의 민감도를 높이기 위해, 그리고 CT 조영제를 사용할 수 없는 경우 등에 널리 사용되고 있다.

4) 혈관조영술
현재 진단목적으로 간혈관촬영술의 역할은 극히 제한되어 있으며 치료목적으로 대부분 이용되고 있다.

4. 외과적 치료

간세포암의 치료방법은 수술과 비수술 치료가 있다. 수술에는 간절제술과 최근 적응범위를 확대해 가고 있는 간이식이 있다. 수술적 치료로 가장 많이 사용되는 방법은 간절제술이다. 이러한 치료방법을 결정하는 데는 종양 상태, 간기능의 예비능 및 환자의 일반적 전신 건강상태 등이 중요하다. 간은 재생력이 왕성하여 정상 간에서는 전체 간 용적의 75%를 절제하여도 절제 후 간부전 없이 비교적 안전하다고 인정된다. 그러나 간경변, 황달이 동반된 환자 혹은 고령의 환자에서는 간기능에 따라 절제 가능한 범위에 큰 차이가 있다. 우리나라 간세포암 환자의 80% 이상이 만성 간질환, 특히 간경변을 동반하고 있어 재생능력이나 예비능이 저하되어 있다. 즉 단일 소간세포암(single small HCC)이라 하더라도 절제 후 잔존 간기능이 충분하지 못하면 절제술을 시행할 수 없다. 간절제 후 주요 사인은 간부전, 출혈, 패혈증 등인데 이중 간부전이 가장 많다. 그러므로 수술 전 정확하고 객관성 있는 간예비능 평가가 필요하다. 잔존 간기능 평가는 몇 가지 다른 검사로 서로 보완할 수 있고 어느 한 가지 검사로 간의 전체 기능을 평가할 수는 없다. 현재 대부분의 기관에서 Child–Pugh 분류, MELD score, ICG R15 (indocyanine green 15분 정체율)을 사용한다. 간이식을 고려하는 조건은 간경변을 동반한 간세포암으로 진행 간경변으로 절제가 불가능한 국소 암에 국한한다. 이러한 조건을 규정한 것이 Milan criteria이며 단일 암인 경우 직경이 5 cm 이하, 혹은 직경이 3 cm 이하이면서 3개 이하이어야 하며, 혈관침윤의 증거나 림프절 절이 혹은 원격전이의 소견이 없어야 한다.

ICG R15 예시
- <10%: right lobectomy, extended right lobectomy, extended left lobectomy
- 10-19%: left lobectomy, right lobectomy
- 20-29%: segmentectomy
- 30-39%: limited segmentectomy
- ≥40%: 절제 불가

5. 중재방사선 치료

1) 경동맥 화학색전술(Transarterial chemoembolization, TACE)

TACE는 1983년 Yamada 등에 의해 치료 효과가 처음 보고된 이후 높은 종양치료 효과를 나타내어 현재 수술이 불가능한 간세포암 환자에서 차선택으로 가장 널리 이용되고 있다. 주로 총대퇴동맥(common femoral artery)을 천자하여 복강동맥에서 기시하는 간동맥조영과 함께 간동맥의 변이나 측부혈관, 문맥의 상태를 검사하기 위하여 상장간막동맥조영을 시행한다. 상장간막동맥을 통한 문맥조영술(SMA portogram or indirect portogram)을 통하여 문맥의 개통 여부, 간세포암의 문맥 침범 여부 및 정도 등을 알 수 있게 된다. 그 다음 간동맥조영 영상을 얻고 TACE를 시행한다. TACE란 동맥 내로 주입된 lipiodol이 간세포암과 같은 과혈관성 종양에 다량 유입되고 종양혈관 내에 오래 머무르는 특성을 이용하여, 고농도의 항암제와 lipiodol 혼합물을 간동맥에 삽입된 카테터를 통해 선택적으로 암병소에 집중시키고 gelfoam을 주입함으로써 종양혈관에 색전을 초래하여 전신부작용을 줄이고 암 괴사효과를 극대화시키는 방법이다. 암 병소에 생기는 허혈성 괴사와 함께 허혈성 환경에서 효과가 증대되는 항암제인 adriamycin, mitomycin 등을 주로 사용한다.

TACE 금기

① 저혈관성 간세포암(hypovascular HCC) : 효과 없음
② main portal vein thrombosis without collaterals : 시술 후 간부전
③ 간기능 저하환자 (대략 T-Bil ≥ 3 mg/dL) : 시술 후 간부전(시행 시 매우 주의 필요)
④ 혈관조영술이 금기인 환자

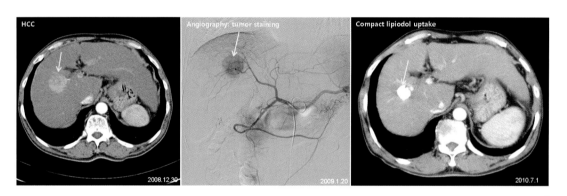

그림 14-3. **TACE**

2) 고주파열치료(Radiofrequency ablation, RFA)

종양 내에 삽입한 바늘 형태의 제1전극의 끝을 통해 약 500 kHz 정도의 주파수로 빠르게 진동하는 교류 전류를 제2 전극을 향해 이동시킨다. 이때 전극 주위의 조직 내의 이온들이 불안정해짐에 따라 마찰열을 유발시킴으로써 조직에 비특이적 열 손상이 유도된다. 조직온도 45℃ 이상에서는 약 수시간, 50–55℃ 이상에서는 4–6분 정도면 비가역적인 변성이 생긴다. 100℃ 이상에서는 조직이 급격히 기화 또는 탄화되어 조직 내 저항이 상승되며 결국에는 전류의 원활한 전도에 장애 요인으로 작용한다. 그러므로 RFA에 있어서의 가장 중요한 치료전략은 치료하고자 하는 종양과 그 주위 5–10 mm의 안전연을 포함한 목표 치료부 전역에 걸쳐 최소 50℃ 이상의 온도를 적어도 5분 이상 지속시키는 데 있다. 2018년 대한간암학회 진료가이드라인에서 RFA의 적응증은 밀란 기준에 해당할 때를 적응으로 제시한다. 단일종양일 경우 ≤ 5 cm, 다발성일 경우 3개

증례 14-1

61세 남성. 기저질환이 없던 환자로 2개월 동안의 RUQ pain, nausea & vomiting, weight loss (7 kg, 54 → 47 kg) 있어 영상의학과의원 방문하여 CT 촬영 후 의뢰되었다(그림 14-4). 혈액검사 상 CBC 12K-11.4-177K, T-bil 1.01, Alb 4.2, AST/ALT 87/30, ALP/GGT 570/1439, AFP 2.2 ng/mL, PIVKA-II 59 mAU/mL, HBsAg/sAb/cAb -/+/- anti-HCV -였다.

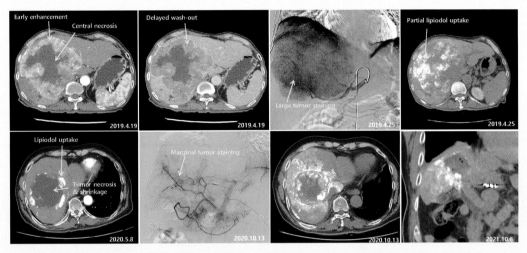

그림 14-4. 간우엽에 early enhancement, delayed washout을 보이는 14 cm 종괴가 관찰된다. 전형적 HCC 소견이다(2019.4.19.). TACE를 시행하였다(2019.4.25.). TACE 후 lipiodol CT와 simple abdomen에서 lipiodol uptake가 보인다. 2020.1.8.까지 6차에 걸쳐 TACE 시행하고 follow-up CT 시행하였다(2020.5.8.). 대부분 괴사되어 있고, 재발이 보이지 않았다. 2020.9 CT에서 재발이 의심되어 MRI 촬영하고 TACE 시행하였다(2020.10.12.).

2021.3까지 재발이 없다가 이후 국소재발하여 총 9차례 TACE 시행하였다.

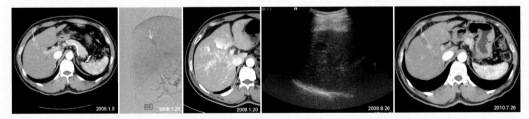

그림 14-5. TACE 효과가 불충분하여 RFA 추가한 증례

해설 Palliative 목적으로 TACE를 많이 시행하지만 간암이 완전 괴사되어 근치되는 경우도 많다.

이하 + 각각 직경 ≤ 3 cm. 출혈위험이 높은 경우(교정혈소판 ≤ 5만, PT ≤ 50%)는 시술을 피해야 한다. 초음파로 보이지 않을 때도 시행할 수 없다.

3) 경피적 에탄올 주입술(Percutaneous ethanol injection, PEIT)

1983년 Sugiura에 의해 처음 시도된 후 전 세계적으로 시행되는 간암 치료법 중 하나이다. 무수에탄올(99.9% 또는 95%) 주입술은 미세바늘을 종양 깊은 부위까지 찌른 후 먼저 에탄올을 서서히 주입하고, 바늘을 서서히 빼서 종괴의 중간부위에 주입하고, 더 빼서 종괴의 가까운 부위까지도 주입하는 방법으로 해야 한다. 세포 내로 확산된 무수에탄올은 비특이적인 단백질 변성과 세포탈수를 일으키고 결과적으로 응고괴사를 초래한다. 고전적 적응증은 3 cm 이하 크기로서 3개 이하일 때 시행한다. 여러 번 시술해야 하고, 3 cm 이상에서는 완전 종양괴사가 어려워 최근에는 RFA로 대체되는 경향이다.

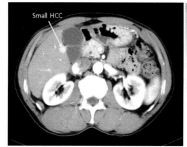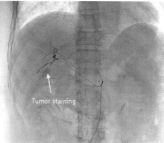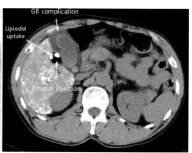

그림 14-6. TACE로 불충분하여 추가로 PEIT 시행하였다. GB 옆이라 담낭에 합병증 발생하였다.

4) 그 외의 국소 치료법

Acetic acid injection, interstitial laser photocoagulation, high-intensity focused ultrasound (HIFU), cryotherapy, microwave coagulation therapy 등이 있다.

6. 표적항암제 및 면역항암제(2021년 현재)

2007년 multi-kinase inhibitor인 sorafenib (Nexavar®)이 HCC 표적치료제로 도입된 이후 한동안 더 이상의 치료제가 없다가 2018년 regorafenib (Stivarga®), 2019년 Lenvatinib (Lenvima®)이 보험급여 되었고, 최근 atezolizumab (Tesentriq®) + bevacizumab (Avastin®)과 같은 면역항암제가 도입되는 등 여러 치료제들이 소개되고 있다. 우리나라에서 아직 보험등재는

되지 않았으나 nivolumab (1st-line), pembrolizumab (2nd-line) 등의 면역항암치료제들도 도입되고 있어 간세포암 전신항암치료제는 급변하고 있다.

표 14-2. 간세포암 치료제(2021년 현재)

		적응증			본인부담율
		조건	CTP	ECOG	
1차	Sorafenib	UICC stage ≥ 3	A, B7	0–2	5%
	Lenvatinib	UICC stage ≥ 3	A	0–1	5%
	Atezolizumab + Bevacizumab	절제 불가능			100%
2차 이상	Regorafenib	Sorafenib 실패	A	0–1	5%
	Cabozantinib	Sorafenib 실패			100%
	Ramucirumab	sorafenib 실패 + AFP ≥ 400			100%

소라페닙, 렌바티닙, 레고라페닙, 카보잔티닙은 multi-kinase inhibitor 제제이다. Multi-kinase inhibitor 제제의 대표 부작용은 hand-food syndrome으로 치료 중 손바닥과 발바닥에 발적, 물집, 통증 등을 일으켜 감량과 치료 중지의 이유가 되며, 소라페닙과 카보잔티닙이 특히 심하다. 최근 도입된 면역항암치료제인 atezolizumab (PD-L1 monoclonal Ab) + bevaci-zumab (anti-VEGF Ab)은 CR 10%, PR 23% (ORR 33%), SD (40%)의 비교적 우수한 성적을 보여주었다. 중대한 치료합병증은 gastric ulcer perforation and bleeding이다.

7. 기타 치료

1) Hepatic arterial infusion chemotherapy (HAIC)

간세포암 대부분이 간동맥에서 혈류를 공급받는 특성을 이용하여 간동맥으로 항암제를 직접 주입함으로써 주변 정상 간조직에 비해 5-20배 정도의 농도를 종양에 농축시킬 수 있어 전신적인 독성을 줄이면서 국소적인 치료효과를 극대화할 수 있다. 표적항암제와 면역항암제가 도입되기 전 효과적 치료법이 없을 때 절제 불가능한 침윤성 간세포암, 특히 문맥침범된 경우에 많이 사용되었다. 현재에도 다수의 병원에서 HAIC를 치료 옵션 중의 하나로 시행하고 있다.

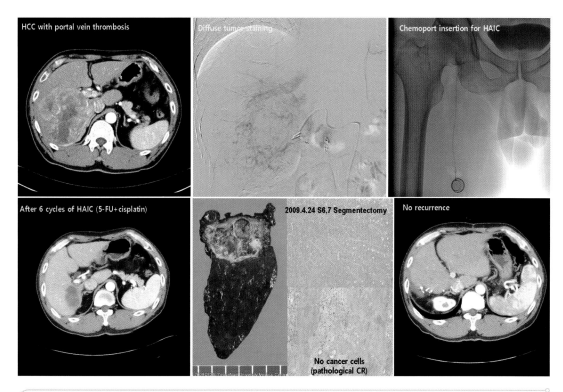

그림 14-7. HAIC 시행으로 종양 크기를 줄인 후(down-staging) 수술하여 근치되었다.

수술 시 viable cancer cells은 발견되지 않아 항암치료만으로 pathological CR을 보인 효과가 좋았던 증례이다.

2) 방사선치료

과거에는 전체 간의 방사선 허용선량인 30 Gy에 못 미치는 선량을 투여하여 반응률이 30%에도 못미치는 실망적인 치료결과를 보였다. 그러나 최근 국소 간의 방사선 허용선량은 조사체적에 따라 많게는 70 Gy 높아질 수 있다는 점과 방사선 및 항암요법의 병용 치료결과 실질적인 종괴의 축소를 유도할 수 있다는 점 등이 알려지면서 방사선 치료를 간암에 적용하는 것이 점차 보편화되고 있다. 또한 방사선 허용 선량에 대한 생물학적 개념이 재정비되고, 정밀한 치료계획을 통한 방사선 조사가 가능하게 되었다. 특히 신체 장기의 움직임 및 종양의 생물학적 특성까지 고려하는 새로운 방사선 치료기술이 개발되면서 간암의 방사선치료는 새 국면을 맞이하게 되었다.

참고) 연세간암연구회편 간세포암 등

증례 14-2

58세 남성. 당뇨, 고혈압 있던 환자로 검진에서 우연히 간종괴가 발견되어 의뢰되었다. 환자는 HBV 음성, HCV 음성, BMI 29.6 (169cm, 84.5kg), AFP 43.3 ng/mL, PIVKA-II 44 mAU/mL, HbA1c 7.4%, AST/ALT/GGT 66/79/74 U/L였다. CT 촬영하였다. Delayed image에서 wash-out 되지 않는 비전형적 소견을 보였다(그림 14-8). 지방간과 내장지방이 심하였다(그림 14-9). MRI 추가 촬영하였다(그림 14-10).

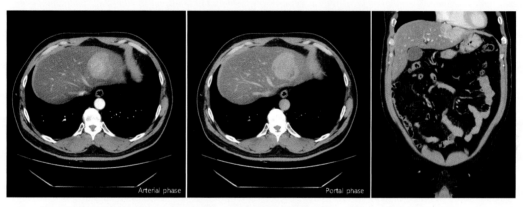

그림 14-8. 지방간이 심하여 CT로는 전형적 HCC소견을 보이지 않았다.

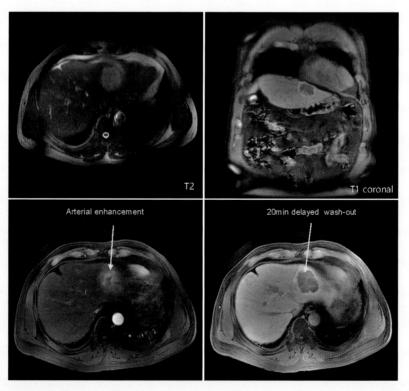

그림 14-9. MRI에서는 T2 high-signal intensity, T1 low-signal, arterial enhancement, 20min delayed wash-out되어 전형적 HCC 소견이었다.

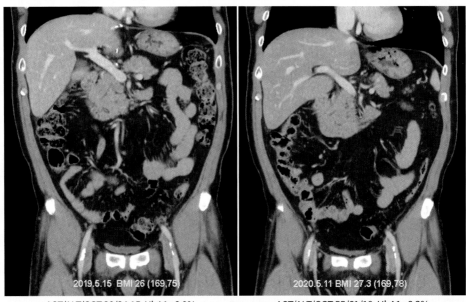

AST/ALT/GGT 30/24,15, HbA1c 6.0%   AST/ALT/GGT 55/61/18, HbA1c 6.2%

그림 14-10. Lt hepatectomy 시행하였다. 이후 체중을 감량하여 지방간 매우 호전되고 당뇨 조절되며 간수치 정상화되었다. 일시적으로 체중이 증가하여 지방간이 악화하고 간수치가 증가하며 당뇨조절이 약간 안되기도 하였으나, 체중 감량하면서 다시 호전되었다.

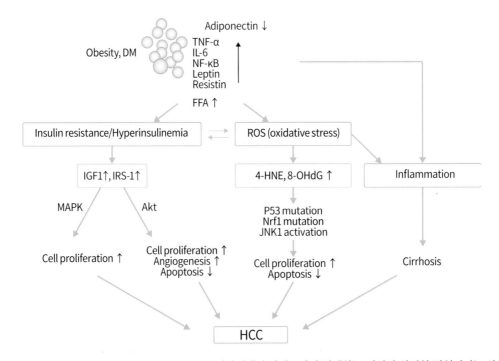

그림 14-11. Hepatocarcinogenesis in NASH. 지방간에서 간세포암이 발생하는 기전이 완전히 밝혀지지는 않았으나, 만성염증을 통하여 간경변으로 진행한 후 간세포암이 발생하는 과정과, 간경변 없이 insulin resistance & oxidative stress에 의해 발생할 수 있다.

15

감염성간질환
Infectious liver diseases

1. 화농성간농양(Pyogenic liver abscess)

간농양은 크게 amebic liver abscess, pyogenic liver abscess 및 기타 원인에 의한 것으로 나눌 수 있는데, 임상에서 접하는 간농양은 대부분 화농성 간농양이다. 고열, 우상복부 통증으로 내원하는데, 진찰 시 간농양 부위에 뚜렷한 압통을 보이는 수가 많다. 혈액검사에서 ALP가 증가되고, 감염정도에 따라 WBC와 CRP 증가가 있다. CT를 찍으면 불균일한 종괴 모양을 보이는데, 가끔 악성종양과 구분이 안 되는 수가 있어 병력청취와 진찰소견이 중요하다(농양은 고열/통증/압통이 있고, 암은 열과 통증이 없는 수가 많다). 대부분의 원인균은 enteric Gram negative bacteria이다(Klebsiella pneumoniae가 가장 흔하고, 일부는 E. coli, 그 외 기타균들). 담도계 수술 또는 질환이 있는 경우 biliary tree를 타고 ascending infection 되는 경우가 있고, blood or septicemia에서 portal vein을 타고 간내로 전파되는 경우도 있으며(이때는 주로 간우엽), hepatic artery를 타고 간 내로 전파되는 경우도 있다(이때는 주로 multiple liver abscess). 당뇨도 위험인자이다(risk 3.6배). 치료는 적절한 배농(percutaneous drainage)과 항생제 치료이다. 대표적 항생제는 3세대 cephalosporin + metronidazole이다. 2-3주 주사제를 사용하고 이어 4-6주 정도의 경구 항생제 치료가 권장된다.

70세 남성. 특이 과거력 없이 건강하게 지내던 환자로 2일 전부터 고열이 나면서 숨이 답답하여 대학병원 내원하여 CT 촬영(1/5) 후 septic shock, AKI로 ICU 입원이 필요하나, 입원실 부재로 본원 응급실 통해 ICU 입원하였다. 내원 당시 WBC 20.8K, Hb 12.9, Platelet 38 K이었고, CRP 32.68 mg/dL였다. ALP/AST/ALT/GGT 122/294/296/154 IU/mL, BUN/Cre 51.8/1.5 mg/dL였다. 항생제 imipenem (meropen®) 1 g tid IV + Metronidazole 500 mg tid IV 7일간 사용하고 이후 meropen 단독으로 사용하였다. 이후 CRP 14.4 → 8.8 → 2.3로 감소하였다. 혈소판은 38K → 58K → 100K → 273K로 회복되고, 간수치 점차 호전되어 정상화되었다. 혈액배양에서 Klebsiella pneumonia 검출되었고 항생제에 모두 감수성이 있었다. 입원 17일째 suprax® 변경 후 퇴원하였다(1/21). 2/21 CT에서 매우 호전되어 항생제 치료를 종료하였다. 5/29 CT에서 흔적 없이 깨끗하게 나왔다(그림 15–1).

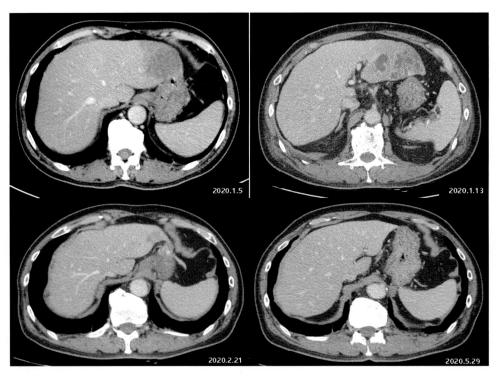

그림 15–1. **Liver abscess**

해설   내원 당시 septic condition이었으므로 3세대 cephalosporin 사용하지 않고 imipenem을 바로 사용하였다. 위중한 상태였으므로 metronidazole도 같이 사용하였다. 다행히 빠르게 호전되었다. 처음 CT에서는 저음영 병변으로 액상화되지 않았고, 혈소판 감소로 출혈의 위험만 높아 PCD의 이득이 없으므로 시행하지 않았다. Follow–up CT에서 microabscess의 conglumeration 상태로 역시 PCD의 이득이 없을 것으로 판단하여 항생제만 사용하기로 하였다. 간농양의 치료원칙은 적절한 배농과 항생제 사용이나 PCD 여부는 상황판단이 필요하다.

2. 비브리오패혈증(Vibrio sepsis)

증례 15-2

65세 남자. 간경변으로 정기적 진료 중인 환자가 다음과 같이 문의하였다. "회 먹어도 되나요?" 어떻게 대답해 주어야 할까?

해설 생굴을 포함한 해산물 날 것은 꼭 피하도록 설명하였다. 비브리오 패혈증의 위험성을 설명하였다.

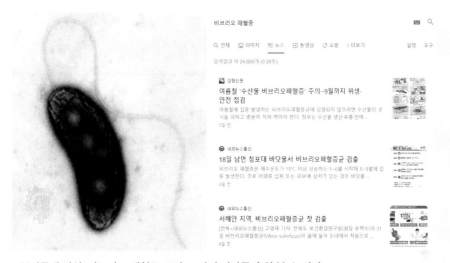

그림 15-2. **봄여름에 걸쳐 '비브리오 패혈증 주의보' 관련 기사를 흔히 볼 수 있다.**

Vibrio vulnificus infection에 의한다. V. vulnificus는 Gram-negative bacteria로 어패류 관련 사망의 주요 원인균이다. 대부분 만성질환자에서 발생하는데 간경변이 대표적 원인이다. 그 외, 면역억제제 복용, 알콜중독, 당뇨, 만성신질환, hemochromatosis 등이 위험질환이다. 3-10월, 연안지역, 40세 이상에서 주로 발생한다. 대부분 생굴을 섭취한 지 2일 내 오한, 발열 (평균 39.8℃), 권태감, 전신쇠약으로 시작하여 저혈압, 피부병변이 생기면서 패혈증으로 진행한다. 사망률이 50% 정도로 치사율이 매우 높다. 물놀이하면서 피부감염된 경우에는 severe myositis, necrotizing fasciitis와 같은 wound infection 될 수 있다. 확진은 blood or wound culture로 하지만, 빠른 임상적 판단으로 조기 항생제 투여가 필요하다. 항생제는 3세대 cepha-losporin (cefotaxime 2 g q 8hr or ceftriaxone 1 g qd) + tetracycline (doxycycline 100 mg bid PO)으로 한다.

PBL 증례: 황달

주소 및 현 병력(Chief complaint & Present illness)

48세 남성 환자가 황달과 복부팽만으로 내과외래를 방문하였다. 환자는 1주일 전부터 복부팽만이 약간씩 있었고, 공막이 노란색을 띠는 것을 아내가 처음 발견하였다고 하였다. 내과의사는 먼저 문진과 진찰을 시행하였다.

문1 황달의 감별진단을 위해 추가하여야 할 문진은?

① 언제부터 시작되었는가?
② 어떻게 시작되었는가? 서서히 진행되었는지 갑자기 시작되었는지는 질환 감별에 중요하다. 예를 들면, 담관결석에 의한 담관염의 경우 통증과 함께 갑자기 시작된다.
③ 통증 여부: 결석은 통증이 심하다. 암, 간염의 경우에는 통증은 없거나 미미하다.
④ 발열 여부: 담관염의 경우에는 고열이 있다. A형간염과 같은 바이러스간염에서도 고열과 근육통으로 시작한다.
⑤ 체중 감소: 암인 경우에는 체중 감소가 있을 수 있다.
⑥ 가려움: 폐쇄성황달(특히 담관암) 또는 담즙정체형간염에서 가려움이 심하다.
⑦ 소변 색깔: 콜라 색깔처럼 진한 것은 direct hyperbilirubinemia를 의미한다.
⑧ 대변 색깔: 대변 색깔이 노란 것은 담즙 때문인데 폐쇄성황달에서는 대변 색깔이 회색빛이다 (acholic stool).
⑨ 바이러스간염의 가족력: B형간염에서 특히 중요하다.
⑩ 간질환의 가족력: 유전 또는 대사성 간질환 여부를 확인할 필요가 있다.
⑪ 음주력: 알코올 간질환을 확인 또는 배제하는 것은 기본이다.

⑫ 약물, 건강식품 또는 민간요법: 약인성 간손상(독성간염)의 확인이 필요하다. 최근 3개월 이내 복용한 것은 가능성이 있다.

| 문2 | Bilirubin 대사과정을 설명하시오. |

- Heme → Biliverdin → Unconjugated bilirubin → Conjugated bilirubin
  (heme oxidase–1) (Biliverdin reductase)   (UGT1A1)

| 문3 | 황달 환자의 진단적 접근을 위해 임상에서 시행할 수 있는 1차적 영상학적 검사는? |

초음파 또는 CT이다. 서로 보완적이기도 하다.
- 초음파검사
  – 1차 의료기관에서도 쉽게 검사할 수 있고 noninvasive 검사이다.
  – 초음파검사를 통해 폐쇄성황달 여부를 확인할 수 있다.
  – 술자의 skill에 따라 진단율에 차이가 난다.
- CT
  – CT가 구비된 의료기관에서 시행할 수 있다.
  – 담석을 제외하고는 초음파보다 정밀한 검사이다.
  – 간담도계 이외에도 복강 내 전체를 살펴볼 수 있다.
  – 방사선 피폭과 조영제 사용의 단점이 있다.

추가정보

환자는 1주일부터 복부팽만이 조금씩 진행되었고 하지부종이 간헐적으로 생겼다 없어진다고 하였고 1주일 전 보호자에 의해 황달이 발견되었다. 우상복부 통증과 가려움증 및 발열은 없었고 대변 색깔은 노란색이라고 했다.

과거력, 사회력 및 가족력

환자는 어릴 때 B형 간염 보유자라는 이야기를 들은 적 있으나 검사 혹은 정기검진을 받은 적이 없었고, 5년 전에 개인의원에서 간이 약간 안 좋다고 들은 적이 있다고 하였다. 30년간 한주에 2–3회, 회당 소주 2병 정도 음주하였고, 약물 복용력은 없었으며 민물회는 20여년 전 먹은 적이 있으나 그 후로 먹은 기억은 없다고 하였다. 형제 2남 2녀 중 누나와 남동생이 B형간염 보유자라고 하였고 어머니는 어릴 때 돌아가셔서 간질환 여부를 모른다고 하였다.

문4 상기 환자에서 가능성 있는 진단과 원인은?

- '만성 B형간염 및 알코올 간경변'일 가능성이 많아 보인다.
- B형간염 상태에 대해서는 추가적 혈액검사(HBV DNA 등)로 확인해 보아야 알 수 있으며, 알코올의 경우에는 하루 60 g(남성), 20 g(여성)씩 10–20년을 음주하면 간경변이 발생할 수 있는 것으로 알려져 있다.

문5 상기환자에서 살펴보아야 할 진찰 소견은?

- General appearance & skin: scratch marker (가려움으로 긁은 자국), yellowish 한지
- HEENT에서 sclera: icteric 여부
- Chest: spider angioma, gynecomastia, axillary hair
- Abdomen: fluid wave, shifting dullness, abdominal wall venous engorgement, Couvoisier's sign (= painless palpable GB), Murphy's sign (RUQ tendernss)
- Extremites: lower leg pitting edema, palmar erythema 등

신체검사

활력징후는 체온은 36.8℃, 혈압은 130/80 mmHg, 호흡수는 분당 24회, 맥박수는 분당 80회였다. 전신적으로는 만성병색이었고, 공막은 노란색을 띄었으나 결막은 창백하지 않았고, 흉부에서는 여성형 유방과 거미혈관(spider angioma)이 관찰되었고, 복부에서는 fluid wave, shifting dullness가 관찰되었다. 하지에서는 오목부종(pitting edema)이 관찰되었다.

문6 상기환자 흉부소견의 기전을 설명하시오.

- Spider angioma, gynecomastia는 간경변증에서 여성호르몬의 증가로 발생하는 흔한 소견이다. 여성에서는 성선기능장애로 불규칙한 생리 외 심각한 증상은 없으나 남성에서는 성욕 감퇴나 발기부전과 같은 일상생활의 큰 장애를 호소할 수 있다. 남자에서도 estrogen은 만들어진다. 정

상인에서는 간에서 모두 분해 대사되지만 간경변에서는 분해대사 장애가 생긴다. 그 결과 혈액 내 여성호르몬(estrogen)의 증가로 gynecomastia, spider angioma, palmar erythema가 생기고 남성호르몬(testosterone)의 감소로 testicular atrophy, impotence, 겨드랑이 털 빠짐, 수염 성장속도 감소가 생긴다.

문7 간경변증을 유발할 수 있는 원인은?

- 바이러스간염(B, C), 알코올, 담도 폐쇄(biliary cirrhosis), 심인성(cardiogenic cirrhosis), 대사성 (Wilson's disease, hemochromatosis), 자가면역간염 등
- 드문 원인: 매독, drug (CCl4, MTX 등), 유전성 (α1–AT deficiency, cystic fibrosis, galactosemia, glycogen storage disease 등)

검사소견 I

환자에서 혈액검사와 초음파검사를 시행하였다.

CBC: WBC 5,900/μL, Hb 12.0 g/dL, Platelet 94,000/μL
LFT: AST/ALT 64/14 U/L, GGT/ALP 78/137 U/L, TB/DB 4.0/1.8 mg/dL
    Alb 2.9 g/dL
PT 18.3 sec (normal < 14 sec)
HBsAg/sAb/cAb (IgG) +/−/+, anti-HCV (−)

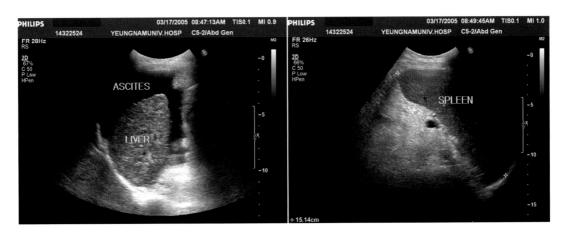

문8 초음파 검사의 소견을 설명하시오.

- 간실질은 거칠고 표면이 결절상이고 심하게 위축되어 있으며 다량의 복수가 관찰된다.
- 비종대가 함께 있다. 간경변증의 전형적인 초음파소견이다.

문9 만성 B형 간염의 바이러스 상태를 확인하기 위해 추가로 시행해야 할 검사는?

- HBeAg, HBeAb, HBV DNA 정량검사를 시행해야 한다.

문10 간경변증 예후를 보기 위해 임상에서 사용하는 대표적 지표는?

- Child-Turcotte-Pugh score와 MELD score

문11 간섬유화의 과정을 통해 간경변증이 발생한다고 알려져 있다. 간섬유화에 관여하는 가장 중요한 세포 한 가지를 말하시오.

- Hepatic stellate cell

검사소견 II

- 환자에서 추가적 혈액검사와 위내시경검사를 시행하였다.

  HBeAg: 양성, HBeAg: 음성, HBV DNA: 1×10^6 IU/mL

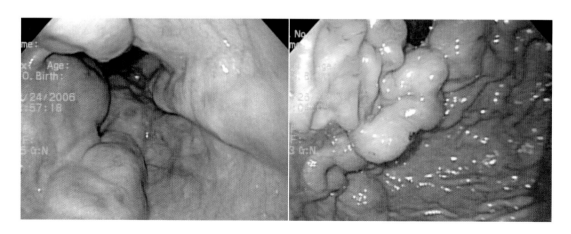

| 문12 | 내시경 진단은? |

- 식도정맥류 및 위정맥류

| 문13 | 이상의 결과를 종합하여 진단명을 정리하시오. |

① HBV–related and alcoholic cirrhosis, Child–Pugh class C
② Ascites
③ Esophageal varix
④ Gastric varix

치료 I

| 문14 | 상기 환자의 치료는? |

- 금주, 바이러스 치료, 복수 치료(저염식, 이뇨제 등), 정맥류 출혈예방(beta blocker)

| 문15 | 상기 환자에서 바이러스치료를 해야 하는가? 한다면 어떤 치료를 할 수 있는가? |

- 바이러스로 인해 간손상이 되었고, 현재 진행되고 있다. 간질환의 악화를 완화시키기 위해 금주와 함께 바이러스치료는 반드시 필요하다. 인터페론은 비대상성 간경변에서는 효과가 없고 부작용은 높아 금기이다. 경구 항바이러스제를 사용한다(tenofovir 또는 entecavir).

| 문16 | 환자의 경과관찰 중 토혈을 하여 내원하였다. 정맥류 출혈에 대하여 일반적 치료, 내시경적 치료, 약물치료, 재출혈 예방, 수술적 치료, 중재적 시술 등으로 나누어 설명해 보시오. |

① 일반적 치료: 생체활력징후를 안정시키기 위해 bore IV line을 확보하고, 수액 공급 및 혈액을 수혈한다.
② 약물치료: terlipressin, somatostatin analogue, octreotide 등을 사용할 수 있다. 예방적 항생제를 사용한다.
③ 내시경적 치료: 식도정맥류에 대하여 밴드결찰술(endoscopic band ligation, EVL), 위정맥류

출혈에 대하여는 histoacryl® (cyanoacrylate) injection

④ 출혈예방: 베타 차단제(propranolol)

⑤ 수술적 방법: porto-caval shunt 등의 shunt operation을 과거에 시행하였으나 TIPS가 나온 이후로는 수술은 거의 시행되지 않는다.

⑥ TIPS (Transjugular intrahepatic portosystemic shunt): 내시경 지혈이 안되는 식도정맥류 출혈 및 난치성 복수 때 시행할 수 있는 방사선 중재시술이다.

치료 II

환자의 경과 중 반복적 정맥류 출혈과 난치성 복수로 다음과 같은 시술을 하였다.

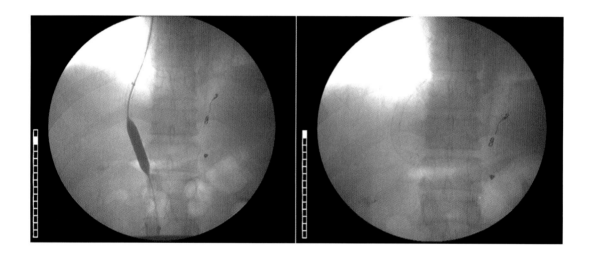

문17 다음 시술의 이름은?

- TIPS (transjugular intrahepatic portosystemic shunt; 경경정맥간내문맥전신단락술; 經頸靜脈肝內門脈全身短絡術)

문18 다음 시술 후 발생할 수 있는 가장 중요한 합병증 한 가지는?

- hepatic encephalopathy

문19 간경변증에서 복수의 기전과 치료를 설명하시오.

- 기전

  문맥압 항진이 주된 원인이다. 문맥압이 증가하면 장내 nitric oxide 생성이 증가하는데, NO는 대표적 혈관확장물질이다. 장내 혈관이 확장(splanchnic vasodilation)되면 복강 내로 혈액이 모인다(splanchnic pooling). 그 결과, effective blood volume이 부족해지므로 심장은 effective blood volume을 유지하기 위해 더 많은 일을 해야 한다. 보상성 기전으로 heart rate와 cardiac output이 증가하는 hyperdynamic circulation 상태가 된다. 혈압과 effective blood volume을 유지하기 위해 심장이 일을 하다가 더 이상 안 되면(보상성기전이 작동하지 못하면), 다음 단계로 말초동맥들이 수축하게 된다(peripheral arterial vasoconstriction). 대표적 말단동맥은 피부, 부신, 신장 등의 arteriole이다. 이런 이유로 진행 간경변 환자에서는 피부가 차다. 부신기능 부전도 잘 생긴다. Renal arteriole vasoconstriction되면 renal perfusion을 유지하기 위해서 RAA (renin–angiotensin–aldosterone) system이 작동(activation)하게 된다. Aldosterone은 Na^+/fluid retention 시키고, K^+ excretion시킨다. 염분과 액체저류로 복수가 생긴다. 복수 치료의 기본이 염분 제한과 diuretics (aldosterone antagonist)인 이유이다.

  부차적 기전은 알부민저하(hypoalbuminemia)이다. 간경변으로 알부민합성이 안 되면 혈관 내 삼투압(oncotic pressure)이 낮아져 복강 내로 fluid 유출이 일어난다. 대량의 복수 천자 후 albumin을 같이 투여하는데, 이는 혈관 내 삼투압을 유지하기 위함이다.

- 치료

  염분제한(저염식), 이뇨제 spironolactone (Aldactone®)을 기본으로 하고 furosemide (Lasix®)로 전해질 균형을 맞춘다). 다량의 복수 때 일시적으로 증상을 완화시키기 위해 therapeutic paracentesis를 할 수 있다. 난치성 복수에서 TIPS를 시행할 수 있으나 간성혼수(간성뇌증)의 합병증에 대해 주의해야 한다.

문20 시술 후 환자는 간성뇌증이 발생하였다. 간성뇌증에 관여할 것으로 생각되는 대표적 독소들은?

- Ammonia가 대표적이다. 그 외 glutamate, GABA 등 많은 gut–derived toxins이 관여한다고 알려져 있다.

간질환 문제

1. 우리나라 국가암검진 프로그램 중에 간암 검진에 대하여 옳은 것은?

① 6개월마다 초음파 + AFP

② 6개월마다 초음파 + AFP + PIVKA-II

③ 1년마다 초음파단독

④ 1년마다 초음파 + AFP

⑤ 1년마다 초음파 + AFP + PIVKA-II

2. 50세 여성이 수년 전부터 시작된 전신의 가려움, 황달을 주소로 내원하였다. 진찰에서 간비종대가 관찰되었으나 복수는 없었다. 검사실 소견에서 AST/ALT 56/62 IU/L, ALP 542 IU/L, 총빌리루빈 3.5 mg/dL, 총콜레스테롤 320 mg/dL, 항미토콘드리아항체 양성이었다. UDCA 900 mg 시작 후 6개월째 치료가 불충분하였다. 2차 치료제로 고려할 수 있는 약제는?

① mycofenolate mofetil

② obeticholic acid

③ tacrolamus

④ rifampin

⑤ cholestyramine

3. 49세 여성 환자가 검진 도중 혈액검사에서 이상이 발견되었다. WBC 15,300/μL (eosinophil 57%), Hb 14.2 g/dL, Platelet 367K, T-Bil 0.4/0.2 mg/dL, AST/ALT 22/23 U/L. CT와 간조직 검사 소견이다. 가장 옳은 것은?

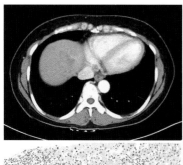

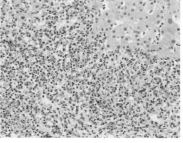

① 알레르기가 가장 흔한 원인이다.

② 기생충 감염의 확인이 필요하다.

③ Triclabendazole을 경험적으로 사용해 볼 수 있다.

④ 스테로이드가 1차 치료제이다.

⑤ UDCA가 1차 치료제이다.

4. 알코올성 간경변증과 복수로 이뇨제를 투여 중이던 45세 남성 환자가 밤에 잠을 자지 않고 헛소리를 한다고 하여 보호자와 함께 응급실에 내원하였다. 환자는 이전에도 2차례의 간성뇌증의 병력이 있었다. 가장 부적절한 조치는?

① 가족에게 고단백식이를 했는지 물어보았다.

② 전해질 검사를 하였다.

③ Brain CT를 촬영하였다.

④ 이뇨제를 중지시켰다.

⑤ Ativan 0.5 mg을 정맥투여하였다.

5. 다음 임상소견들 가운데 기전이 다른 하나는?

①
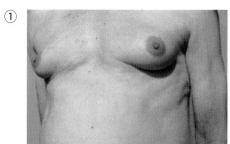

②
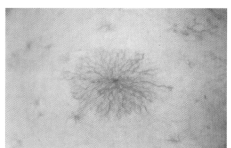

③
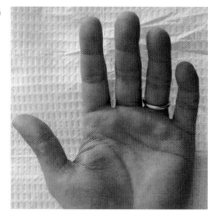

④
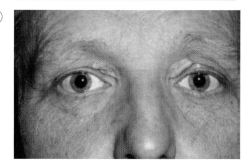

6. 36세 남자 환자가 발열, 오한, 근육통 증상으로 응급실을 방문하였다. 특이 병력 없이 건강했던 환자는 3주 전부터 근육통 및 미열감의 증상이 있었으나 감기 몸살로 생각하고 따로 병원을 내원하지는 않았다고 한다. 환자의 혈액검사 결과이다. 이 환자에 대한 설명으로 가장 옳은 것은?

> WBC 2600/μL, Hb 15.2 g/dL, PLT 162K/μL, BUN 12.6 mg/dL, Cr 0.6 mg/dL,
>
> AST/ALT 1,898/1,712 U/L, r–GT 177 U/L, T–bilirubin 2.32 mg/dL,
>
> anti–HAV IgM (+), anti–HAV IgG (+), HBsAg (–), HBsAb (+), anti–HCV (–)

① 즉시 경구 항바이러스 치료를 시작한다.
② 간경변으로 진행하지 않는다.
③ HAV IgG 양성이므로 급성 A형 간염을 배제할 수 있다.
④ 나이가 어릴수록 황달 등 증상이 심하다.
⑤ 경과 호전되어 퇴원하면 scheduled HAV vaccination이 필요하다.

7. 53세 여성 환자가 복통을 동반한 복부팽만감을 주소로 내원하였다. 환자는 3년 전에 B형간염을 진단받고 항바이러스제 치료를 권유받았으나 치료하지 않고 이후 민간요법을 시행하였다고 한다. 이학적 소견상 황색 공막 소견을 보였으며 복부는 팽만되어 있었다. 복부 타진상 이동 탁음 소견을 보였으며 복부 전반에 걸쳐 압통을 호소하였다. 혈액 검사상 백혈구 12,450/μℓ (다핵구 80.4%), 혈색소 11.4 g/dL, 혈소판 60,000/μℓ, 혈청 알부민은 2.8 g/dL이었다. 진단적 복수천자를 시행하였으며 복수 검사상 백혈구 850/mm³(다핵구 65%, 림프구 20%), 복수 내 알부민은 < 1.0 g/dL이었다. 이 환자에게 가장 우선적으로 고려되어야 할 치료는?

① 치료적 복수 천자   ② 항바이러스제
③ 3세대 세팔로스포린 항생제   ④ 항결핵제
⑤ 경구 이뇨제

8. 만성 C형간염에 대하여 옳은 것은?
① 경구 약제로 대부분 완치된다.
② 우리나라 간경변의 가장 흔한 원인이다.
③ 우리나라에서 흔한 유전자형은 2형과 3형이다.
④ 유전자형에 따라 임상경과가 다르다.
⑤ 유전자형에 따라 완치율의 차이가 크다.

9. 2016년 6월부터 우리나라는 뇌사자 간이식 시 MELD 시스템을 기준으로 장기 배정 순위를 정하고 있다. 다음에서 MELD system을 계산하기 위해 필요한 수치가 아닌 것은?

① Albumin
② Bilirubin
③ PT (INR)
④ Creatinine
⑤ 투석 횟수

10. 22세 남성이 군 신검에서 다음과 같은 이상이 발견되어 의뢰되었다. 진단과 치료에 대한 조치 중 가장 적절한 조치는?

> WBC 9,800/mL, Hb 15.7 g/dL, Platelet 274K/mL, PT 113%,
> T-CHO 173 mg/dL, Alb 4.7 g/dL, T-bil 2.42 mg/dL,
> ALP 211 U/L, AST/ALT 26/23 U/L, GGT 23 U/L

① D-bilirubin을 확인한다.
② 간초음파를 한다.
③ 간조직검사를 한다.
④ 소변검사를 한다.
⑤ UDCA가 1차 치료제이다.

11. 특이 과거력이 없는 27세 남성 환자가 5일간의 고열 및 무력감을 주소로 내원하였다. 환자의 혈액검사 결과이다. 추가적인 조치로 가장 알맞은 것은?

> WBC 2700/μL, Hb 13.0 g/dL, PLT 82K/μL, AST 3,240 U/L, ALT 3,010 U/L
> r-GT 381 U/L, T.bilirubin 3.4 mg/dL, PT 20.4 sec (INR 1.73)
> HBsAg (−), HBsAb (+), anti-HCV (−), anti-HAV IgM (+)

① 즉시 예방접종 시행
② E형간염 검사
③ 보존치료
④ 항바이러스제 투여
⑤ 간이식

12. 당뇨, 고혈압, 만성신부전이 있던 52세 남성 환자가 간기능 이상을 주소로 의뢰되었다. 환자는 8년 전부터 금주를 유지하였고, 당뇨와 고혈압약 외 다른 약물 복용력은 없었다. 초음파에서 간에 약간의 거친 에코상 외 특이 소견은 없었다. 환자의 혈액검사 소견이다. 가장 적절한 것은?

> WBC 5,300/μL, Hb 11.0 g/dL, PLT 172K/μL, AST 96 U/L, ALT 145 U/L
>
> T.bilirubin 1.2 mg/dL, Albumin 3.8 g/L, PT INR 1.02
>
> Cr 1.7 mg/dL (eGFR 42 mL/min), Na 142 mmol/L, K 3.9 mmol/L, AFP 12.1 ng/mL
>
> HBsAg (+), HBsAb (+), HBeAg (–), HBeAb (+), HBV DNA 52,100 IU/mL, anti–HCV (–)

① 항바이러스제 치료 없이 경과관찰 대상이다.

② 항바이러스제의 치료대상이며, 라미부딘을 우선 고려한다.

③ 항바이러스제의 치료대상이며, tenofovir disoproxil fumarate (TDF)를 우선 고려한다.

④ 항바이러스제의 치료대상이며, 페그인터페론을 우선 고려한다.

⑤ 항바이러스제의 치료대상이며, tenofovir alafenamide (TAF)를 우선 고려한다.

13. 58세 남자 환자가 건강검진 도중 초음파에서 간종괴가 발견되어 CT와 혈액검사를 시행하였다. 환자는 당뇨와 고혈압으로 치료 중이었다. 환자의 배경 간질환과 종양성 병변에 대한 설명으로 가장 옳은 것은?

> BMI 29.6 (169 m, 84.5 kg), HBsAg –/sAb–/anti–HBc total–, anti–HCV –, HbA1c 7.4%, AST/ALT/GGT 66/79/74
>
> AFP 53.3 ng/mL, PIVKA–II 44 mAU/mL

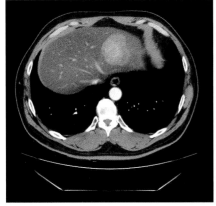
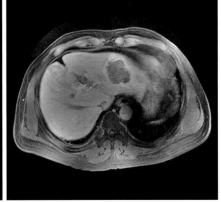

CT (arterial phase)　　　　　　　MRI (20 min delayed image)

① 대부분 간경변 상태에서 발생한다.　　② 간이식이 최선이다.

③ 약물치료가 필요하다.　　④ 자연적으로 소실되기도 한다.

⑤ 당뇨와 관련 있다.

14. 46세 남성이 비만과 비알코올지방간질환으로 정기적 진료 중이었다. 환자가 진료를 마칠 때 회를 먹어도 되는지 질문을 하였다. 가장 적절한 답변은?

① 드시지 마십시오.　　　　　　　　　　② 드셔도 됩니다.

③ 3월에서 10월 사이에는 피하십시오.　　④ 11월에서 2월 사이에는 피하십시오.

⑤ 항상 익혀서 드셔야 합니다.

15. 56세 남성이 건강검진 초음파에 관찰된 간내 종괴를 주소로 내원하였다. 환자는 B형간염 보유자로 1년에 한 번씩 혈액검사 및 초음파 정기검진을 받았고 특이치료는 없이 정기적인 검진만 권유받았으나 최근 5년간은 너무 바빠서 검사를 받지 못했다고 하였다. 초음파상 간우엽에 3.5 × 3.0 cm의 혼합에코상을 보이는 종괴가 관찰되었다. 진단을 위해 다음으로 시행해야 할 검사는?

① 역동적 전산 단층 촬영　　　　　　　　② 알파 태아 단백

③ 간동맥 조영술　　　　　　　　　　　　④ 양성자방출단층촬영(PET CT)

⑤ 전형적 초음파소견으로 추가검사 없이 진단할 수 있다.

16. 48세 남성이 토혈을 주소로 응급실에 내원하였다. 환자는 매일 소주 2병 이상 마시는 음주자로, 수년 전 정맥류 출혈으로 내시경 지혈술을 시행한 병력이 있으나 이후 병원도 가지 않고 음주를 지속하였다고 한다. 급성 병색을 보였고 활력징후는 혈압 80/40 mmHg, 맥박 100회/분, 호흡수 28회/분, 체온 36°C였다. 이동탁음(shifting dullness)이 있는 중등도의 복수 소견을 보였다. 다음은 환자의 내시경 소견이다. 환자의 치료방침으로 가장 옳은 것은?

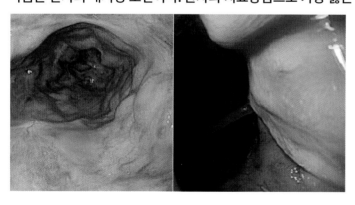

① 재출혈 환자이므로 내시경적 지혈술보다는 TIPS 등의 시술을 우선 고려한다.

② 내시경 시술 전 terlipressin 사용은 내시경 지혈 실패를 높이므로 내시경 후 투여한다.

③ 치료 성공 여부를 확인하기 위해 24시간 후 추적 내시경을 반드시 시행한다.

④ 회복 후 재출혈 방지를 위해 carvedilol을 사용할 수 있다.

⑤ 감염의 증거가 없다면 예방적 항생제 사용은 권장하지 않는다.

정답과 해설

1. ① 2. ② 3. ② 4. ⑤ 5. ④ 6. ② 7. ③ 8. ① 9. ① 10. ① 11. ③ 12. ⑤ 13. ⑤ 14. ② 15. ① 16. ④

3. 간의 감염성 질환(기생충 감염). 간 내 eosinophilic infiltration의 가장 흔한 원인은 기생충 감염이고, 이 가운데 개회충증(toxocariasis)이 가장 흔하다. 진단은 Toxocara Ab로 한다. 그 외 Fasciola hepatica, clonorchiasis 등이 간 관련 기생충이다. 개회충증의 치료는 albendazol 400 mg bid 5일간 복용한다. 호산구 수치는 서서히 감소하여 1년 여 걸릴 수 있다.

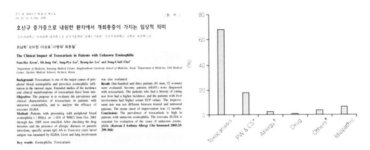

8. C형간염은 경구약제 8주 또는 12주 치료로 98-99%의 완치(SVR)를 보인다. 우리나라 간경변과 간세포암의 가장 흔한 원인은 B형간염이다. 우리나라에 흔한 C형간염 유전자형은 1b, 2a이다. 유전자형에 따른 임상경과의 차이는 없다. 유전자형에 관계없이 대부분 치료가 잘 된다.

9. MELD score. 손으로는 계산할 수 없다. 컴퓨터에 입력하여 계산한다. 투석 횟수, PT INR, 빌리루빈, creatine을 입력한다. Serum Na이 중요한 예후인자로 밝혀지게 되어 MELD-Na이 현재 사용되고 있다.

10. Gilbert syndrome 가능성이 높다.

12. TAF는 TDF의 신독성을 개선한 tenofovir 제제이다.

13. NASH에서 HCC가 발생할 수 있다. 60세 이상의 당뇨 환자가 고위험군이다.

14. 비브리오패혈증의 고위험군은 간경변 및 면역억제자이다. 일반 간질환 환자는 해당사항 없다.

VII

담낭과 담관 질환

담즙과 담석
Bile and gallstones

1. Bile

담즙은 간세포에서 생성되어 담관을 통해 십이지장으로 배출된다. 담낭 내 bile은 담낭상피를 통한 수분 재흡수(water resorption)로 농축된다. Hepatic bile concentration은 3–4 g/dL인데 반해, GB bile concentration은 10–15 g/dL이다. 지방을 섭취하면 duodenal mucosa에서 CCK가 분비되어 담낭을 수축시켜 저장된 담즙이 배출되도록 한다. Bile 구성성분은 bile acids (80%), lecithin & phospholipids 등(16%), unesterified cholesterol (4%)이다. 담석 환자에서는 cholesterol 비율이 8–10%까지 증가한다. 간세포는 하루 500–600 mL의 담즙을 분비한다. Primary bile acids는 CA (cholic acid)와 CDCA (chenodeoxycholic acid)로 cholesterol을 원료로 만들어진다. Primary bile acids는 장내 세균에 의해 secondary bile acids로 합성된다(CA → DCA, CDCA → LCA, UDCA). Bile은 지방(특히 cholesterol, fat–soluble vitamins) 흡수에 필수이다. 담즙산 총량은 2–4 g으로 대부분 terminal ileum에서 재흡수(enterohepatic circulation)된다. 하루 5–10회 순환하여 90% 정도는 재사용되고 0.2–0.4 g/day만이 대변으로 배출된다. Enterohepatic circulation의 rate–limiting enzyme은 CYP7A1 (7α–hydroxylase)이고, FGF19은 negative feedback으로 CYP7A1에 작용하여 담즙산 합성을 억제한다(그림 1–1).

2. Gallstones

담석은 서구에 흔하고 50세 이상에서 증가하며, abnormal bile composition의 결과로 생긴다. Cholesterol stone과 pigment stone의 두 가지 형태가 있다. 서구 담석 환자의 > 90%가 콜레스테롤 담석이다. Cholesterol stone은 담석의 주성분이 cholesterol(콜레스테롤 + 기타성분

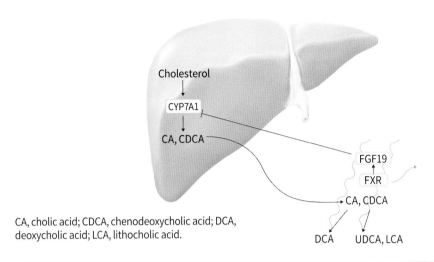

CA, cholic acid; CDCA, chenodeoxycholic acid; DCA, deoxycholic acid; LCA, lithocholic acid.

그림 1-1. **Enterohepatic circulation of bile acids**

Terminal ileum에서 bile 재흡수에 FXR (Farnesoid X receptor)이 필요하다. FXR은 FGF19를 통하여 CYP7A1을 억제하는 방식의 negative feedback으로 담즙 생성을 조절한다.

> 50%)이고, pigment stone은 calcium bilirubinate가 주성분으로 cholesterol은 < 20%이다. Pigment stone은 'black' and 'brown' stone 두 종류가 있는데 brown stone은 chronic biliary infection과 관련 있다.

1) Cholesterol stones and biliary sludge

콜레스테롤 과다생성 환자, 즉 obesity & metabolic syndrome 환자, high-calorie & cholesterol-rich diet 환자에서 잘 생긴다. Cholesterol 과다분비 약제(clofibrate)도 콜레스테롤 담석을 일으킬 수 있다. 유전과도 관련 있다(genetic factor 25%). Cholesterol transporter인 ABCG5/G8 activity 증가(cholesterol hypersecretion), CYP7A1 gene mutation (hypercholesterolemia), MDR3 (ABCB4) gene mutation (cholesterol supersaturation)이 관련 있다. 콜레스테롤 담석이 만들어지는 데는 3 steps이 필요하다: supersaturation, nucleation, GB hypomotility. GB sludge는 GB hypomotility 때 thick mucous material의 형태로 발견되는데 담석의 전조이다. GB hypomotility를 일으키는 상황들(surgery, burns, TPN, pregnancy, oral pills)도 담석의 고위험군이다. 콜레스테롤 담석 고위험군으로 임신과 급격한 체중 감소는 중요하다. 임신 3기 때 cholesterol saturation이 증가하고 GB emptying이 감소한다. Very-low calorie diet를 통한 급격한 체중감소 시 10-20% 환자에서 담석이 생기므로 급격한 다이어트는 하면 안 된다. 심한 다이어트로 체중 감량하면 지방조직에서 cholesterol activation되어 bile로 excretion된다(cholesterol supersaturation).

2) Pigment stones

Black stone은 pure calcium bilirubinate or calcium + mucin glycoproteins 성분이다. Chronic hemolysis, liver cirrhosis(특히 alcoholic), cystic fibrosis, ileal disease, ileal resection, ileal bypass 환자가 고위험군이다.

① Chronic hemolysis: 헤모글로빈이 부서지면서 생성된 빌리루빈이 간에서 담도로 excretion 되어 담석 형성에 기여한다. 어린이에서 담석이 발견되었을 때 hemolytic diseases가 있는지 찾아보아야 한다.

② Liver cirrhosis: 간경변 환자의 1/3에서 담석이 발견된다. Unconjugated bilirubin excretion 증가 및 conjugated bilirubin hydrolysis 증가, mucin hypersecretion으로 bile 산성화 장애 및 이로 인한 Ca^{2+} 침착 등으로 bile composition의 변화(= calcium bilirubinate supersaturation)가 생긴다. 간경변 환자에서는 GB hypomotility도 동반된다.

③ Cystic fibrosis: Cystic fibrosis는 CFTR gene mutation으로 일어나는 유전질환으로 서구에서 흔하다. Sticky & thick mucus로 tube obstruction을 일으킨다. 점액분비세포가 있는 모든 장기를 지속적으로 손상시키는데, 특히 폐와 췌장이 주된 손상장기이다. Pancreatitis 와 recurrent pneumonia를 일으킨다. Liver cirrhosis를 일으키기도 한다. Biliary stasis와 GB hypomotility, bile supersaturation으로 담석이 생기기도 한다.

④ Ileal disease, ileal resection etc.: Terminal ileum은 담즙산이 재흡수되는 enterohepatic circulation의 주요 부위이다. Terminal ileum에서 bile acid malabsorption되면 biliary bile secretion이 증가하여 bile내 bilirubin 농도가 증가하여 농축되게 된다.

Brown stone은 calcium salts of unconjugated (insoluble) bilirubin 성분이다. 과다한 soluble conjugated bilirubin은 endogenous β-glucuronidase에 의해 deconjugation되기도 한다. Chronic bacterial infection으로 β-glucuronidase가 생성되기도 하는데, 그 결과 unconjugated bilirubin이 supersaturation & precipitation되어 담석이 만들어진다. 이때 색깔은 brown color를 띤다.

3. 담석의 증상

담석의 60–80%는 무증상이다. Cystic duct or CBD obstruction때 증상(통증)을 일으킨다. 증상을 일으킬 확률은 매년 1–2%(진단 초기에는 2–4%/년)이다. 합병증 발생 위험은 0.1–0.3%이다. 무증상담석(silent stone)은 수술하지 않고 경과관찰 대상이다. 수술이 필요한 경우는 ① 일상생활에 지장을 줄 정도의 통증을 일으키는 경우, ② acute cholecystitis or pancreatitis history, ③ risk factors 있는 경우: calcified(porcelain) GB, > 3 cm stone이다. 전형적인 담석통(biliary colic)은 식후(주로 지방식) 갑자기 또는 점차 심해지는 극심한 통증이 epigastric or RUQ에 생기고 30분–5시간 정도 지속한다. 구역/구토가 흔하다. 빌리루빈, ALP 증가는 CBD stone을 의미한다. 열/오한/통증은 합병증 시사(cholecystitis, pancreatitis, cholangitis) 소견이다.

4. 담석의 진단

초음파가 매우 정확하다. 메이저병원에서의 false positive and false negative rates는 ~2–4%이다. Gallstones은 echogenic하고 acoustic "shadowing" 소견을 보인다. GB sludge는 low echogenic material로 acoustic shadowing은 없다. 체위 변경 시 dependent position으로 layer를 형성한다. Radiopaque stone일 때 단순복부사진에서 보이는 경우가 있으나 진단율은 낮다; cholesterol stone(10–15%), pigment stone(~50%). Emphysematous cholecystitis, porcelain GB, limey bile, gallstone ileus는 단순 복부사진으로도 보일 수 있다. Biliary scan (HIDA, DISIDA scan)에서 GB가 보이지 않을 때는 acute or chronic cholecystitis, cystic duct obstruction을 의미한다.

증례 1-1

59세 여성. 2년 전부터 간헐적 위경련이 시작되었다. 예전에는 아주 가끔 잠깐이었는데, 최근 빈도가 잦아들고 강도도 심하며 금방 가라앉지 않았으며, 하루 종일 지속하기도 하였다. 내원 전 수시간 지속되는 심한 위경련 증상으로 응급실 통해 입원하였다. CBC, LFT, CRP 등 정상이었다. 7개월 전 위내시경은 이상이 없었다. 응급실 CT (non-contrast)에서는 tiny GB stone이 한 개 보이는데, 담석관련 통증으로 생각되나 CT 소견만으로 단정할 수 없어 입원 다음날 초음파로 확인하였다(그림 1-2). 외래에서 수술 일정 잡기로 하고 퇴원하였다가 내원 2일 전 심한 통증 재발하여 재입원하였다. LFT 증가되었다. 당시 소변 색깔이 진했다가 옅어졌다고 하였다. CT (pre)에서 CBD stone은 관찰되지 않았다. Passed CBD stone으로 생각하고 LFT 호전 후 외과 수술(laparoscopic cholecystectomy) 시행하였다.

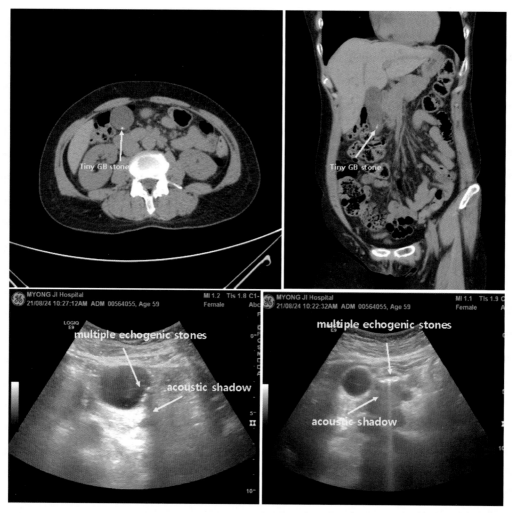

그림 1-2. 초음파에서 acoustic shadow를 보이는 다발담석이 GB neck에 많이 보인다. 이처럼 CT에서 담석이 보이지 않아도 담석통이 강력히 의심될 때는 초음파로 확인하여야 한다. 일상생활에 지장을 줄 정도인 경우는 수술이 필요하다.

5. 담석의 치료

표준치료는 laparoscopic cholecystectomy이다. 개복수술로의 전환율은 5%이고, 사망률은 < 0.1%, bile duct injury 위험 0.2–0.6%이다. 5 mm 미만 radiolucent stone은 UDCA 10–15 mg/kg/d 사용해 볼 수 있다. 10 mm 이상 결석은 약으로 거의 녹지 않는다. Pigment stone은 약 효과가 없다. Cholesterol stone에서 cholecystectomy 후 recurrent choledocholithiasis 에서는 long–term UDCA 치료한다.

02

급성담낭염
Acute cholecystitis

1. 개요

Acute cholecystitis는 흔히 담석이 cystic duct를 막아서 생긴다(90–95%는 calculous chole-cystitis). 다음 3 factors로 유발된다.

① GB distension에 의한 mechanical inflammation (GB wall and mucosal ischemia)
② chemical inflammation
③ bacterial inflammation(급성담낭염의 50–85%에서 동반)

배양되는 흔한 원인균은 E. coli, Klebsiella, Sreptococcus, Clostridium이다. 25–50% 환자에서 enlarged tender GB를 촉지할 수 있다. 전형적 소견으로 Murphy's sign이 있다(우상복부를 누르고 숨을 깊이 들이마실 때 통증으로 숨을 갑자기 멈추게 됨). 우측 어깨로 통증이 방사되기도 한다. 구역/구토가 흔하다. 2차적으로 paralytic ileus(진찰상 abdomen distension and hypoactive bowel sound)도 흔하다. 환자의 60–70%는 예전에 비슷한 통증이 저절로 소실된 경험이 있다. 진단은 RUQ tenderness, fever, leukocytosis일 때 강력히 의심한다. 초음파로 흔히 담석이 발견된다. 급성담낭염 환자의 75%는 입원 2–7일 내 증상이 저절로 소실하고, 25%는 합병증이 발생하므로 수술이 필요하다. 증상이 자연 소실되는 환자의 ~25%는 1년 내 재발하고 60%는 6년 내 적어도 한번은 통증을 경험한다. 이러한 자연경과를 고려하면 급성담낭염 발생 시 가능하면 수술하는 것이 좋다.

증례 2-1

45세 남성. 심한 명치통증으로 응급실 통해 입원하였다. 이렇게 아픈 적은 처음이라 하며 통증이 수 시간 지속되었다. 입원 후 진통제 주사 맞고 통증이 완화되었으나 진찰 시 RUQ tenderness는 남아 있었다. CRP 2.8 mg/dL였다. 응급실에서 CT 촬영하고 입원 후 초음파를 추가로 시행하였다(그림 2-1). 외과로 전과하여 2일 후 수술(laparoscopic cholecystectomy) 뒤 퇴원하였다.

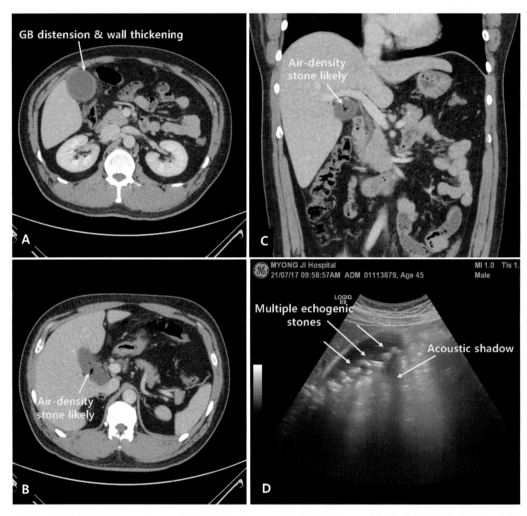

그림 2-1. CT에서 GB distension and wall thickening 관찰된다. 내부에 air-density의 담석의심 소견이 보인다 (A-C). 초음파에서 다발담석과 담낭염, sonographic Murphy's sign을 확인하였다.

증례 2-2

81세 남성. 당뇨, 고혈압, CKD로 신장내과 치료 중으로 식욕부진, 전신쇠약으로 여러 번 신장내과에 입원치료하였다. 수일 전부터 심한 명치통증으로 응급실 내원하였다. CT (non-contrast)와 초음파 시행하였다. CRP 6.12 mg/dL였다. PTGBD 시행 후 입원하였다. Daily PTGBD irrigation 후 follow-up tubogram에서 good cystic duct patency가 보여 제거하고 입원 9일째 퇴원하였다. 퇴원 시 CRP 0.42 mg/dL였다(그림 2-2).

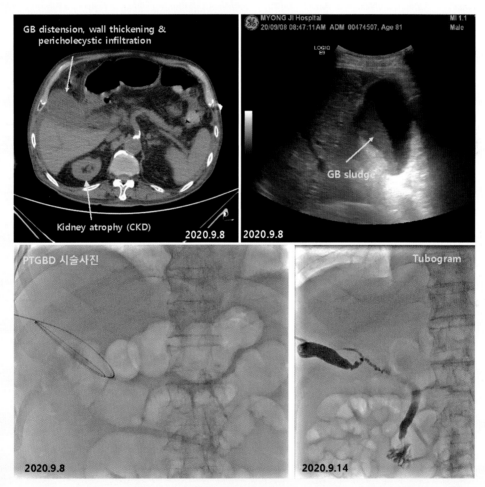

그림 2-2. Non-contrast CT에서 GB distension & pericholecystic infiltration과 ascites 보인다. 복수는 간경변과 CKD와 관련 있는 것으로 보인다. 초음파에서 CT로는 보이지 않던 담낭 내 sludge가 많이 보인다. PTGBD 시행하고 daily irrigation 후 follow-up tubogram에서 cystic duct patent하고 조영제가 십이지장으로 잘 배출된다.

공식 시술명은 Percutaneous cholecystostomy(경피적 담낭배액술)이나 병원에서는 흔히 PTGBD (percutaneous transhepatic GB drainage)라고 부른다. '콜레시스토스토미'는 8음절이고, '피티지비디'는 5음절로 발음이 쉽기 때문이다. Tubogram도 마찬가지이다. Cholecystogram보다는 tubogram이라는 명칭을 많이 사용한다.

2. 급성담낭염의 합병증

1) Mirizzi syndrome

GB stone이 cystic duct or GB neck에 impaction되어 CBD를 눌러 jaundice 일으키는 것을 말한다(그림 2-3). ERCP, PTC, MRCP에서 extrinsic compression 소견을 보인다. 담낭을 수술하여 해결한다. CBD injury를 예방하기 위해 술전 진단이 중요하다.

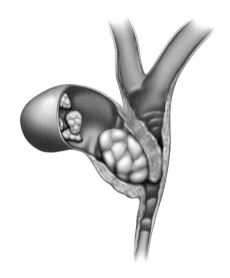

WESTERN SURGICAL ASSOCIATION ARTICLE. 2011 인용

그림 2-3. **Mirizzi syndrome**

2) Empyema and hydrops

Cystic duct obstruction이 계속되어 bacterial superinfection되면 pus를 형성하는 것이 GB empyema이다. 고열, 심한 통증, 심한 백혈구 증가를 동반한다. Gram-negative sepsis로 진행하며 천공이 될 수 있다. 응급수술 대상이다. 장기간 cystic duct obstruction으로 GB distension이 점차 진행되어 크기가 매우 커지는데, 점액으로 채워지는 상태(mucocele)를 GB hydrops라고 한다. 무증상인 경우가 많으나 empyema, perforation 위험이 높으므로 수술대상이다.

3) Gangrene and perforation

Gangrene은 GB wall ischemia로 necrosis 되는 상태이다. Underlying condition으로는 GB marked distension, vasculitis, DM, empyema, torsion이 있다. 천공의 전조이다. 경고증

상 없이 바로 천공되기도 한다. GB perforation시 walled-off 되기도 하고, 여기에 bacterial superinfection되면 abscess가 생기기도 한다. Cholecystectomy가 치료 원칙이나 응급 중증 상황에서는 cholecystostomy & abscess drainage하기도 한다. Free perforation은 덜 흔하지만 사망률이 ~30% 된다. 천공 시 일시적으로 통증이 완화되기도 하지만, 이어서 generalized peritonitis로 이어진다.

4) Emphysematous cholecystitis

GB ischemia or gangrene 후 gas-producing organisms (anaerobes; Clostridium, aerobe; E. coli) 감염으로 발생한다. 당뇨, 고령 남성에서 흔히 발생한다. 응급조치(수술 또는 cholecystostomy)가 필요하다.

5) Fistula and gallstone ileus

GB wall adhesion된 부분에 fistula가 잘 생기는데 duodenum이 가장 흔하다. Silent fistula도 ~5%된다. Large(> 2.5 cm) stone이 fistula를 통해 빠져나가 bowel obstruction(주로 IC valve)를 일으키는 것을 gallstone ileus라 한다.

6) Limy bile (Milk of calcium) & porcelain GB

Calcium precipitation으로 영상검사에서 diffuse hazy하게 보인다. 임상적으로 무해하지만 cholecystectomy를 권한다. Porcelain GB는 GB wall calcification (calcium salt deposition)된 것으로 단순 복부사진으로 보인다. 담낭암 고위험군으로 수술대상이다.

7) Chronic cholecystitis

흔히 담석이 동반되어 있다. 급성담낭염이 반복하거나, 담석이 계속 담낭벽을 자극하여 생긴다. Elective lapa. cholecystectomy를 권고한다. 무증상으로 지낼 수도 있고, 증상이나 합병증을 일으킬 수도 있다.

3. 급성담낭염의 치료원칙

진단 48-72시간 내 early elective laparoscopic cholecystectomy가 기본 원칙이다. Empyema, emphysematous cholecystitis, perforation 의심 상황에서는 urgent (emergency) op or cholecystostomy를 시행한다. Op risk가 너무 클 때와 담낭염 진단이 애매할 때는 delayed op를 계획한다. Op mortality는 60세 이하 elective에서 ~0.5%이다. 전체적으로는 1–3%이며 나이가 많아질수록 위험도도 증가한다. Seriously ill patient는 cholecystostomy (PTGBD)를 고려한다.

4. 술후 합병증

전체적으로 ~90%에서 증상이 호전된다.

1) Early complication

주요합병증으로 bile leak과 같은 bile duct injury가 있다(그림 2–4). 통증이 지속되는 경우 대부분의 원인은 담도계 이외의 다른 원인이다(GERD, peptic ulcer, pancreatitis, IBD 등). 소수에서 postcholecystectomy syndrome을 경험한다.

① Biliary stricture

② Retained CBD stone

③ Cystic duct stump syndrome,

④ Sphincter of Oddi stenosis or dyskinesia

⑤ Bile acid diarrhea (BAD) or gastritis

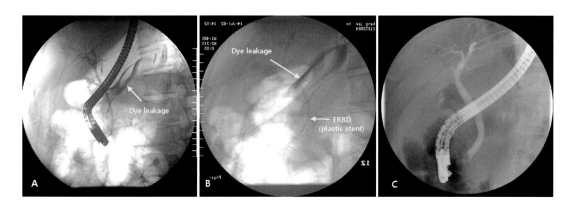

그림 2–4. 46세 남성. 복강경 담낭절제술 후 담낭관의 담즙유출

ERCP에서 cystic duct로부터 조영제 유출이 관찰된다(A, B). Plastic stent (10 Fr, 7 cm)를 CBD에 삽입하였다(B). 8주 후 cholangiogram에서 더 이상의 leak이 없고 stent를 제거하였다(C).

2) Bile acid diarrhea

수술 후 dyspepsia를 많이 호소하는데 근거는 부족하다. 수술 후 5–10%에서 설사를 하는데 postcholecystectomy diarrhea라고 한다. Gut transit time이 짧아지는 것과 bile acid composition의 변화가 원인이다(DCA 성분 증가). 치료는 담즙흡착약물(bile acid–sequestrating agents; cholestyramine, colestipol)을 사용한다.

3) Cystic duct stump syndrome

다른 이상이 없는데 biliary pain이 계속되는 경우에 의심할 수 있다. Cystic duct remnant > 1 cm 이상에서 생길 수 있다. 그러나 거의 대부분은 다른 원인으로 cystic duct stump syndrome 을 의심하기 전에 다른 원인들을 먼저 찾아보아야 한다.

5. Acalculous cholecystitis

담낭염 환자의 ~10%는 담석이 없이 생긴다. Calculous cholecystitis는 담석이 cystic duct obstruction을 일으켜 GB distension (mechanical inflammation)되고, 이어 bacterial superinfection이 생기는데 반해, acalculous cholecystitis는 underlying infection이 선행한다. GB ischemia & stasis로 GB distension되고, 그 결과 GB necrosis되고, 이어 2차 감염이 이어 진다. 무담석성 담낭염은 주로 입원하고 있는 중환자에서 발생하고 대부분 multiple risk factors를 가지고 있다. Serious trauma or burns, 중대한 외과적 수술을 받은 환자들에서 주로 생기고, 장기간 정맥영양을 하는 환자에서도 생길 수 있다. 증상은 calculous cholecystitis와 동일하고 임상적으로는 구분이 힘들다. 진단이 늦어지면 emphysematous cholecystitis가 되거나 gangrene & perforation이 일어나게 된다. 사망률이 높은 편인데 기저질환의 중증도와 관련 있다. 전체적으로는 ~30% 정도이다. 치료는 IV fluid, pain control, antibiotics와 함께 근본치료로 cholecystectomy를 고려해야 한다. 그러나 대부분 critically ill patient이므로 담낭절제술을 받기에 너무 위험한 경우가 많다. 이런 경우 percutaneous cholecystostomy (PTGBD)가 수술을 대체하는 안전하고 효과적 치료법이다.

90세 여성. 심한 하복부 통증으로 응급실 내원하였다. Non-contrast CT에서 perforated appendicitis with peritonitis로 보호자 수술 거부하고 DNR 서명 후 소화기내과로 입원하였다. 항생제 치료 후 vital signs 안정되었다. 1주일째 환자가 복통을 심하게 호소하였다. 우상복부와 하복부 압통이 심하였다. follow-up CT 촬영하였다(그림 2-5).

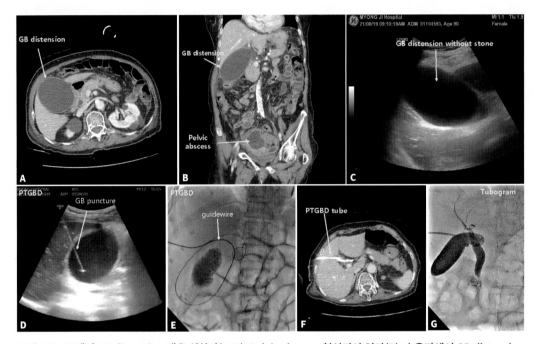

그림 2-5. CT에서 GB distension 매우 심하다(A, B). Pelvic abscess 형성되어 있다(B). 초음파에서 GB distension 심하나 내부에 stone or sludge는 관찰되지 않았다(C). Acalculous cholecystitis 소견이다. PTGBD를 시행하였다(D, E). Pelvic abscess에 대하여 PCD도 같이 시행하였다. Follow-up CT에서 GB collapse되어 있다(F). Tubogram에서 조영제가 cystic duct와 CBD를 통해 duodenum으로 잘 배출된다(G). 이후 환자 PTGBD와 PCD 모두 제거하고 경구항생제로 전환하여 퇴원하였다.

03

담관결석
Choledocholithiasis

담석 환자의 ~10–15%에서 돌이 cystic duct를 통과하여 담관으로 굴러 내려간다. 담낭수술 시 ~25%에서 담관결석이 발견된다. 담관결석이 있어도 발견이 안 될 수가 있는데(~1–5%), 이 경우 대부분은 cholesterol stone(담낭에서 만들어진 담석)이다. 나이가 들면서 담관결석의 빈도가 증가한다. De novo로 담관결석이 생기기도 한다. 이 경우는 brown pigment stones이다. 무증상일수도 있고 자연 배출될 수도 있다(spontaneously passing). 자연 배출될 때 심한 biliary colic을 일으킨다. 담관결석도 증상 없이 서서히 무증상으로 폐색을 일으킬 수는 있으나 painless jaundice의 대부분 원인은 malignancy이다(pancreatic head cancer, CBD or ampulla of Vater cancer). Periampullary cancer에서 서서히 GB가 distension되어 진찰 시 압통이 없는 담낭이 만져지는 것을 Courvoisier's sign (nontender palpable GB)이라 한다. 담석환자에서 빌리루빈이 > 5 mg/dL일 때 담관결석을 의심하는데, 최대 15 mg/dL까지 증가한다. 20 mg/dL 이상의 심한 황달은 cancer를 의심한다. ALP는 거의 항상 증가되고 임상적으로 황달이 발생하기 전에 먼저 증가한다. 급성 폐색 시 AST/ALT가 2–10배 증가하고 폐색이 풀리면 빠르게 정상화된다. 빌리루빈은 1–2주에 걸쳐서 서서히 감소하고 ALP는 빌리루빈보다 늦게 떨어진다. 담석환자에서 술전 CBD stone이 발견된 경우 preop ERCP로 담관결석을 미리 제거한다. 이때 담관결석 제거뿐만 아니라 biliary tree 해부학적 구조를 확인하면 수술에 도움이 된다. 술전 담관결석을 의심하는 경우는 ① jaundice or pancreatitis history, ② LFT abnormality, ③ CBD dilatation (on USG or MRCP)이다. 담관결석의 합병증으로는 cholangitis, pancreatitis, secondary biliary cirrhosis가 있다.

1. Cholangitis

담관폐색으로 세균이 증식하여 담관염이 생긴다. Pain, jaundice, spiking fever의 Charcot's triad가 특징이다. 혈액배양에서 흔히 균이 검출된다. Nonsuppurative cholangitis는 항생제에 반응하지만, pus가 형성되는 suppurative cholangitis는 완전 폐색에 의한 것으로 mental confusion, septic shock (Reynolds' pentad)가 생긴다. 항생제에 반응하지 않고 ERC 또는 PTBD로 decompression시켜 주지 않으면 사망률이 100%에 달한다.

증례 3-1

69세 남성으로 8개월 전부터 간간이 epigastric pain이 있었으나 동네의원에서 GERD로 진단 및 치료하였다. 최근 1주일 전부터 통증 강도와 빈도가 심해져 시행한 초음파에서 중등도의 지방간과 혈액검사에서 간수치 증가가 있어 의뢰되었다. 약물 복용력은 홍삼엑기스와 진통제를 1주일 전부터 복용하였다. 고혈압약을 20년 복용하였고, 10년 전 cholecystectomy 과거력이 있었다. 의뢰지에 적힌 혈액검사 결과는 다음과 같다. CBC 6,260/15.1/234K, T-Bil/D-Bil 0.9/0.2, AST/ALT 71/217, ALP/GGT 672/307, HBsAg-/sAb+/cAb IgG+, Anti-HCV-. CT 촬영하고 ERCP를 시행하였다(그림 3-1).

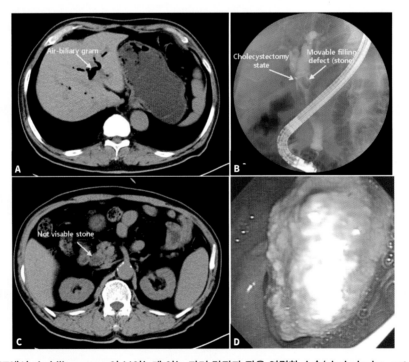

그림 3-1. CT에서 air-biliary gram이 보이는데 이는 과거 담관과 장을 연결한 수술(choledocho-enterostomy)을 받았음을 시사한다(A). 담관이 늘어나 있으나 결석은 보이지 않는다(B). CT에서 담관결석이 보이지 않는 경우도 있다. 임상적으로 담관결석이 의심되어 ERCP를 시행하였다. Cholecystectomy 흔적과 movable filling defect (stone)이 관찰된다(C). Basket으로 담관결석을 제거하였는데 brown stone이었다(D).

VII 담낭과 담관질환

증례 3-2

55세 남성. 조현병으로 정신과 입원치료 중이며 3일 전부터 황달이 발생한 것을 의사가 발견하여 혈액검사 후 진료 의뢰하였다. T-bil 8.8 mg/dL, AST/ALT 255/289 U/L, Cre 1.34, Plt 145K. 형과 함께 내원하였고 약간의 의사소통만 가능하였다. 아픈 데는 없다고 하고 가렵지 않다고 하였다. 진찰상 icteric sclera, yellowish skin color 보였고, 협조가 안 되어 진찰이 어려웠다. 만지는 곳마다 아프다고 하였고 우상복부 압통이 구체적으로 확인되지 않았다. 담낭이 촉지되지는 않았다. CT와 혈액검사를 처방하였다. 본원 LFT는 의뢰 당시보다 호전되어 있었으나 CRP 11.87 mg/dL로 증가 되어 있었다. T-bil 2.01, AST/ALT 16/43, ALP/GGT 315/176. CT에서 다발담석과 담관결석이 관찰되었다(그림 3-2). PTBD를 통한 결석 제거를 시도하기로 결정하였다. PTBD를 통한 tract을 확보한 후, 5회에 걸쳐 결석제거를 시도하였으나 large stones이 남아 남은 돌은 ERCP로 제거하였다(그림 3-3).

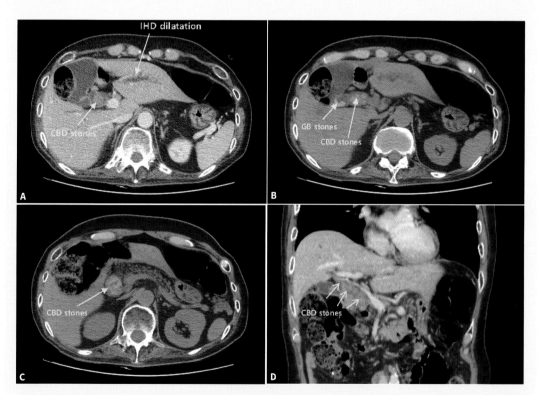

그림 3-2. IHD dilatation이 관찰되는데 bile duct obstruction이 있음을 의미한다(A). 다발 담석 외에 무수히 많은 CBD stones이 담관을 채우고 있고 이로 인해 bile duct dilatation도 심하다(B-D).

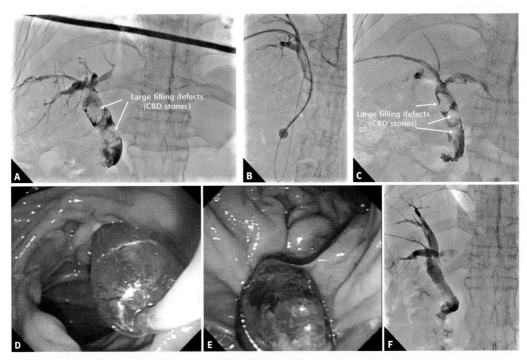

그림 3-3. 먼저 PTBD를 시행하였다. Multiple filling defects가 관찰된다(A). Balloon extraction으로 제거를 시도하지만 돌이 커서 십이지장으로 잘 배출되지 않았다(B). 5회에 걸친 시술을 하였으나 여전히 큰 담관결석들이 남아 있고, PTBD를 통한 제거는 힘들다고 판단되었다(C). ERCP로 나머지 담관결석들을 제거하였다. Large balloon dilatation으로 ampulla of Vater 부분을 확장시킨 후 Trapezoid basket을 사용하여 결석들을 제거하였다(D, E). Brown pigment stones이었다(E). Follow-up cholagiogram에서 잔류한 담관결석이 없음을 확인하였다(F).

해설 　무증상 담석은 경과관찰이 일반적이지만 담관결석은 무증상이어도 제거해주어야 한다. 이 환자는 담관염이 동반되었으므로 반드시 제거해 주어야 한다. 담관결석 제거는 ERCP를 통한 제거가 일반적이고, PTBD를 통한 제거, 수술로 제거하는 방법이 있다. 병원별로 가능한 방법들을 이용하여 치료방법은 결정된다. 매우 큰 담관결석의 제거는 쉽지 않다. 이 환자는 PTBD를 통하여 sphincterotomy를 미리 시행해 두었고, 여러 번에 걸쳐 많은 결석들을 미리 제거하여 남은 담관결석을 lithotripsy하지 않고 ERCP로 쉽게 뺄 수 있었다.

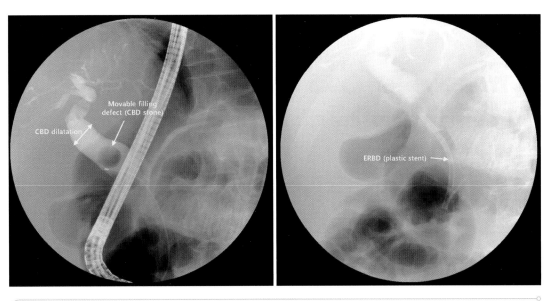

그림 3-4. **CBD stone with cholangitis**

CBD stone에 의한 septic cholangitis에서 바로 결석제거가 위험한 경우(또는 혈소판 감소 또는 항응고제 복용과 같이 bleeding tendency가 있는 경우)에는 우선 **ERBD**를 넣고 sepsis 등 전신상태 호전 후 나중에 결석을 제거한다.

2. Biliary pancreatitis

Nonalcoholic acute pancreatitis의 가장 흔한 원인은 biliary tract disease이다. 담관결석이 ampulla of Vater를 통과하면서 췌장염을 일으킨다(passed CBD stone). 담관결석이 췌장염을 일으킬 때의 증상과 임상소견으로는 back pain & LUQ pain, paralytic ileus & vomiting, pleural effusion(특히 왼쪽)이다. 담석이 있는 경우 췌장염이 호전된 후 수술한다.

3. Secondary biliary cirrhosis

장기간 biliary obstruction되면 담관성 간경변이 생길 수 있다. 담관결석보다는 주로 담관암이나 담관협착으로 오랫동안 폐색된 경우에 간경변이 생길 수 있다. 또한 담즙배출 장애로 fat-soluble vitamins (A, D, E, K) 흡수장애가 생길 수 있다.

04

원발경화성담관염
Primary sclerosing cholangitis

원발경화성담관염은 간내외 담관의 염증성 진행(persistent and progressive biliary inflammation & fibrosis)으로 점차 폐색되는 자가면역담관질환이다. 효과적인 치료가 없어 결국 간이식이 필요한 말기간질환으로 진행한다. 진단 후 median 12년 생존한다. 진단은 6개월 이상 지속하는 ALP elevation 환자에서 MRCP or ERCP로 bile–duct stricture를 확인하여 진단하고, liver biopsy는 통상 불필요하다. ~75%에서 IBD(특히 UC)와 관련이 있다. PSC는 colon

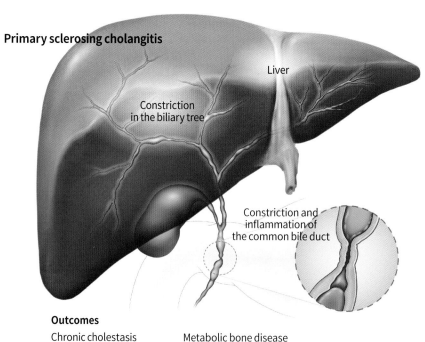

Primary sclerosing cholangitis

Liver

Constriction
in the biliary tree

Constriction and
inflammation of
the common bile duct

Outcomes

Chronic cholestasis
Liver cirrhosis
Dominant stricture
Bacterial cholangitis

Metabolic bone disease
Colon cancer
Cholangiocarcinoma
Liver transplantation

그림 4–1. PSC

cancer, bile duct cancer, GB cancer의 고위험군이다. 그 외 GB stone, GB polyp도 흔하다. PSC는 high-dose UDCA가 1차 치료제이다. LFT를 호전시키지만 생존을 향상시키는지는 불분명하다. 용량에 대한 이견이 있으나 13-15 mg/kg (70 kg 기준 1,000 mg)을 추천하기도 한다. Steroid, MTX, cyclosporine 같은 면역억제제의 효과는 불분명하다. 증상치료로 cholestyramine, vit D & calcium을 사용하고, cholangitis 때는 항생제 치료를 한다. 미국에서 간이식의 흔한 원인 중 하나이다. 간이식 후의 재발률은 25%이다. 담관조영술로는 PSC와 구분되지 않으나 serum IgG4 증가 및 담관조직에서의 IgG4 (+) plasma cells infiltration되는 병이 알려졌는데 IgG4-associated cholangitis이다. IgG4-associated cholangitis는 PSC와 다르게 IBD와는 관련이 없고, autoimmune pancreatitis와 흔히 동반되고, glucocorticoids가 1차 치료제이다.

증례 4-1

72세 여성. 갑상선기능저하증, 고지혈증으로 내분비내과 다니던 중 간수치 증가로 소화기내과 의뢰되었다. 가려움 없었고 무증상이었다(2015.11.). AST/ALT 54/60, ALP/GGT 427/185. 예전부터 경미한 간수치 증가 있었고 1년 전에도 ALP 491이었다. 과거 CT에서는 간실질에 이상 없었다. 당시 HBV- HCV-, ANA-, AMA-, IgG 1,360으로 정상 범위였다. 내분비내과에서 statin 사용 중이었으므로 약인성 가능성 생각하고 중지해 보았으나 수치 증가가 계속되었다. AMA-negative PBC 가능성 생각하고 UDCA empirical trial해 보려 하였으나 환자 내원치 않았다. 간수치 증가로 재내원하였다(2020.02.). AST/ALT 74/45, ALP/GGT 271/456. CT와 MRCP를 시행하였다(그림 4-2). UDCA 800 mg #2 사용하고 2개월 후 간수치 정상화되어 2021.09. 현재 LFT 정상 유지하고 있다.

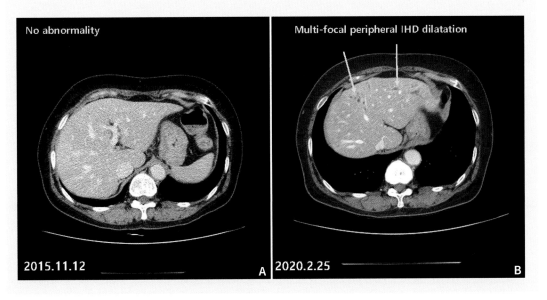

No abnormality

Multi-focal peripheral IHD dilatation

2015.11.12   A

2020.2.25   B

그림 4-2. 과거 CT는 이상 없었다. 이번 CT에서 multi-focal peripheral IHD dilatation 보여 MRCP 추가로 시행하였다. IHD, EHD multiple irregular stricture와 peripheral IHD dilatation (withered-tree appearance)을 보이는 sclerosing cholangitis소견이다.

증례 4-2

76세 남성. 복수로 다니던 대형병원에 내원하였다가 병실이 없어 치료적 복수천자만 하고 귀가하였다가 혈압 저하로 본원 ICU 입원하였다. 환자의 과거 기록들을 검토하였다. 2010.11.22. 본원 검사에서 MRCP와 ERCP에서 bile duct 합류부 focal narrowing & wall thickening 소견을 보여, 당시 진료의사는 Klatskin tumor를 의심한 기록이 있었다. 환자는 대형병원으로 전원가서 primary sclerosing cholangitis 진단을 받았다. 당시 사진을 다시 검토해 보면, CT에서는 간실질에 이상이 없고, MRCP와 ERCP에 both IHD diffuse irregular narrowing 있어 PSC 소견에 합당하다.

그림 4-3. CT에서는 간실질에 이상이 발견되지 않는다. MRCP와 ERCP에서는 bile duct 합류부 1차 가지의 focal narrowing and wall thickening이 보인다(노란색 화살표). 당시에는 Klatskin tumor를 의심하였으나, 사진을 다시 검토해 보면 간내 담관의 'withered-tree' appearance를 보이는 PSC 소견이다(붉은 점선 안).

CT에서 bile duct 호전되고 간 상태 양호하였다(2014). 과민성대장 증상으로 본원 소화기내과에서 간헐적으로 진료하였다(2015–2017). 헛배가 부르고 신물로 본원 소화기내과 진료하였다. 당시 대형병원에서 간경변으로 약 복용(스테로이드 포함) 중이었다. EGD에서 식도정맥류, portal hypertensive gastropathy 소견을 보였다(2018.03.). 2020.11.18–27 황달로 본원 입원, 당시 IgG4 1,790(참고치 ~2,010), Child–Pugh C 상태였다(2020.11.18–27). 2021.3.19–22 복수와 복통으로 입원하였다. 당시 복용 약은 알닥톤/라식스/넥시움/가스티인/우루사 200 mg tid/hydrocortisone 10 mg bid였다. 2021.8.27 복수 증가로 내원하였다가 다니던 병원 병실이 없어 paracentesis만 하고 귀가하였다가 혈압저하로 본원 ICU 입원(septic cholangitis)하였다. 예전보다 IHD dilatation 심해지고 간경변이 진행한 소견이었다. 간부전으로 사망하였다.

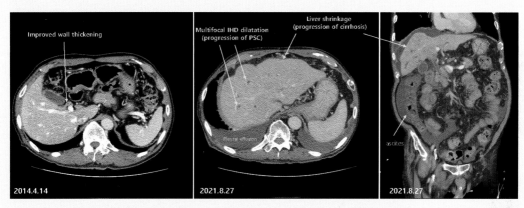

그림 4–4. 진단 4년 후 일시적인 호전이 있었다. 진단 11년째 PSC & cirrhosis 진행이 심하다.

05

기타 담관질환

1. Bile leak

담즙유출은 담낭절제술의 새로운 합병증은 아니지만 복강경시술이 보편화된 이후에 임상적 중요성이 더욱 강조되고 있다. 개복 담낭절제술 후 0.06–0.6%에서 담즙유출의 합병증이 발생하고, 복강경 담낭절제술 후에는 이보다 3배 정도 빈도가 더 높다고 하지만 시술자의 경험에 따라 다양하게 발생한다. 이외에도 복부외상, 간이식, 간절제술, 간조직검사 등으로 담즙유출이 발생할 수 있으며, 심지어는 자발적으로 발생할 수도 있다. 담즙유출의 초기 징후는 미미하여 조기에 인지하기가 어려울 수 있는데, 진단이 늦어지면 복막염, 패혈증 등의 합병증이 유발될 수도 있으므로 주의가 필요하다. 담즙유출의 진단에는 초음파검사, CT, ERCP 등이 이용되며, 각각의 장단점이 있는데, ERCP를 이용한 치료가 담즙유출을 조기에 호전시키므로 일차적으로 시행되고 있다.

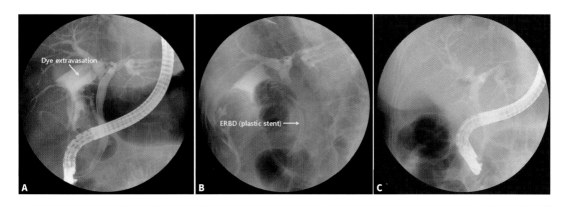

그림 5-1. 담낭절제술 후 우측 간내담관에 담즙유출이 발생하였다.

대량의 조영제 유출이 보여(A) Plastic stent를 삽입하였다(B). 8주 후 follow-up에서 더 이상의 유출은 관찰되지 않는다(C).

2. Choledochal cyst

CBD cystic dilatation되는 선천성 질환이다. 전형적 triad(복통, 황달, 복부종괴)는 1/3에서만 확인된다. Cholangiocarcinoma 위험군으로 수술이 필요하다. Cyst excision with biliary-enteric anastomosis를 한다.

증례 5-1

45세 여성. 내원 10일 전부터 시작된 상복부 통증과 황달을 주소로 내원하였다. 과거력상 1년 전부터 간헐적인 상복부 통증이 있었으나 별다른 치료 없이 호전되었다고 하였다. 신체검사상 공막에 황달이 있었으며, 복부에 종괴는 만져지지 않았다. 초기 검사소견은 다음과 같았다.

WBC 5,240, Hb 10, PLT 464K, T-bil/D-bil 19.9/14.4 mg/dL, AST/ALT 262/124 U/L
ALP 806 U/L, CA 19-9 246 U/mL, HBsAg/HBsAb (−/+), Anti-HCV (−)
대변 기생충 충란검사(−)

CT와 PTBD cholangiogram을 시행하였다(그림 5-2).

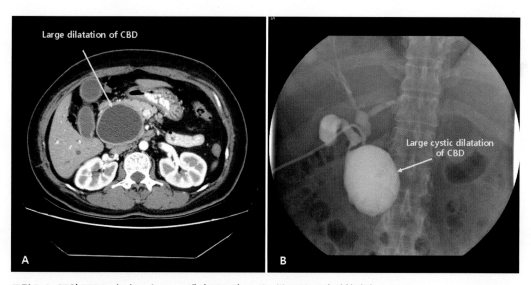

그림 5-2. CT와 PTBD cholangiogram에서 CBD의 cystic dilatation이 관찰된다.

3. Papillary stenosis and sphincter of Oddi dysfunction

Papillary stenosis는 반복적 biliary pain, LFT abnormality, CBD dilatation, delayed (> 45 min) drainage, basal sphincter pressure 증가로 진단할 수 있다. Sphincter of Oddi dysfunction은 stenosis보다 진단이 더 어렵다. 2–3개월간 nitrites, anticholinergics 등 pressure 감소 약물 시도를 해보고 효과가 없는 경우 ERCP (sphincterotomy) 또는 surgical sphincteroplasty를 고려한다.

4. Biliary atresia

생후 1개월 이내의 신생아에서 severe obstructive jaundice로 나타난다. 의심될 때는 surgical exploration and op. cholangiogram으로 확진한다. 약 10% 환자가 수술적으로 치료가 가능하다. 수술은 Rous-en-Y choledochojejunostomy with the Kasai operation (hepatic portoenterostomy)이다.

06

담관암
Bile duct cancer (Cholangiocarcinoma)

Biliary tract의 cholangiocytes에서 발생한 mucin–producing adenocarcinoma이다. 위치에 따라 intrahepatic (5%), perihilar (central, 65%), peripheral (distal, 30%)로 구분하고, 위치에 따라 치료가 다르다(그림 6-1).

담관암 환자의 대부분은 뚜렷한 위험인자 없이 진단된다. 알려진 위험인자로는 PSC(환자의 10-20%), liver fluke (Clonorchis sinensis, Opisthorchis viverrini), Choledochal cyst (10%), hepatolithiasis, Caroli disease 등이다. 임상발현은 painless jaundice, pruritus or

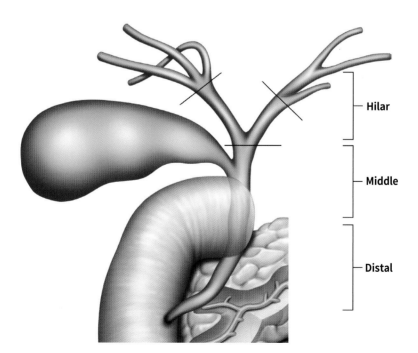

그림 6-1. **Bile duct의 위치 분류**

weight loss로 내원한다. 진단은 biopsy, ERCP 등으로 한다. Serologic tumor marker는 비특이적이다. 하지만 CEA, CA19-9, CA125가 자주 증가한다. 담관암은 수술이 가능하면 수술이 최선이다. CBD bifurcation 부위(hilar)에 생긴 nodular tumor를 Klatskin tumor라 한다. 이때는 흔히 GB collapse된다. Locoregional LNs metastasis도 흔하다. 수술 후 재발은 주로 op bed에서 일어나지만 lung & liver metastasis로 나타나기도 한다. Distal CCC는 bile duct resection(주로 pancreaticoduodenectomy = Whipple's op)한다. Unresectable CCC에서 multiple CTx가 평가되었으나 대부분 inactive하였다. 그러나 systemic and hepatic arterial gemcitabine은 희망적이다. Cisplatin + gemcitabine 병합 시 gemcitabine 단독보다 생존향상의 이득이 있었다. Locally advanced or metastatic CCC의 표준치료로 생각된다. Median 11.7 mo vs. 8.1 mo (gemcitabine 단독).

1. Intrahepatic cholangiocarcinoma

원발 간암의 대부분(90%)은 HCC이고, intrahepatic CCC는 두 번째로 ~10% 정도로 adeno-carcinoma이다. 조직단독으로는 간내담관암과 전이암(colon, pancreas)의 감별이 안 된다. 종양염색에서 CK7, 8, 19(+), CK20(-)를 보인다. 수술이 가능하다면 외과적 절제가 최선이지만 진단 당시 15% 정도만 resectable disease이다. Locally advanced disease의 경우 preop, adjuvant or palliative chemotherapy가 시도되기도 한다. Gemcitabine ± cisplatin이 사용된다. Regional therapy로 hepatic arterial infusion chemotherapy가 시도되기도 한다. HCC에서는 liver transplantation은 잘 정립된 치료이고, Klatskin tumor에서도 간이식이 희망적 치료법이지만 간내담관암에서는 controversial하다(5년 생존율 10-18%로 불량). < 2 cm very-early nonresectable intrahepatic CCC에서 제한적으로 시행해 볼 수 있다.

2. Klatskin tumor

조기 진단되어 complete resection (R0 resection)된 경우 5년 생존율이 40–50%에 달할 정도로 좋은 경과를 보일 수도 있으나, 진단 당시 30–40%는 inoperable한 상태이고, 5년 생존율은 0%이다. 2/3가 65세 이상에서 진단된다. 절제 수술을 결정하기 위해 많이 사용하는 분류법이 Bismuth–Corlette classification이다. Bismuth classification에는 LN 또는 distant metastasis는 고려되지 않는다. 절제하고 남을 간의 volume이 30% 미만일 경우 preop portal embolization을 시행한다. 빌리루빈이 10 mg/dL 이상인 경우 preop biliary drainage (ERBD 또는 PTBD)를 한다. 수술이 불가능한 경우 보존치료로서도 biliary drainage하기도 한다. 최근 liver transplantation이 시도되고 있다. Early stage의 경우 간이식 후 5년 생존율이 50%까지 향상되었고, neoadjuvant CTx + RTx로 더욱 치료성적이 향상되고 있다. 현재 UNOS에서는 perihilar CCC < 3 cm이면서 metastasis가 없을 때 OLTx 허용하고 있다. > 3 cm는 생존율이 낮아진다.

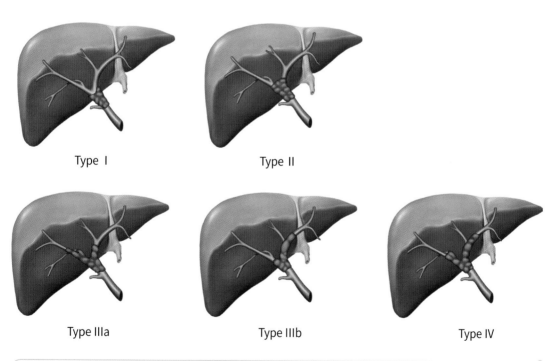

Type Ⅰ   Type Ⅱ

Type Ⅲa   Type Ⅲb   Type Ⅳ

그림 6–2. **Bismuth-Corlette classification**

증례 6-1

81세 여성. 5개월 전 복부 불편감으로 타병원에서 Klatskin tumor 진단받고 both PTBD 시행하였다(그림 6-3). 이후 대형병원으로 전원하여 수술을 위하여 right portal vein embolization 받았으나 infection 발생하여 항생제 치료하고 수술은 받지 못했다. 이후 ERBD insertion하였고 ERBD change 예약이었으나 fever & RUQ pain 발생하였다. 다니던 병원에 입원할 병실이 없어 본원 응급실로 내원하였다(그림 6-4).

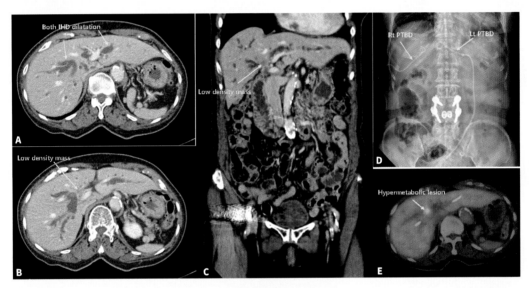

그림 6-3. 진단 당시. Both IHD dilatation이 심하다(A). Both IHD bifurcation 위치에 irregular margin의 low-density mass가 보인다(B, C). KUB에서 both PTBD 시행한 것이 보인다(D). PET-CT에서 hypermetabolic uptake 보인다(E). Klatskin tumor이다.

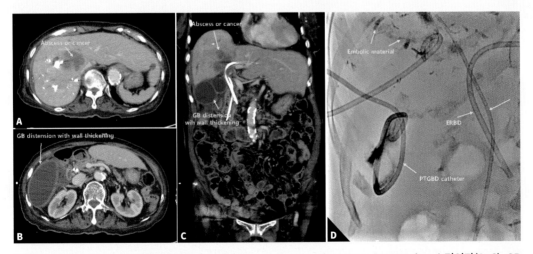

그림 6-4. 5개월 후. S5에 저음영의 병변이 보인다. Liver abscess 또는 cancer progression 소견이다(A, C). GB distension with wall thickening이 보인다. Acute cholecystitis 소견이다(B, C). 간우엽에 하얀색 material이 보이는데 right portal embolization 했기 때문이다(A). KUB에 간 내 보이는 radio-opaque material 역시 embolization한 소견이다(D). PTGBD 시행하였다(D).

3. Mid CBD cancer

증례 6-2

57세 남성. 내원 직전 발생한 심한 명치통증으로 내원하였다. 응급실에서 혈액검사와 CT 시행하였다(그림 6-5). T/D-bil 3.48/1.74, ALP/AST/ALT/GGT 697/665/340/2,162, CRP 0.55 mg/dL였다. Cholangitis impression으로 소화기내과 입원하여 ERCP 시행하였다(그림 6-5).

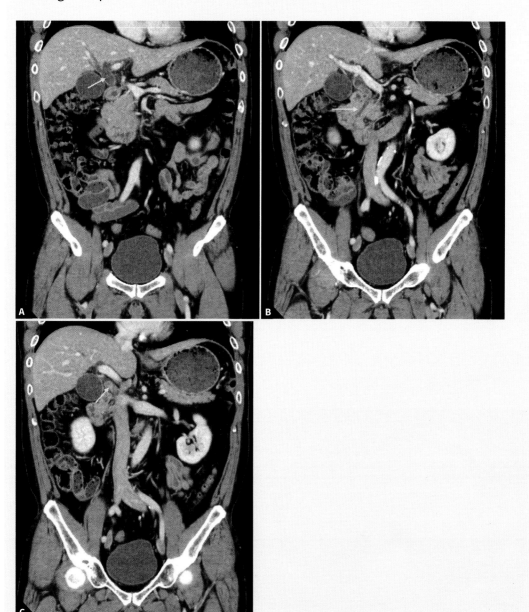

그림 6-5. Extrahepatic duct의 proximal dilatation이 관찰된다(A). Distal duct는 dilatation되어 있지 않다(B). Proximal duct에 조영증강되는 mass가 의심된다(C).

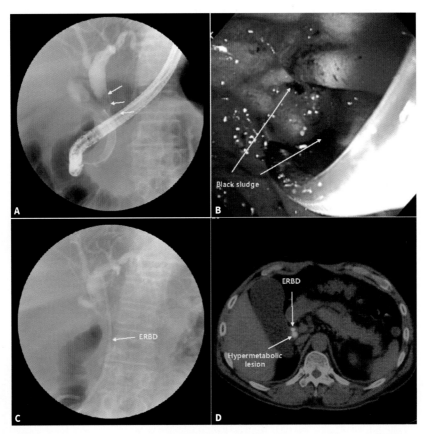

그림 6-6. Mid-CBD에 1.5 cm 정도의 round filling defect 관찰되었다(A). EST 후 basket으로 filling defect를 잡으려고 할 때 잡히지 않고 단단하게 fix되어 있었고(A), 돌 부스러기들이 배출되었다(B). Biopsy 시행(A) 후 plastic stent (10 Fr, 12 cm) 삽입하였다(C). CBD mass로 obstruction된 상태에서 CBD stone으로 cholangitis 생기면서 통증과 황달이 발생한 것으로 생각하였다. 조직결과는 adenocarcinoma, well-differentiated였고, CA19-9는 401 (~34) U/mL였다. PET-CT에서 mass 부분에 hypermetabolic uptake 관찰된다. metastasis는 없었다(D). 전원 가서 수술을 받았다.

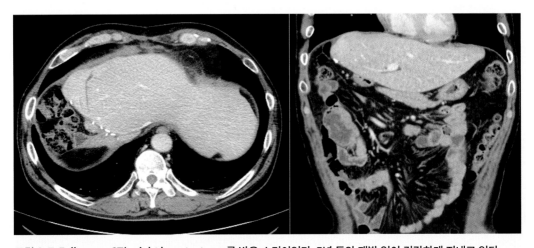

그림 6-7. Follow-up CT는 right hepatectomy를 받은 소견이었다. 5년 동안 재발 없이 건강하게 지내고 있다.

4. Distil CBD cancer

증례 6-3

78세 남성. 내원 전날 황달이 발견되어 소화기내과 외래를 방문하였다. 며칠 전부터 소변이 진해졌다고 하였다. 변 색깔은 노란색이라고 하고 가려움은 없다고 하였다. 당뇨와 고지혈증으로 내분비내과 다니고 있었다. 진찰상 전신이 노란 피부색이었다. icteric sclera였다. RUQ non-tender GB palpation (Courvoisier's sign)되었다. CT와 혈액검사 시행하였다(그림 6-8). CBC 6.9K/11.4/199K, T/D-bil 8.1/5.4, ALP/AST/ALT/GGT 411/238/272/659, CRP 6.4, CA 19-9 < 1.2였다. PTBD하여 황달을 호전시킨 후 수술(Whipple's op)을 받았다(그림 6-9). 수술 1년째 CT에서 재발 없었다(그림 6-10).

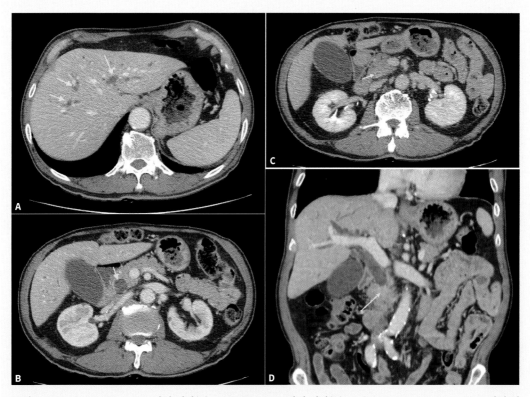

그림 6-8. Both IHD dilatation되어 있다(A). CBD dilatation되어 있다(B). Distal CBD mass obstruction되어 있다(C, D).

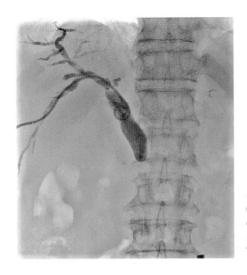

그림 6-9. PTBD cholangiogram에서 distal CBD의 abrupt cut-off 소견을 보인다. 수술 후 조직결과는 ductal adenocarcinoma, moderately differentiated, 1.5 × 0.9 cm mass, resection margin free, lymphovascular invasion (+), T1cN2였다.

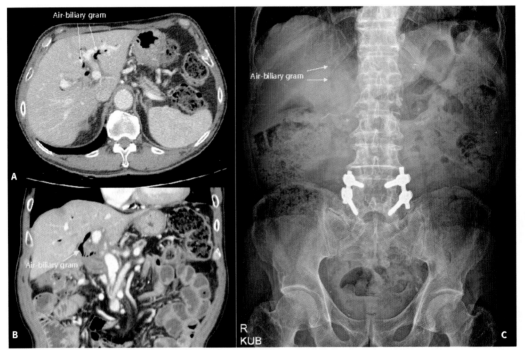

그림 6-10. 1년 후 follow-up. 간내 및 간외 pneumobilia (air–biliary gram) 소견이 보인다. Biliary–enteric anastomosis되어 장내 공기가 담관에 보인다(A, B). KUB도 자세히 보면 air-biliary gram이 보인다. 얼핏 보면 못 보고 지나칠 수 있다.

해설   Distal CBD cancer의 표준치료인 Whipple's op을 받았다. CA19–9는 비특이적이다. 이 환자는 정상치였다. 사진에서 Air-biliary gram (pneumobilia)가 보이는 경우는 biliary-enteric anastomosis나 ERCP with sphincterotomy 받은 경우이다. 때로는 air–forming bacterial biliary infection된 중증 상태일 수도 있다.

07

담낭암
GB cancer

담관암보다 예후가 더 불량하여 전형적으로는 진단 후 6개월 미만 생존한다. 복통, 황달과 같은 증상이 발현한 후는 대부분 진행암이고 5년 생존율 3%로 예후가 매우 불량하다. 여성에서 월등히 많아 1:4 (M:F) 정도이다. 대부분 담석 병력이 있으나 담석 환자에서 담낭암이 발생하는 경우는 거의 없다(~0.2%). 담석 또는 담낭염 수술 중 우연히 진단되는 경우가 있다. 위험인자로는 60–70대 여성, 비만, 만성담낭염, PSC, GB polyp, bile duct congenital anomaly (choledochal cyst)가 알려져 있다, 조기진단은 매우 어렵다. CEA, CA19–9는 비특이적 tumor marker이다. CT or MRCP에서 GB mass 보인다. stage I 또는 II인 경우는 각각 simple or radical chole-cystectomy를 시행하고, 5년 생존율은 stage I 100%, stage II 60–90% 정도이다. 그러나 advanced GB cancer로 진단되는 경우는 unresectable하여 예후가 불량하다. Local LN disease에서 adjuvant RTx 시행하기도 하지만 생존율을 향상시키지 못한다. Advanced or metastatic GB cancer에서 CTx는 유용하지 않다(not useful).

증례 7-1

78세 여성. 한 달 전부터 상복부 통증과 체한 듯한 증상으로 타병원 내시경 시행 후 역류성식도염약을 처방받았으나 호전 없다가 5일 전부터 섭식불량 심해져 응급실 통해 입원하였다. 당시 BP 85/33 mmHg, CRP 21.4 mg/dL였다. 당뇨, 주요 우울증, CAOD (2 vessel disease) 있었다. 응급실에서 촬영한 CT에서 GB cancer with liver metastasis, acute calculous cholecystitis 소견을 보였다 (그림 7-1A). 입원 중 항생제 등 보존치료를 하였다. CRP 감소하였으나 10일 후 follow-up CT에서 IHD dilatation과 복수가 진행하였다. 호스피스 전원하였다.

	2/18	2/21	2/27	3/2
T–bil	0.8	0.4	0.8	9.7
ALP	69	88	895	1,526
AST	70	52	94	202
ALT	49	28	21	54
GGT		108	824	1,079
CRP	21.4	21.8	5.2	2.9

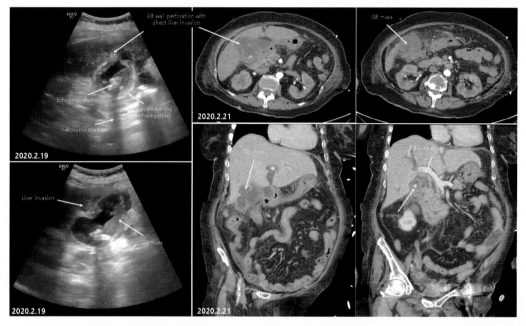

그림 7–1. **초음파 및 CT.** 담낭 내 불균일한 경계를 가진 큰 종괴가 있고 직접 간을 침범하고 있다. 또한 hepatic flexure 에도 직접 침범하고 있다. Common hepatic duct를 직접 침범하여 IHD dilatation이 관찰된다. 담석이 관찰된다.

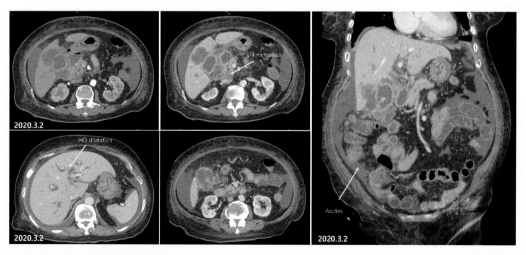

그림 7–2. **빠르게 암은 진행하고 있다.**

증례 7-2

71세 여성. 수개월간의 소화불량과 가슴답답함으로 약국과 개인의원에서 약 복용하였으나 효과가 없어서 내원하였다. 배변도 원활치 않다고 하였다. 진찰상 상복부에 거대 종괴가 촉지되었다. CT와 혈액검사를 시행하였다(그림 7-3). 혈액검사는 CBC 11.4K/10.3/229K, AST/ALT 55/28, ALP/GGT 268/262, CRP 3.4, CA19-9 3.8 (< 37)이었다.

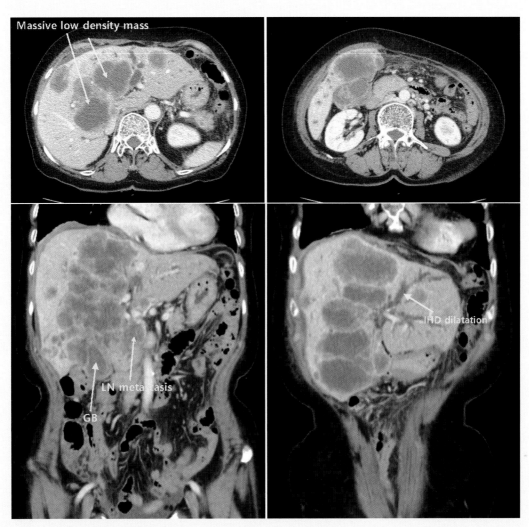

그림 7-3. 담낭 내 일부를 제외하고 대부분 종괴로 채워져 있고, 간 내 크고 작은 다발 저음영 종괴들이 보인다. 주변 림프절 전이도 관찰된다. 종괴 및 림프절에 의한 압박으로 간 내 담관이 늘어나 있다. GB cancer with massive liver and LNs metastasis 소견이다.

증례 7-3

65세 남성. Epigastric pain으로 응급실 통해 입원하였다. CT에서 acute calculous cholecystitis 소견이었다. 초음파에서는 GB wall thickening은 있으나 담석이 관찰되지 않았다. 입원 후 통증이 완화되어 수술하지 않고 경과보기로 하고 퇴원 후 UDCA 사용하였다. 2개월 후 다시 심한 명치 통증으로 외과 입원 후 laparoscopic cholecystectomy를 받았다. 술후 adenoca 진단되었다. 재입원하여 radical cholecystectomy를 받았다(그림 7-4). 주변 LNs dissection 및 liver resection 받았다. 최종 병리결과는 adenoca, moderately diff, 1.8 cm, T2 (perimuscular invasion), lymphovascular invasion, LN 침범 여부는 평가불가(pT2Nx)였다.

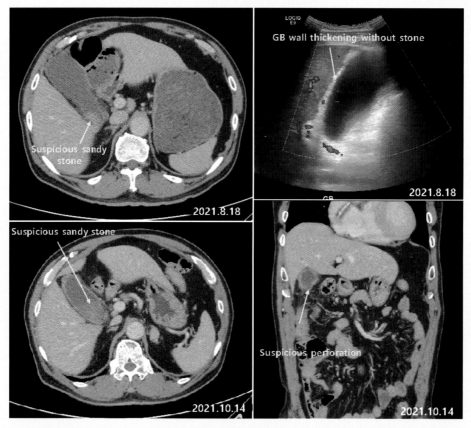

그림 7-4. 첫 내원 당시 CT에서 GB distension 심하지 않았다. Sandy stone 의심되었으나 초음파에서는 보이지 않았다. 2개월 후 재내원 시 뚜렷한 acute cholecystitis 소견으로 복강경담낭절제술을 받고 퇴원하였다. 수술기록은 GB fundus perforation있고 담낭 내 담석은 없으며 1.5 cm polypoid mass 소견이었다. 술후 adenocarcinoma 진단되었다.

해설　임상소견은 acute calculous cholecystitis이나 수술 후 담낭암이 진단되기도 한다. 이 환자를 후향검토해 보면 CT에서 보이는 조영증강 음영은 담석이 아닌 mass였던 것 같다. 담낭염 수술하고 퇴원한 후 병리결과를 확인하지 않아 문제가 된 경우가 있어 본원에서는 병리 결과가 cancer로 진단되면 CVR로 주치의에게 통보하는 시스템을 갖추었다.

08

기타 담낭질환

1. 담낭선근종증(GB adenomyomatosis)

GB wall mucosa & muscularis propria가 증식된 양성질환이다. 상피증식이 비후된 근층으로 invagination된 것을 Rokintasky–Aschoff sinuses라고 하고 임상적 의미는 없다. 3가지 형태가 있다; focal (fundal), segmental, diffuse (generalized) forms. 전암 병변인지는 불분명하지만 양성질환으로 생각된다. 임상적 중요성은 국소선근종(focal adenomyoma) 형태에서 담낭암과의 감별이 어려울 수 있다는 점이다. 담낭암이 의심되거나 구별이 어려울 때는 수술이 필요할 수 있다.

2. 담낭용종(GB polyp)

조직진단이 어려우므로 담낭암의 위험이 있는 경우에 수술을 고려한다. 작은 담낭용종의 대부분은 콜레스테롤 용종이고 주로 다발성이다. 1 cm 이상, 담석이 동반된 용종의 경우에는 담낭암 위험이 있어 수술(laparoscopic cholecystectomy)을 고려한다. 1 cm 이하에서 USG follow-up에서 크기가 커지면 수술을 고려한다. 6-9 mm 크기의 용종은 대략 6개월 후 추적검사하고, 크기의 변화가 없으면 그로부터 1년 후 추적검사를 권한다.

담낭 및 담관질환 문제

1. 48세 남성이 담석으로 복강경담낭절제술을 받은 후 배액관으로 계속 dark brown color의 액체가 계속 배액되었다. 올바른 조치는?
   ① 재수술
   ② ERCP
   ③ MRCP
   ④ Cholestyramine 사용
   ⑤ Proton pump inhibitor 사용

2. 55세 남성이 건강검진상 우연히 담낭에 사진과 같은 이상이 발견되었다. 가장 적절한 조치는?

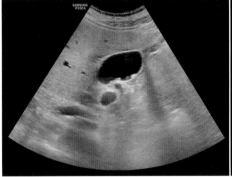 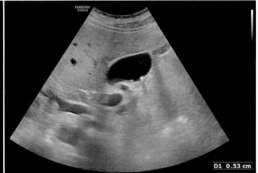

   ① 경구 UDCA 투여
   ② 개복 쓸개 절제술 시행
   ③ ERCP 시행
   ④ 추적 관찰
   ⑤ 복강경 쓸개 절제술 시행

3. 다음은 콜레스테롤 담석의 위험인자들이다. 아닌 것은?
   ① 비만
   ② 급격한 다이어트
   ③ 임신
   ④ Total parenteral nutrition
   ⑤ 간경변

4. 78세 여성 환자가 초음파에서 췌장에 1 cm 낭성종양이 발견되어 의뢰되었다. 복부 CT를 촬영하였는데 우연히 1 cm 정도 크기의 담관결석이 발견되었다. 빌리루빈, AST, ALT 등 혈액검사는 정상이고 환자는 무증상이다. 올바른 조치는?

① 경과관찰

② UDCA

③ ERCP

④ ESWL

⑤ 복강경수술

5. 56세 남성이 황달로 내원하였다. 다음은 MRCP 사진이다. 이 환자에서 가장 부적절한 조치는?

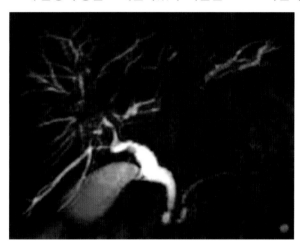

① serum IgG4 확인　　　　　② 고용량의 UDCA 사용

③ Cholestyramine 사용　　　④ 간조직검사 시행

⑤ 대장내시경 시행

6. 56세 남성 환자가 황달로 내원하여 간분무담관암으로 진단되었다. 좌우 담관의 합류부에 2 cm 형태의 결절 형태였다. 외과에서 근치절제는 어렵다고 판단하였다. PET–CT 등의 검사에서 타부위에 전이 병변은 발견되지 않았다. 근치 가능성이 가장 높은 선택은?

① Cisplatin + gembitabine 항암치료

② Cisplatin–based 항암치료와 방사선치료 병행

③ Atezolizumab + bavacizumab 면역항암치료

④ 간이식

⑤ Photodynamic therapy와 cisplatin-based 항암치료

7. 담낭암에 대하여 옳은 것은?

① 진행암에서 항암치료는 생존율 향상에 도움이 된다.

② 방사선치료의 효과는 좋은 편이다.

③ 담석 수술 후 우연히 진단되기도 한다.

④ 남자에서 흔하다.

⑤ 40세 이상은 6개월마다 초음파검진을 통한 조기진단이 최선이다.

정답과 해설

1. ② 2. ④ 3. ⑤ 4. ③ 5. ④ 6. ④ 7. ③

1. Bile leak의 진단과 치료는 ERCP를 통한 ERBD insertion이다.

2. Tiny GB polyp은 경과관찰한다.

3. 비만 및 대사증후군은 콜레스테롤 담석 위험인자이다. 임신과 급격한 체중 감소 역시 콜레스테롤 담석 위험인자이다. 간경변, cystic fibrosis, ileal disease or resection은 색소 담석 위험인자이다.

4. 담관결석은 무증상이라도 제거해 주어야 한다.

5. PSC는 liver biopsy로 진단하지 않는다. PSC는 흔히 IBD (UC)가 동반되므로 대장내시경으로 확인해야 한다.

6. 미국 UNOS에서 periphilar CCC (Klatskin tumor)에서 3 cm 미만이면서 metastasis가 없을 때 간이식을 허용한다. > 3 cm이면 생존율이 낮아진다. Neoadjuvant CTx + RTx로 이식성적을 향상시킨다.

VIII 췌장 질환

01

췌장의 구조와 기능

췌장은 후복막 장기이다. 외분비췌장과 내분비췌장으로 나누어진다. 85%가 외분비췌장이고 lobule(소엽)의 형태를 이룬다. Lobule은 대부분 pancreatic acinar cells(세엽세포)로 구성되고 중앙에 관 구조물(duct)을 둘러싸는 형태로 존재한다(그림 1-1).

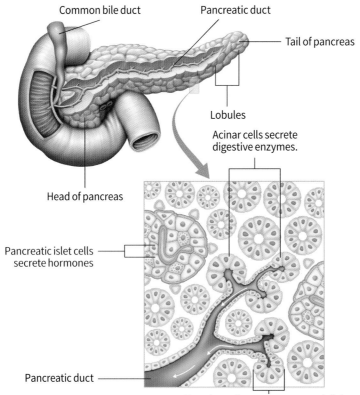

그림 1-1. 췌장의 구조

외분비췌장의 말단 구조는 lobule이고, 내분비췌장의 말단구조는 islet of Langerhans이다.

췌세엽세포에는 다양한 전구효소(proenymes)가 함유되어 있는데 amylase, lipase 등이 대표적이다. 이러한 proenzymes은 내강으로 분비되어 ampulla of Vater를 통하여 십이지장으로 분비된다. 췌장의 내분비세포들은 군집을 이루어 islet of Langerhans를 구성한다. 내분비세포들은 다양한 hormone peptide를 분비한다. β-cells (60–80%)은 인슐린을 분비하고, α-cells (15–20%)은 glucagon, δ-cell (5–10%)은 somatostatin을 분비한다. 췌장은 섭취한 탄수화물, 지방, 단백질의 소화와 흡수에 중요한 역할을 한다. 췌장은 하루 1,500–3,000 mL의 alkaline fluid (pH > 8)를 분비한다. 췌액에는 20여 종 이상의 효소들이 들어 있다. 탄수화물을 분해하는 amylase, 지방을 분해하는 lipase, cholesterol esterase, phospholipase, 단백질을 분해하는 trypsinogen 등이다. 췌장은 소화효소들로부터 스스로 녹아내리지 않도록 방어(autoprotection)한다. 대표적인 기전은 불활성화된 전구체(precursor)의 형태로 방출하는 것이다. Trypsinogen이라는 불활성화 효소로 십이지장에 방출되어 십이지장 점막의 enterokinase에 의해 활성화(trypsin)되고, 활성화된 trypsin이 다른 불활성화 형태로 방출된 proenzymes을 활성화시킨다. 또, PSTI (pancreatic secretory trypsin inhibitor)를 생성하여 췌관에 분비함으로써 십지지장에 도달하기 전에 trypsin으로 활성화하는 것을 막는다. 다른 효소들과 달리 amylase, lipase는 췌장 내에서 이미 활성화된 형태로 존재하는데도 췌장 손상을 일으키지 않는 이유는 췌장 조직에는 당, 중성지방 성분이 없기 때문으로 추정된다.

02

급성췌장염
Acute pancreatitis

급성췌장염의 흔한 3대 원인은 알코올, 담석, hypertriglyceridemia이다. ERCP, 약제(5–ASA 등), trauma, postop 등도 비교적 흔한 원인이다. 췌장염 발생에는 유전적 소인(genetic susceptibility)이 관여한다. 췌장염이 일어나는 첫 단계는 trypsin activation이다. Acinar cell injury가 일어나면 leukocytes and macrophages activation & sequestration으로 췌장 염증이 촉발된다. Trypsin은 그 자체로 췌장세포를 손상시킬 뿐만 아니라 elastase, phospholipase A를 활성화시킨다. 그 결과 proteolysis, edema, interstitial hemorrhage, vascular damage, coagulation necrosis, fat necrosis, parenchymal cell necrosis와 같은 국소 췌장 손상이 일어난다. 세포 손상으로 bradykinin peptides, vasoactive substances, histamine 같은 혈관확장물질이 방출되어 전신으로 퍼지면 vasodilatation, permeability 증가로 SIRS (systemic inflammatory respiratory syndrome), ARDS (acute respiratory distress syndrome), MOF (multi–organ failure)가 생길 수 있다. 급성췌장염 때는 후복강으로 fluid loss되어 hypovolemic shock이 생길 수 있다. Systemic effect, pleural effusion(주로 왼쪽, 10–20%)도 생길 수 있다. 배꼽주변의 멍 소견(Cullen's sign, hemoperitoneum 의미), 왼쪽 옆구리 멍 (Turner's sign, severe necrotizing pancreatitis with hemorrhage 소견)은 심각한 합병증을 의미한다. Amylase, lipase가 정상치의 3배 이상 증가하는데 중증도와는 관련 없다. 췌장염이 지속되어도 amylase는 3–7일째 정상화된다. Amylase 지속 증가 시에는 췌장염 이외의 다른 원인을 찾아보아야 한다. Lipase가 more specific하다. Acidosis (pH < 7.32) + amylase 증가 때는 DKA가 아닌지 확인해야 한다. Leukocytosis, hemoconcentration, BUN 증가는 fluid loss의 결과로 나타나고 중증을 의미하며 mortality가 증가할 수 있다. 급성췌장염은 형태학적으로 interstitial pancreatitis(췌장조영 증강○)와 necrotizing pancreatitis(조영증강×)로 나눌 수 있다. 합병증으로 pancreatic pseudocyst가 생길 수 있고, necrotizing pancreatitis 후에는 acute necrotic collection, walled–off necrosis가 생길 수 있다. 진단은 '전형적 복통 + lipase ± amylase ≥ 3배 + 영상소견'으

로 한다. 감별질환으로 peptic ulcer, acute cholecystitis, intestinal obstruction, mesenteric vascular obstruction, renal colic, inferior MI, dissecting aneurysm, DKA 등이 있다. 임상 경과는 early(< 2주)와 late(> 2주)로 나눌 수 있다. Early phase에서의 중증도 판정은 형태학적 이상보다는 organ failure parameters (respiratory, cardiovascular, renal)로 판정한다. 대부분 SIRS를 보이는데 SIRS가 지속되면 organ failure로 이어지게 된다. Late phase에서도 중증도 판정은 early phase와 마찬가지로 organ failure parameters로 한다. 단, late phase에서는 local complication 확인을 위해 CT와 같은 영상학적 평가가 필요할 수 있다. 장기부전이 동반한 경우 dialysis, ventilator, nutritional support가 필요할 수 있다. Necrosis infection된 경우 operative, endoscopic or percutaneous intervention이 필요할 수 있다. 그러나 급성췌장염의 80% 이상은 경미하고 보존치료로 합병증 없이 자연 회복된다. 10–20%는 중증췌장염으로 합병증을 일으킬 수 있다. 전체적으로 췌장염의 사망률은 5% 정도로 알려지는데, 중증은 ~30%까지 증가할 수 있다. 치료의 기본은 첫 24시간 내 aggressive hydration과 pain control이다. 그 외의 약물치료들은 효과가 증명되지 않아 인정되지 않는다. 치료의 기본은 hydration이다. 0.9% normal saline (N/S) or Lactated Ringer's solution (Hartmann solution)을 사용한다. H/S이 N/S보다 낫다는 연구가 많아 우선적으로 추천된다. 수액량은 15–20 cc/kg(약 1,200 mL) bolus hydration하고 이어 200–250 mL/hr 하도록 하는데 volume overload에 대한 주의가 필요하다. 대략 2.5–4 L/day 정도를 기본으로 하고, 환자의 상태에 따라 수액량을 조절하는 것이 좋겠다. 수액량의 적정성 모니터링은 BUN, Hct 및 vital signs (HR, BP), 소변량으로 한다. 첫 24시간 내 BUN, Hct 감소(또는 정상화)를 목표로 한다. HR < 120회 이하, 소변량 시간당 0.5–1 mL/kg(대략 40 cc 이상)을 목표로 한다. 통증조절은 pethidine, morphine, fentanyl, NSAIDs 등을 사용할 수 있다. 과거 morphine이 sphincter of Oddi를 수축시켜 췌장염을 악화시킬 수 있다고 제한한 적도 있었으나 근거가 없다. 예방적 항생제는 권고되지 않으나 sepsis, SIRS, MOF 환자에서는 항생제 치료가 필요하다. Imipenem과 quinolone계 항생제가 췌장 침투율이 좋은 것으로 알려져 있다. 췌장분비 억제제 somatostagin (octerotide)는 효과가 증명되지 않아 현재 추천되지 않는다. Protease inhibitor (Gabexate 등)도 인정되지 않는다.

췌장염의 형태학적 정의

1. Interstitial edematous pancreatitis에서
   1) acute peripancreatic fluid collection: < 4주, non-encapsuled fluid collection
   2) pseudocyst: > 4주, encapsulated peripancreatic or remote fluid collection
2. Necrotizing pancreatitis에서
   1) acute necrotic collection: < 4주, non-encapsulated heterogenous non-liquefied material
   2) walled-off necrosis: > 4주, encapsulated heterogenous non-liquefied material

(참고) 급성췌장염 환자 입원 시 Dr's order 예시

- Check V/S q 6hrs (or 8 hrs)
- NPO
- Check I/O
- Check SpO₂
- 0.9% H/S (or N/S) 1 L hydration (over 1 hr)
- 10% D/W 1L IV (40 cc/hr)
- H/S (or 0.9% N/S) 1L IV × 2 (80 cc/hr)
- Pethidine 1A IV tid (& PRN)

증례 2-1

31세 남성. 매일 소주 3병 마시던 환자로 어제까지 마시고 내원 전 심한 명치통증으로 응급실 내원하였다. CT와 혈액검사 시행하고 췌장염 진단으로 입원하였다(그림 2-1). 5년 전에도 췌장염으로 입원한 적 있었다. 내원 시 amylase 244 U/L(참고치; 30–118), lipase 810 U/L(참고치; 12–53), TG 270 mg/dL였다.

	2021.8.27	2021.8.30	2021.9.2
WBC (/μL)	10,800	6,600	5,900
Hb (g/dL)	18.4	15.3	14.8
Platelet (× 10³/μL)	344	157	303
AST (U/L)	112	59	46
ALT (U/L)	98	43	64
GGT (U/L)	540	451	354
BUN (mg/dL)	20.1	7.7	6.3
Cre (mg/dL)	0.96	0.71	0.84
amylase (U/L)	244	135	92
lipase (U/L)	810	117	153

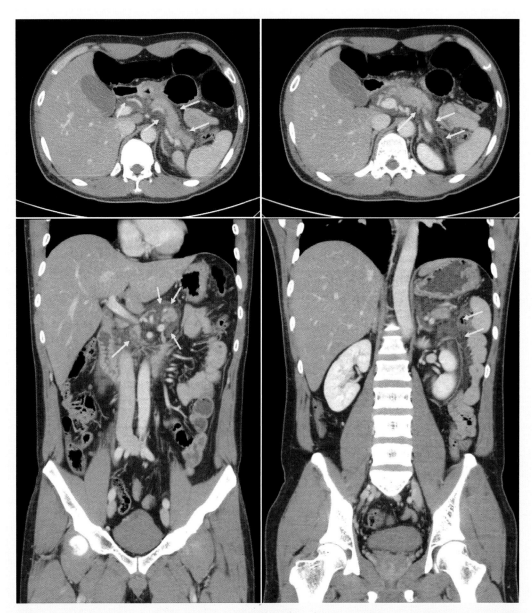

그림 2-1. Interstitial pancreatitis with peripancreatic fluid collection. 췌장 주위와 장간막축 그리고 왼쪽 콩팥 앞의 장간막에 심한 액체 침윤(노란색 화살표)이 있는 급성 췌장염 소견이다. 염증이 퍼진 위치를 따라 심한 복통과 압통을 호소하게 된다.

> **해설**　Hydration & pain control이 치료의 기본이다. 향후 금주가 꼭 필요하다. 환자는 금주 의지가 전혀 없는 것이 문제이다. 입원 당일 WBC, Hb, BUN 수치가 높은 것은 dehydration에 의한 hemoconcentration 때문이다. 첫날 H/S 3 L + 10% D/W 1 L 등 4 L 이상 hydration 하였다. 이후 WBC, Hb, BUN 감소하였다.

증례 2-2

34세 남성. 자다가 밤 12시경 갑자기 심한 명치통증이 발생하여 응급실 내원 후 급성췌장염 진단으로 소화기내과 입원하였다. 7개월 전 췌장염으로 타병원 입원치료한 적 있는데 알코올성 췌장염으로 들었다고 하였다. 주 3회 × 소주 1.5병/회 음주하였고, BMI 27.0 (179.8 cm, 87.6 kg)이었다.

	2021.9.23	2021.9.27	2021.10.5
WBC (/μL)	10,600	5,600	8,600
Hb (g/dL)	17.6	12.0	14.0
Platelet (× 10³/μL)	218	189	447
AST (U/L)	9		18
ALT (U/L)	33		13
GGT (U/L)			66
BUN (mg/dL)	10	13.9	
Cre (mg/dL)	0.47	0.94	
amylase (U/L)	168	54	68
lipase (U/L)	404	85	61
T-CHO (mg/dL)	639	378	266
LDL-chol (mg/dL)	308		183
TG (mg/dL)	> 1,100		428
CRP (mg/dL)	0.66	4.18	0.06

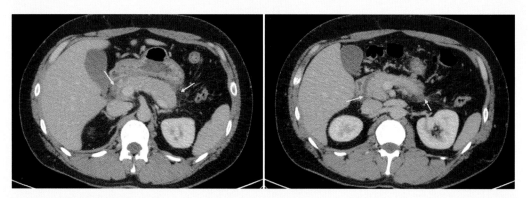

그림 2-2. Interstitial pancreatitis. 췌장이 부풀어 있고(pancreas swelling) 주위에 경미한 침윤과 수 mm의 액체테가 보인다(노란색 화살표). 급성 췌장염 소견이다.

해설 이 환자에서 급성췌장염의 원인은 hyperTG로 보았다. 비만, 음주가 고중성지방혈증에 영향을 미쳤을 수 있으나 췌장염의 직접 원인은 고지혈증이다. 일반적 급성췌장염의 치료와 함께 Rosuzet 10/10® (rosuvastatin 10 mg/ezetimibe 10 mg)과 Lipidil® 160 mg/T qd (fibrate)를 바로 시작하였다.

증례 2-3

37세 남성. 최근 3일간 소주 2병씩 마시던 중 쓰러져 타병원 후송되었다가 CRRT 필요성으로 본원으로 전원되었다. Intubation & CPR 6분 시행하여 ROSC된 상태였고 소변은 나오지 않았다. ARDS, AKI 등 multi-organ failure 소견으로 ECMO, ventilator care, CRRT 치료하였다. 내원 당시 ABGA pH 7.0, Base excess -17.6 (-2 2), bicarbonate 13.3(21-29), PO_2 35 mmHg, PCO_2 54 mmHg였다. Amylase 502 U/L, lipase 863 U/L, BUN/Cre 37.1/3.3 mg/dL였다. 3일째 ABGA 정상 범위로 교정되었다. 8일째 extubation하고 점차 호전되어 CRRT 중단하였다.

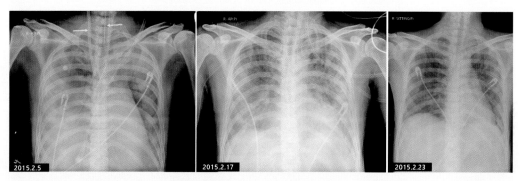

그림 2-3. CXR 변화. Both lung hazziness를 보인다. Intubation 후 촬영한 chest AP에서 E-tube는 잘 들어가 있다. 투석용 catheter도 관찰된다. 8일째 extubation하였고 13일째 CXR에서 여전히 폐 양쪽으로 침윤이 심하다. 19일째 사진에서는 매우 호전되었다.

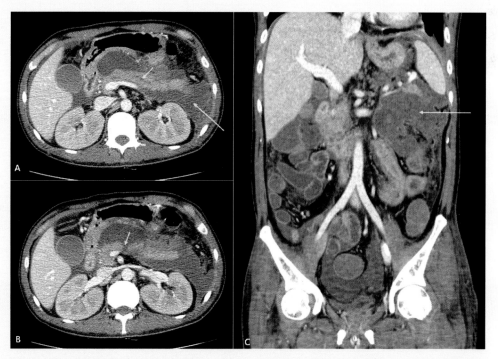

그림 2-4. 입원 20일째 ARDS와 AKI 호전되어 CT follow-up 하였다. 췌관은 관찰된다(A). 췌장의 일부에서 괴사가 관찰된다(B). 췌장 주변으로 괴사된 material & fluid collection이 심하다(A-C). Necrotizing pancreatitis & acute necrotic collection 소견이다.

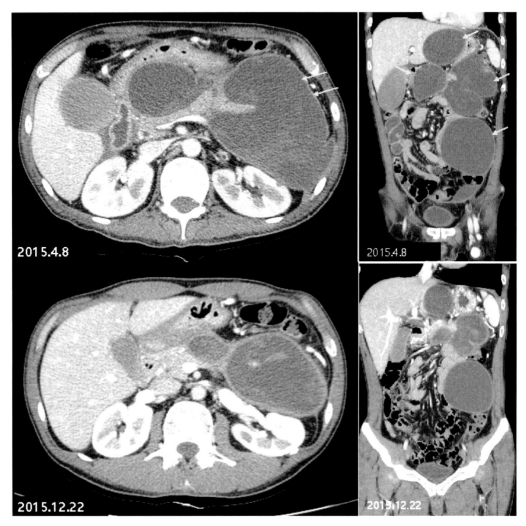

그림 2-5. 2개월째 CT에서 encapsuled loculated fluid collection된 wall-off necrosis가 형성되었다(노란색 화살표). 내부에는 hematoma도 보인다(빨간색 화살표). 그로부터 8개월 후 크기가 약간 감소하였으나 여전히 크게 남아 있다.

VIII 췌장질환

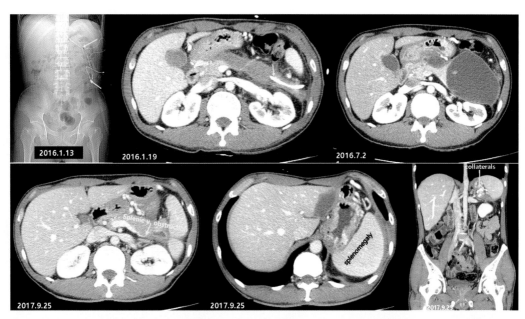

그림 2–6. PCD 후에 일시적으로 크기 작아졌다가 다시 커져 한번 더 drainage하였다. 2.5년 후 CT에서 splenic vein obstruction되어 collaterals이 형성되었고 splenomegaly가 생겼다.

해설 심한 necrotizing pancreatitis에서 early phase 때는 ARDS, AKI로 생명이 위급한 순간을 넘겨야 하고, late phase 때는 광범위한 acute necrotic collection 및 walled-off necrosis로 장기간 고생하게 된다. 환자는 통원 치료하는 중에도 간헐적으로 음주를 계속하였다.

03

만성췌장염
Chronic pancreatitis

Chronic inflammation and collagen deposition (fibrosis)의 비가역적 손상으로 췌장의 주기능인 exocrine and endocrine tissue destruction (atrophy)된 것을 말한다. 대표적 임상발현은 steatorrhea, weight loss, DM이다. 가장 흔한 원인은 alcoholism이다. Smoking도 강력한 원인이다. 미국에서 어린이 만성췌장염의 가장 흔한 원인은 cystic fibrosis이고, 성인 만성췌장염의 25%는 idiopathic (genetic defects)이다. 유전적 결함으로는 PRSS1 mutation과 CFTR mutation이 있다. Autoimmune pancreatitis는 드물지만 간혹 임상에서 췌장암으로 혼동할 수 있어 감별하는 것이 중요하다. 만성췌장염의 주요 임상소견은 복통, 흡수장애, 체중 감소이다. 주로 식후에 복통이 악화하므로 식사를 두려워하여 체중 감소로 이어진다. 흡수장애 역시 체중 감소로 이어지고, 만성설사와 지방변이 생긴다. Steatorrhea에도 불구하고 fat soluble vitamins deficiency는 드물다. 복통은 경미한 경우부터 심한 경우까지 다양한데 narcotic dependence를 초래한다. 초기 또는 경미한 경우는 진단이 어렵다. Pancreatic steatorrhea가 의심될 때 fecal elastase-1 (< 200/g of stool)과 small bowel biopsy (normal)가 도움이 된다. Fecal elastase-1 감소는 exocrine deficiency를 의미한다. 진단에 CT가 유용하다. Calcification, dilated ducts or atrophic pancreas를 확인한다. MRCP도 도움이 된다. 그러나 best sensitivity and specificity를 보이는 검사는 secretin stimulation test이다. 외분비기능 60% 이상 소실 시 비정상소견으로 나타난다. 만성췌장염의 합병증으로 통증, 마약중독, 당뇨, 위마비 등이 있고, pancreatic cancer도 주요 합병증이다. 그 외, GI bleeding을 일으킬 수 있는데, peptic ulcer bleeding, pseudocyst erosion bleeding, P-duct arterial bleeding 등으로 생길 수 있다.

1. 치료

1) Steatorrhea

Pancreatic enzyme replacement가 치료의 기본이다. Lipase, amylase, protease가 포함된 약이다. 예를 들어, Creon® 3,000, Creon® 6,000, Creon® 12,000, Creon® 24,000 같은 약에서 숫자는 lipase 함량(units)을 의미한다.

2) Pain

만성췌장염에서 통증을 일으키는 원인은 다를 수 있다. 일반적 통증은 tramadol과 같은 진통제, amitriptyline 같은 tricyclic anti-depressant를 사용한다. Maldigestion에 의한 dyspepsia, mild abdominal pain은 소화효소제가 도움이 될 수 있다. 만성췌장염에서 gastroparesis (gastric dysmotility)도 흔하다. 이때는 prokinetics가 도움이 된다. Duct decompression을 목적으로 sphincterotomy, stenting, stone extraction, pseudocyst drainage를 해 볼 수 있다. 치료에 불응하는 통증이 지속하는 환자에서 수술(total pancreatectomy 등)이 고려될 수 있다.

Autoimmune pancreatitis

Autoimmune pancreatitis는 diffuse pancreas enlargement, P-duct diffuse irregular narrowing, IgG 증가(특히 IgG4)를 특징으로 하고 glucocorticoids로 치료한다.

증례 3-1

43세 남성. 만성음주자로 음주 중에 속이 미식거리고 식은땀이 나며 복통 심하여 다니던 병원 응급실 방문하여 CT 촬영 후 전원되었다. 과거 만성췌장염을 진단받은 적이 있었다. 1년 전 CT가 동봉되었다(그림 3-1). 내원 시 Hb 14.2 g/dL(이틀 후 13 g/dL), CRP 6.58 mg/dL, amylase 121 IU/L, lipase 159 IU/L였다. CT에서 chronic pancreatitis, 7 cm pseudocyst with internal hemorrhage 소견 관찰되었다. 1년 전 CT에서는 1.7 cm 크기였다. Intervention 없이 보존치료하고 4일 후 퇴원하였다. 2개월후 10 cm으로 크기 변화 없고, 6개월 후 4 cm으로 감소, 1년 후 소실되었다. 그러나 이후 CT에서는 pancreatic duct calcification이 pancreas head & body에도 관찰되고 P-duct dilatation도 관찰되었다. 통증 등 특이증상은 없었다. 금주를 강조하였다.

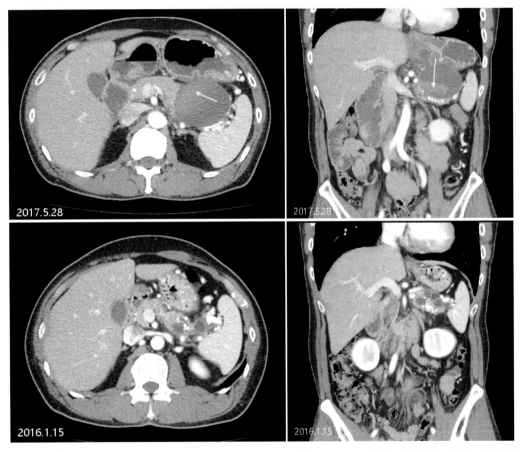

그림 3-1. Chronic pancreatitis. Pancreas tail pseudocyst 크기가 7 cm으로 커져 있고 내부에는 출혈이 관찰된다(화살표). 주변에는 pancreatic calcification이 보인다. 1년 전 CT를 보면 pancreas tail 부위에 calcification과 작은 pseudocyst가 있었다. Intervention 없이 보존치료하고 4일 후 퇴원하였다. 1년 전 CT에서는 1.7 cm 크기였다.

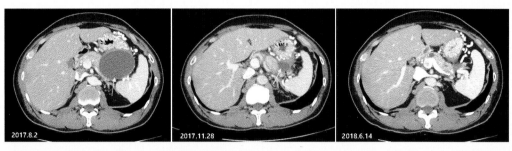

그림 3-2. Pseudocyst는 점차 감소하다가 소실되었다.

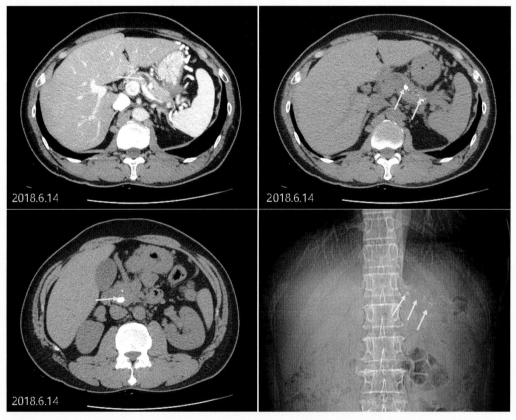

그림 3-3. Pseudocyst는 소실되었으나 pancreas tail에 국한되어 있던 calcification이 head, body에도 보이고 P-duct dilatation도 관찰된다. Simple abdomen에서도 pancreatic calcification이 관찰된다.

해설　　만성췌장염에서 급성췌장염이 병발할 수 있다. 가성낭종의 합병증이 생긴 경우 자연적으로 크기가 감소하여 소실되는 수가 많으나 가성낭종에 출혈, 감염과 같은 합병증이 발생할 수 있다.

증례 3-2

55세 남성. 만성음주자로 불면증, 우울증, 당뇨 있었고, 1주일 전 복통으로 타병원 방문하여 만성 췌장염 진단 후 본원으로 전원되어 응급실 통해 입원하였다(그림 3-4). 내원 시 혈액검사에서 WBC 22K, AST/ALT 52/142 U/L, ALP/GGT 679/453, BUN/Cre 43/1.07 mg/dL, Glu 314, HbA1c 10.9%, CRP 15.92 mg/dL였다.

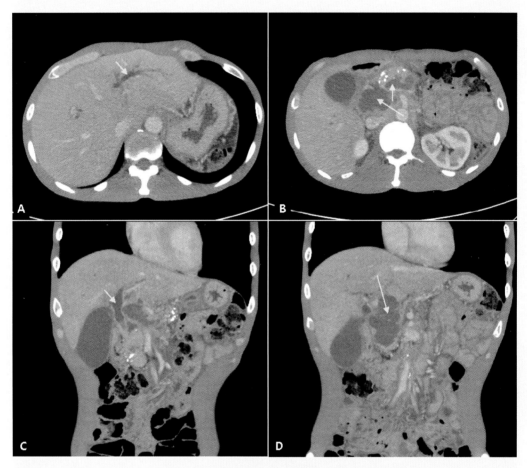

그림 3-4. CT에서 pancreatic calcification (chronic pancreatitis)이 보인다(B, C). IHD & CBD dilatation이 보인다(A, C 화살표). Pancreas 주변으로 irregular margin의 fluid collection이 보인다(B, D 긴 화살표).

1주일간 항생제 사용하면서 경과관찰을 하였는데 호전이 없어 PTBD 시행하였다. PTBD 후 LFT는 빠르게 호전되었다. 이후 pancreatic pseudocyst drainage 계획하였다. PCD하였을 때 pus drainage (culture 결과는 no growth)되었다. Peripancreatic abscess이다. 충분히 배농한 후 PCD 제거하였다(그림 3-5).

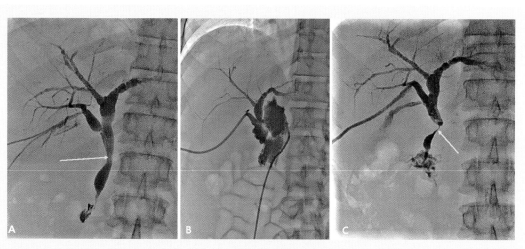

그림 3–5. PTBD에서 distal CBD mild stenosis가 관찰되는데 주변 염증 때문으로 생각된다(A). Abscess drainage 하였다(B). PCD 제거 후 follow–up cholangiogram에서 distal CBD stricture가 심하다(C).

PTBD 제거 후 복수가 생겼다. Ascites에 대하여 PCD 시행하였는데 bile이 배액되었다. Bile leak 소견이었다. 4일간 기다려도 호전이 없어 ERCP 시행하였다. Bile leak에 대하여 ERBD, chronic pancreatitis에 대하여 ERPD insertion하였다. 이후 복수 소실되었다. 퇴원 후 3개월째 ERBD와 ERPD 제거하였다(그림 3–6).

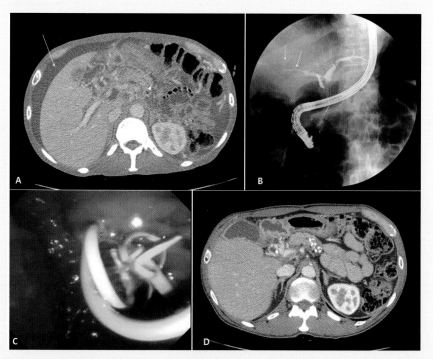

그림 3–6. PTBD 제거 후 대량의 복수가 발생하였다(A). 복수에 대하여 PCD 하였을 때 bile이 배액되므로 bile leak 소견이었다. Bile leak 치료로 ERBD insertion 하기로 하였다. ERCP에서 Rt IHD로 dye extravasation (bile leak)이 관찰된다. CBD로 ERBD, P–duct로 ERPD를 넣었다. 복수가 완전히 소실되고 췌장주변 농양도 완전히 소실되었다(D).

해설 만성췌장염의 합병증으로 췌장 주변 농양이 생긴 환자이다. Abscess에 의한 염증의 결과로 obstruction을 일으키고 있었다. Bile duct decompression 목적으로 PTBD를 시행하였다. PTBD 당시에는 bile duct stricture가 경미하고 조영제가 십이지장으로 잘 배출되었다. Abscess(처음에는 infected pseudocyst로 생각) drainage하려 할 때 주변 혈관이 많아 위험성이 높았다. 영상의학과에서 doppler를 보면서 조심스럽게 시술하였다. Abscess drainage 충분히 하고 PCD 제거하였다. PTBD 제거 전 cholangiogram에서 stricture가 심하였다. 조영제가 십이지장으로 배출되므로 제거하였으나 bile leak이 발생하였다. 이로 인한 bile peritonitis and ascites가 생겼다. ERBD를 삽입하고 호전되었다. Bile leak은 bile duct stricture로 담즙이 십이지장으로 원활히 배출되지 못하고 담관 내 압력이 증가한 상태에서 PTBD puncture site로 압력이 전달되어 담즙 유출이 일어난 것이다. Stent를 삽입하여 담즙이 십이지장으로 빠질 수 있게 압력을 줄여주면 치료된다.

췌장암
Pancreatic cancer

Infiltrating ductal adenocarcinoma로 대부분 pancreatic head에 생긴다. 진단 당시 85-90%는 inoperable or metastatic disease 상태로 진단된다. 5년 생존율은 6%로 예후는 매우 불량하다. 조기발견하여 수술받은 경우의 5년 생존율은 ~24%이다. 췌장암의 대표적 위험인자는 흡연이며, 그 외에 당뇨병, 비만, 만성췌장염이 있다. 음주는 만성췌장염의 원인이 될 수는 있으나 직접적 위험인자는 아니며 유전과 관련 있다. 대표적 유전이상은 KRAS mutation, p53 & p16 mutation, SMAD4 mutation이다. 암 주변에 desmoplastic stroma가 둘러싸고 있어 항암치료 시 mechanical barrier가 된다. 췌장암 조기발견을 위한 screening을 routine으로 권고하지는 않는다. CA19-9와 CEA의 민감도도 낮다. 대표적 진단도구인 CT는 pancreas dysplasia 발견에는 부적절하다. EUS가 보다 promising screening tool이다. 췌장암 발생위험이 5배 이상의 경우에는 screening을 권고한다. 이 경우는 2명 이상의 1촌 관계 췌장암 가족력이 있는 경우, 한 명 이상의 1촌 관계 Peutz-Jeghers syndrome, BRCA2, p16 mutation and HNPCC mutation carrier이다. 췌장암의 precancerous lesions으로는 PanIN, cystic tumors (IPMNs or MCNs)이 있다. PanIN은 5 mm 미만의 neoplastic lesion으로 mild, moderate and severe dysplasia로 구분되는데, 모두 cancer로 진행하는 것은 아니다. IPMNs (intraductal papillary mucinous neoplasms)은 main duct type과 branched duct type이 있다. Main duct type은 고령에서 주로 생기고 higher malignant potential을 가진다. Branched type은 상대적으로 암성 변화 위험이 낮다. Mucinous cystic neoplasms은 대부분 여성에서 생긴다(95%). 췌장암의 임상발현은 pancreas head cancer의 경우 CBD obstruction으로 palpable GB (Courvoisier's sign)을 보일 수 있다(췌장암 환자의 25%). 진단은 CT가 1차적 검사이고 MRI가 더 큰 이득은 없다. ERCP 또는 MRCP가 필요할 경우가 있다. EUS는 3 cm 미만에서 highly sensitive하고 < 2 cm에서는 CT보다 정확하다. PET-CT는 distant metastasis를 보는데 CT보다 우수하여 수술 환자에는 술전 고려해야 한다. CT에서 수술 가능한 췌장암인 경우는 확진을 위한 조직진

단은 불필요하다. EUS–guided fine needle aspiration을 고려하는 경우는 진단이 불확실할 때와 neoadjuvant chemotherapy 필요한 환자에서만 시행한다. 정확도는 90% 정도이고 percutaneous biopsy보다 intraperitoneal dissemination risk가 낮다. Percutaneous biopsy는 cancer dissemination risk 때문에 inoperable metastatic disease에서만 허용된다. Serum markers로는 CA19–9가 사용되는데 70–80% 환자에서 증가되어 있다 술전 tumor stage과 correlation하고, post–resection CA19–9 level은 예후인자로 사용된다. Pre–treatment high CA19–9는 independent prognostic factor이다. Staging은 tumor size, location, LNs, metastasis로 한다. 진단 당시 10%만이 surgical resection 가능한 대상이고, 30%는 R1 resection (microscopic residual disease)된다. R0 resection (no microscopic or macroscopic residual tumors)의 경우는 20–23개월 median survival을 보이고, 5년 생존율 20% 정도이다. < 3 cm small, well–diff, LN (–)는 보다 양호한 예후를 보인다. Pancreas head cancer의 수술은 PPPD (pylorus–preserving pancreaticoduodenectomy, modified Whipple's op)를 시행하고, body & tail의 경우는 splenectomy를 포함한 distant pancreatectomy를 시행한다. Postop adjuvant CTx로는 6 cycles of gemcitabine이다. 5–FU/FA도 사용될 수 있다. 30%의 환자가 진단 당시 inoperable locally advanced disease인데 median 9개월 생존한다. 3–6개월 gemitabine 치료에 반응하는 환자는 consolidation radiotherapy를 시행해 볼 수 있다. 약 60%의 환자가 진단 당시 metastatic disease인데 gemitabine 치료로 median 6개월 생존하고 1년 생존율 20%이다. 5–FU/FA, irrinotecan, oxaliplatin (FOLFIRINOX)는 gemcitabine보다 생존율이 향상되나 toxicity가 높다.

69세 남성. 호흡기내과 COPD 진료하던 환자로 한 달 전부터 발생한 황달로 소화기내과 의뢰되었다. 전신황달 심하고, 가려움 매우 심하였다. 소변 색깔은 매우 진하다고 하였다. 열/오한/몸살 없었다. 호흡기내과 시행한 혈액검사에서 T-bil 32 mg/dL였다. 진찰상 상복부 간부위에 5FB (finger breadth) mass palpation 되었다.

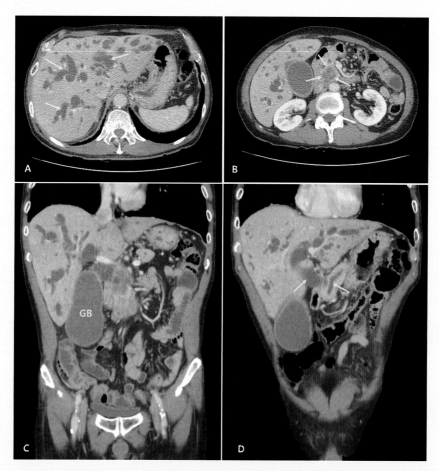

그림 4-1. IHD and CBD dilatation이 심하다(A). Pancreas head에 low-density mass가 관찰된다(B). GB distension이 심하다(C). GB tenderness는 없었다(Courvoisier's sign). Pancreatic duct와 CBD dilatation된 double duct sign을 보인다(D). Pancreatic head cancer with CBD invasion 소견이다.

해설　이 환자는 내원 당시 문진에서 painless jaundice, 진찰 시 우상복부 nontender GB palpation (Courvoisier's sign)되어 periamullary cancer임을 알 수 있었다. CT에서 double duct sign이 보여 pancreatic head cancer로 특정할 수 있었다. Distal CBD cancer인 경우 bile duct dilatation만 일으키고 P-duct dilatation은 일으키지 않는다. Pancreatic head cancer인 경우 bile duct invasion하면 CBD & P-duct 모두 dilatation을 일으켜 double duct sign을 보인다.

기타 췌장질환

1. Hyperamylasemia

Amylase는 췌장 이외의 많은 장기에 존재하므로 췌장염 이외의 다른 컨디션에서도 증가할 수 있다. Amylase 증가의 원인으로는 ① 췌장(pancreatitis, pancreas trauma, pancreatic cancer), ② 췌장 이외(renal failure, salivary gland, macroamylasemia, burn, DKA, pregnancy, renal transplantation, opioid 등, ③ 복강 내 이상(peptic ulcer perforation, intestinal obstruction, peritonitis, aortic aneurysm, postop 등)이다. Renal failure 등에서 acute pancreatitis 진단의 single best enzyme은 lipase이다. Amylase isoenzyme, macroamylase 측정이 감별에 도움이 된다.

2. Macroamylasemia

신장으로 배출되기에 큰 polymer 형태인 경우 serum amylase 수치가 높다. 이 경우 urinary amylase level은 낮다. 1.5% 정도의 빈도이다. 췌장질환 또는 다른 장기이상과는 관련 없고 건강상 문제와 관련이 없다. 초음파와 CT에서 췌장은 정상이다.

3. Annular pancreas

Annular pancreas는 드문 선천기형이다. 발생기 때 two ventral pancreas (buds)는 십이지장 뒤쪽으로 돌아서 dorsal pancreas와 fusion하여 췌장의 head & uncinate process가 된다. 그

런데 ventral buds 두 개 가운데 하나가 십이지장 앞쪽으로 돌아서 십이지장을 감싸서 ring을 형성하면 duodenal obstruction을 일으키게 된다. 수술(retrocolic duodenojejunostomy)이 필요하다(그림 5-1).

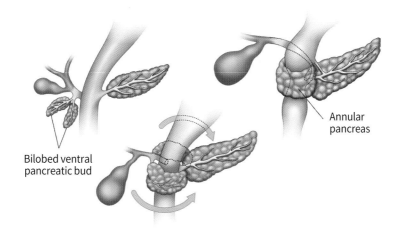

Bilobed ventral pancreatic bud

Annular pancreas

그림 5-1. **Annular pancreas**

4. Pancreas divisum

Ventral bud와 dorsal bud의 fusion 실패로 생긴다. 사람에서 가장 흔한 congenital anatomic variant이고 7–10%에서 생긴다. 주로 accessory papilla로 배액된다. Dorsal duct obstruction을 일으킬 수 있다. 원인 불명의 췌장염 환자에서 MRCP 또는 ERCP로 확인한다. 치료는 보존치료를 한다. Pancreas divisum 환자에서의 췌장염은 대부분 idiopathic하고 pancreas divisum과는 관련 없다. 반복하는 췌장염 환자에서 다른 원인이 없을 때 내시경적 치료 또는 수술을 고려한다(그림 5-2).

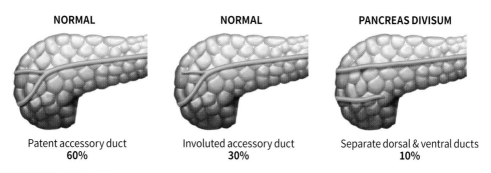

NORMAL	NORMAL	PANCREAS DIVISUM
Patent accessory duct **60%**	Involuted accessory duct **30%**	Separate dorsal & ventral ducts **10%**

그림 5-2. **Pancreas divisum**

췌장질환 문제

1. 45세 남성으로 2일 전부터 발생한 심한 상복부 복통으로 응급실 방문하였다. 복부 팽만과 압통이 있었고, 약간의 반동 압통도 있었다. 장음은 들리지 않았다. 혈압 120/70 mmHg, 맥박 117회/분, 호흡 23 회/분, 체온 39℃이었다. 평소 당뇨가 있었으나 잘 조절하지 않았으며 복통 발생 하루 전에 소주 2병을 마셨다. 환자의 CT이다. 이 환자의 치료와 이에 대한 설명이 적절한 것은?

> 혈색소 13.0 g/dL, 백혈구 23,000/mm³, 혈소판 130,000/mm³,
> 총빌리루빈 1.5 mg/dL, ALP 120 U/L, AST/ALT 60/48 U/L
> Creatinine 2.0 mg/dL, Glucose 250 mg/dL, amylase 2,400 U/L
> lipase 1,500 U/L, Triglyceride 1,500 mg/dL, calcium 8.0 mg/dL

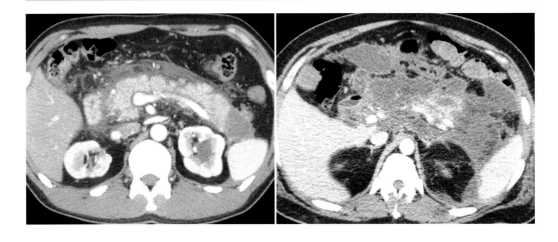

① 통증이 극심하여 morphine을 정주하였다.

② 감염예방을 위하여 예방적 항생제를 투여하였다.

③ 장기간 경정맥 영양공급을 위하여 중심정맥관을 삽입하였다.

④ 염증조직 제거를 위하여 응급수술을 시행하였다.

⑤ 염증진행 예방을 위한 rectal indomethacin을 투여하였다.

2. 황달을 주소로 내원한 54세 남성 환자의 CT와 MRI 사진이다. 동반할 가능성이 가장 낮은 임상양상은?

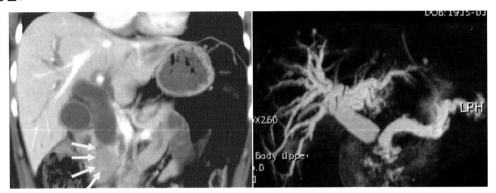

① 체중 감소 ② 복통 ③ 식욕부진
④ 전신 가려움 ⑤ 열과 오한

3. 60세 여성 환자가 주변 사람들이 황달이 생겼다며 병원으로 가보라고 하여 내원하였다. 밥은 잘 먹고 운동도 별로 안 하는데 최근 3개월 내 체중이 10 kg 이상 빠졌다고 한다. 다음은 혈액검사와 복부 영상검사이다. V/S은 혈압 120/80 mmHg, 체온 섭씨 36.5℃, 혈액검사에서 백혈구 수치는 7,000/mm^3, ALP 1301 U/L, AST 366 U/L, ALT 210 U/L, total bilirubin 25 mg/dL이었다. 다음 환자의 치료에 있어서 올바른 것은?

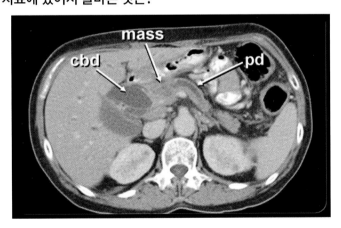

① 예후가 매우 안 좋은 질환으로 호스피스를 안내한다.
② 항암치료를 우선 고려한다.
③ 병기에 상관없이 수술로 종양을 절제하는 것이 생존기간 연장에 크게 도움이 된다.
④ 수술 이후 재발하는 경우는 흔치 않다.
⑤ 황달이 심하므로 ERCP를 통한 ERBD를 먼저 고려한다.

4. 병력이 없던 70세 남성 환자가 내원 10일 전부터 시작된 소화불량 및 황달을 주소로 내원하였다. 신체검사에서 발열, 압통 및 만져지는 복부 종괴는 없었다. 내원 당시 시행한 혈액검사 소견은 아래와 같다.

> WBC 5.130/mm³, AST 150 IU/L, ALT 190 IU/L, ALP 639 IU/L, GGT 1,124 IU/L,
> Total bilirubin 8.92 mg/dL, Direct bilirubin 6.63 mg/dL,
> Amylase 52 U/L Lipase 45 U/L CA 19–9 1.0 IU/mL IgG 1,410 mg/dL(정상 참고치: 700–1,600) IgG4 216.6 mg/dL (3.9–86.4)

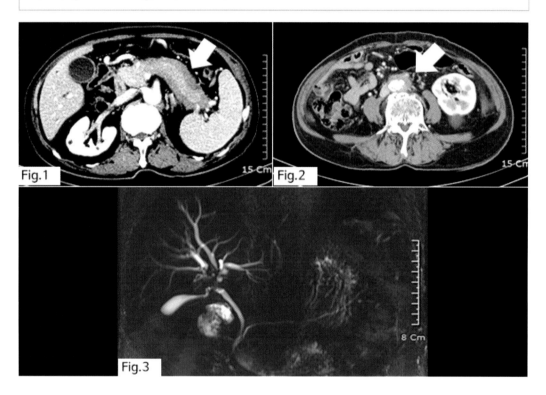

복부 CT상 가장자리에 저음영 띠를 가지는 췌장의 미만성 종대가 있으며(Fig. 1), 대동맥 주변으로 섬유화증(Fig. 2)이 관찰되었다. MRCP상에서는 간문부와 근위부담관에 국소적인 협착 소견을 보였다(Fig. 3). 이 환자의 진단명은?

① Pancreatic cancer with CHD invasion
② Klatskin tumor
③ type 1 autoimmune pancreatitis
④ type 2 autoimmune pancreatitis
⑤ Primary sclerosing cholangitis

5. 57세 남성의 precontrast CT이다. 가장 흔한 원인은?

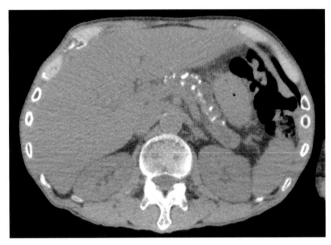

① 음주   ② 흡연   ③ 외상

④ 약제   ⑤ 바이러스감염

6. 69세 남성 환자가 황달로 내원하였다. CT와 PET-CT이다. 이 질환의 대표적 원인은?

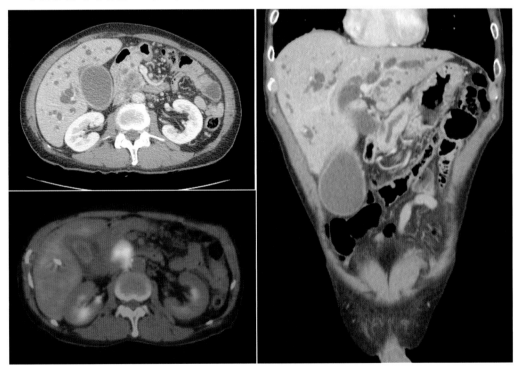

① 음주   ② 흡연   ③ 바이러스감염

④ 세균감염   ⑤ 약제

7. 특이 과거력 없던 50세 여성이 검진 복부초음파에서 우연히 췌장 미부의 낭성병변으로 내원하였다. 종양표지자를 포함한 혈액검사는 모두 정상이었다. CT와 EUS 사진이다. 적절한 치료는?

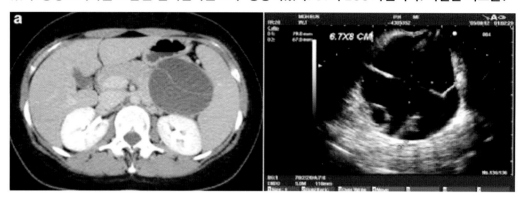

① MCN (mucinous cystic neoplasm)이 의심되므로 수술한다.

② SCN (serous cystic neoplasm)이 의심되므로 안심시키고 경과관찰한다.

③ IPMN (intraductal papillary mucinous neoplasm)이 의심되나, 주췌관형이 아니므로 경과관찰한다.

④ Solitary pseudopapillary neopmasm의 낭성 변화로 추정되며 경과관찰한다.

⑤ Psudocyst가 의심되는데, 크기가 크지만 자연적으로 소실될 수 있어 경과관찰한다.

정답과 해설

1. ① 2. ⑤ 3. ⑤ 4. ③ 5. ① 6. ② 7. ①

1.   Rectal indomethacin 투여는 post-ERCP pancreatitis 예방 목적으로 사용해 볼 수 있으나 효과는 controversial하다.

4.   Autoimmune pancreatitis는 2 types이 있다. Type 1 AIP는 IgG4 증가 & old age에 주로 생긴다. Type 2 AIP는 IgG4 정상 & young age에 주로 생긴다.

	Type 1 AIP	Type 2 AIP
Synonym	Lymphoplasmacytic sclerosing pancreatitis	Idiopathic duct-centric chronic pancreatitis
Epidemiology	Asia > USA, Europe	Europe > USA > Asia
Clinical presentation	Obstructive jaundice (painless)	Obstructive jaundice/acute pancreatitis
Age at diagnosis	Old	Young
Serum IgG4 level	Elevated	Normal
Histological hallmarks	Periductal lymphoplasmacytic infiltrate	Granulocytic epithelial lesion
	Storiform fibrosis	
	Obliterative phlebitis	
Tissue IgG4 stain	Many IgG4 (+) cells	None or very few IgG4 (+) cells
Other organ involvement	Bile duct, salivary gland, kidney, retroperitoneum	Inflammatory bowel disease
Steroid responsiveness	Excellent	Excellent
Recurrence	Common	Rare

5.   Chronic pancreatitis의 대표 위험인자는 음주이다.

6.   Pancreatic cancer의 대표 위험인자는 흡연이다.

정답과 해설

7. 췌장의 낭성종양

	Histologic classification
Serous cystic tumors	Serous cystadenoma (SCA)
	Serous cystadenocarcinoma (rare)
Mucinous cystic tumors	Mucinous cystadenoma
	Mucinous cystadenoma with moderate dysplasia
	Mucinous cystadenocarcinoma 　　Noninfiltrating 　　Infiltrating
Intraductal papillary mucinous tumors	Intraductal papillary mucinous adenoma
	IPMN with moderate dysplasia
	Intraductal papillary mucinous carcinoma 　　Noninfiltrating 　　Infiltrating
Solid pseudopapillary tumors	

Cyst type	Pseudocyst	SCA	MCN	IPMN	SPN
Age	Variable	Middle-aged	Middle-aged	Elderly	Young
Sex	M > F	F > M	Female	M > F	Female
Pancreatitis history	Yes	No	No	Yes	No
Location	Evenly	Evenly	Body/tail	Head	Evenly
Malignant potential	None	Rarely to high	Moderate Low to high	Low	Yes, Uncommon to high
Biliary obstruction	Yes, Uncommon	No	No	Yes, Uncommon	No

MCNs은 췌장의 체부와 미부의 단일 병변으로 발견된다. 주로 40대 중년 여성에서 발견되고 크기가 점점 커진다. 석회화, 두꺼워진 벽, 유두상 결절 등이 보일 수 있다. 전암 병변으로 수술을 권해야 한다.

IX 복부 CT

1. Liver

간 구획은 Couinaud's classification이 사용된다. Middle hepatic vein을 기준으로 right lobes (S5, 6, 7, 8)과 left lobes (S2, 3, 4)로 나뉜다. Right hepatic vein은 간을 전후(anterior S5, 8 vs. posterior S6, 7)로 나눈다. Falciform ligament는 간좌엽을 medial part (S4)와 lateral part (S2, 3)로 나눈다. Portal vein 좌우분지점 level을 기준으로 간을 상하로 나눈다. CT를 빨리 볼 때 heart level의 liver dome은 S8에 해당한다. Portal vein level 위쪽은 반시계 방향으로 S2, 4a, 8, 7이 된다. Caudate lobe (S1)은 fissure for ligamentum venosum, main portal vein과 IVC를 경계로 하고 간우엽에 위치하지만 별도로 취급한다. 간우엽은 right portal vein 으로부터 blood supply 받으나 caudate lobe은 both portal veins으로부터 blood supply 받는다. 그러므로 간경변으로 간우엽이 위축될 때 caudate lobe은 compensatory hypertrophy 된다. Falciform ligament의 연장선에 ligamentum teres가 있다. 간좌엽을 medial part와

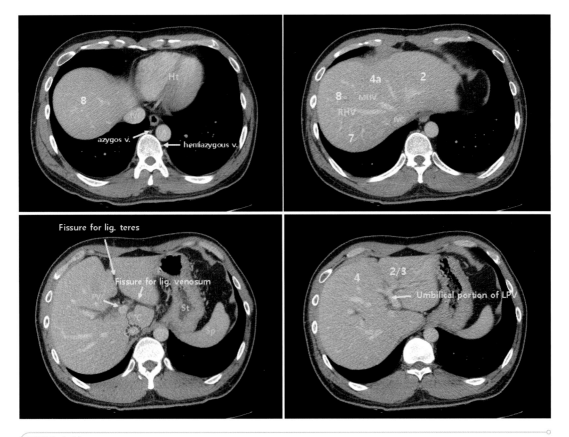

그림 1-1. Liver

RHV, right hepatic vein; MHV, middle hepatic vein; IVC, inferior vena cava; Ht, heart; Sp, spleen; St, stomach; C, caudate lobe.

lateral part로 나누는 기준선이다. Left portal vein의 umbilical portion이 fissure for lig. teres 내에 위치한다.

2. Portal veins

정상 간은 portal vein으로부터 75% 정도 혈액공급을 받고, 나머지 25% 정도는 hepatic artery 로부터 혈액공급을 받는다(dual blood supply). 그러므로 간은 infarction이 잘 생기지 않는 장 기이다.

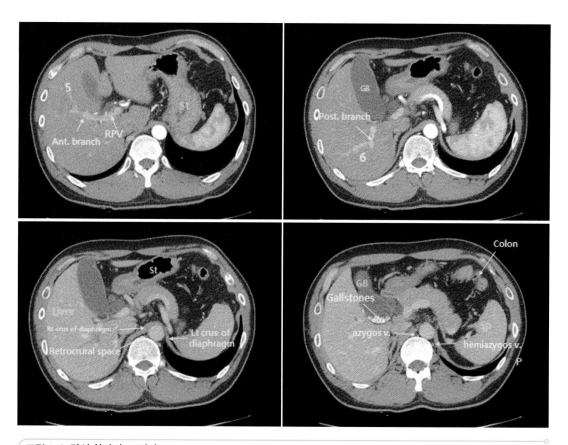

그림 1-2. 담석 환자의 CT이다.

Right portal vein은 anterior branch (S5, 8 supply)와 posterior branch (S6,7 supply)로 분지한다. CT에서 GB 우 측이 S5이고, right kidney와 인접한 부분이 S6이다. 상복부 retrocrural space에 descending aorta가 지나가고, 그 우 측에 azygos vein, 좌측에 hemiazygos vein이 보인다. Azygos vein은 SVC로 drainage되는데, azygos vein enlarge- ment가 있으면 heart failure 또는 thoracic LN enlargement가 있는지 확인해야 한다. Hemiazygos vein은 azygos vein의 lower part이다.

3. Adrenal glands and celiac trunk

Rt adrenal gland는 ∧, Lt adrenal gland는 '뒤집은 Y 모양'으로 가늘게 생겼다. 자세히 보지 않으면 그냥 지나치게 된다. 검사 중 우연히 부신종양이 발견되는 경우가 있다(우연히 발견된다고 해서 adrenal incidentaloma라 부른다). 부신 위치에 1 cm 이상의 동그란 종양이 보인다면 adrenal incidentaloma이다. 대부분 양성으로 경과관찰하면 되나 4 cm 이상이거나 호르몬생성종양이거나 영상학적으로 악성 의심소견이 있을 때는 수술이 필요하다. Lt renal vein은 SMA 아래로 통과하여 IVC로 합류한다. SMA에 의해 Lt renal vein이 눌려서 renal venous hypertension & hematuria가 생기는 병을 Nutcracker syndrome이라 한다. Celiac trunk에서 CHA, splenic artery와 Lt gastric artery가 분지한다. CHA는 GDA와 proper hepatic artery로 분지한다. Celiac trunk 아래 aorta로부터 SMA가 분지한다. CBD는 pancreas head 안을 지나간다.

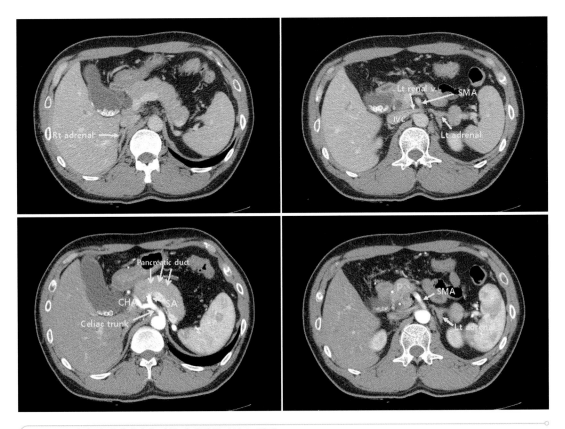

그림 1-3. 담석 및 담관결석에 의한 담관염 환자의 CT이다.

원래 CBD는 잘 보이지 않으나 이 환자는 담석과 함께 distal CBD stone and papilitis가 동반되어 있었다. 그러므로 CBD dilatation 되어 있어 잘 보인다(노란색 점). CHA, common hepatic artery; GDA, gastroduodenal artery; CBD, common bile duct; P, pancreas.

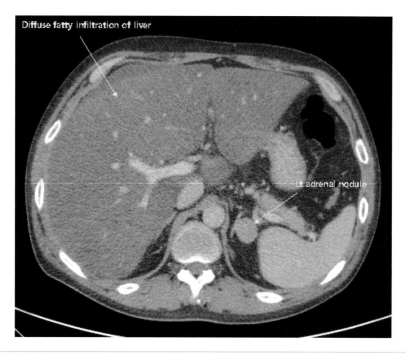

그림 1-4. 47세 남성. Chronic heavy alcoholics로 syncope으로 입원하였다.

CT에서 diffuse fatty liver와 Lt adrenal gland에 23 mm nodule(incidentaloma)가 발견되었다.

4. SMA and SMV

급성복통 환자에서 SMV thrombosis, SMA atherosclerosis or embolism은 중대한 원인 가운데 하나이다. SMV와 splenic vein이 합류하여 main portal vein이 된다.

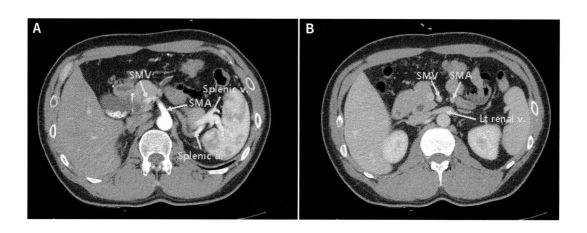

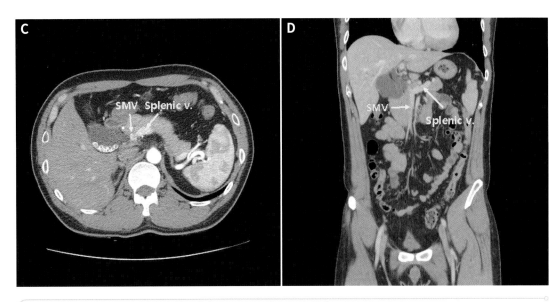

그림 1-5. SMV와 splenic vein이 합류하여 main portal vein이 된다.

SMV thrombosis or splenic vein thrombosis는 임상에서 중요한 문제이다. 급성복통 환자에서 확인해야 할 부분이다. 또한 췌장암에서 splenic vein thrombosis가 생길 수 있다. 위내시경 검진 중에 isolated gastric varix가 발견된 경우 췌장암 가능성이 있어 CT 확인이 필요하다. SMA, superior mesenteric artery; SMV, superior mesentery vein.

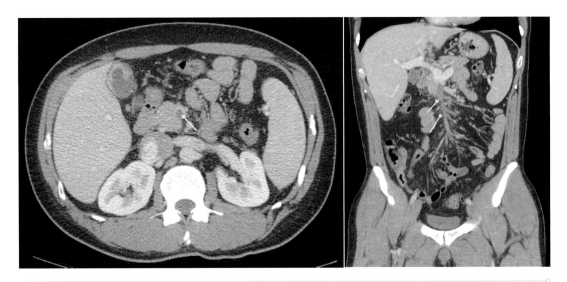

그림 1-6. SMV thrombosis

SMV 내에 thrombus로 혈관이 막혀 있다(화살표). SMV thrombosis의 흔한 원인은 복강내 염증성 질환(pancreatitis, IBD 등), trauma(splenectomy 등)이다. 뚜렷한 원인이 없는 경우 hypercoagulability에 의한 thrombosis이다. Splenic vein thrombosis 역시 임상에서 중요하다. 위내시경 도중 isolated gastric varix가 발견되는 경우가 있다. 간경변 때 위정맥류만 생길 수도 있으나 splenic vein thrombosis 여부를 CT로 확인해야 한다. Splenic vein thrombosis의 흔한 원인은 pancreatitis와 pancreatic cancer이다.

5. Psoas and oblique muscles

옆구리 또는 비특이적 우상복부/좌상복부 통증 환자가 소화기내과를 많이 방문한다. 검사에서 내부 장기의 이상이 발견되지 않는 경우에 근골격계 증상일 수 있다. 자세에 대한 문진이 도움이 되는 경우가 있다(예: 하루 종일 컴퓨터 작업을 한다든지 또는 작업자세가 불량하다든지). 근육들 구조를 알아 두면 진료에 도움이 된다. 척추를 지탱하는 psoas muscle이 있다. Iliacus muscle과 합쳐져 iliopsoas muscle이 된다. 우리 몸의 측벽을 감싸는 근육이 external oblique m., internal oblique m., transversus abdominis m.이다. 복벽에는 rectus abdominis m.이 있고 그 안에 inferior epigastric artery 주행이 관찰되기도 한다. 골반부위에 가까워지면서 aorta가 both common iliac arteries로 분지한다. 골반 내 S-colon과 rectum이 있다. 골반 뒤 엉덩이 근육으로는 gluteus maximus, medius and minimus가 있다.

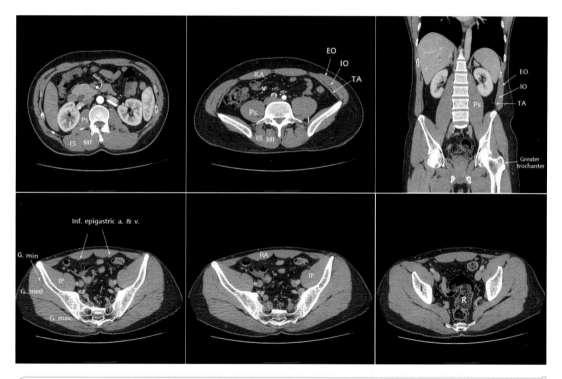

그림 1-7. Both kidneys는 psoas muscle 상단의 lateral에 위치한다.

ES, erector spinae m.; MF, multifidus m.; I, iliacus m.; RA, rectus abdominis m.; R, rectum.

6. Bladder and anus

항문질환(ex: anorectal cancer, abscess)의 경우 ischirectal fossa를 자세히 확인할 필요가 있다. 고령의 남자에서 BPH가 발견되는 경우도 흔하다. 소화기영역에서 중요하게 취급되지 않을 수도 있으나 femur head level 주변에 많은 근육들과 혈관들이 있는데, 시술 후 bleeding & hematoma와 같은 합병증이 생기기도 한다.

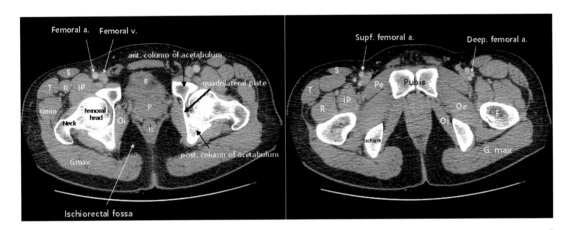

그림 1-8. Bladder and symphysis pubis

T, Tensor fasciae lata; S, Sartorius; R, Rectus femoris; IP, Ileo-psoas; B, Bladder; P, Prostate; A, Anus; Oi, Obturator internus; Gmax, G. maximus; Pe, Pecteneus m; Oe, Obturator externus; F, Femur.

7. 여성 골반

아랫배 통증인 경우 여성에서는 골반질환도 고려해야 한다.

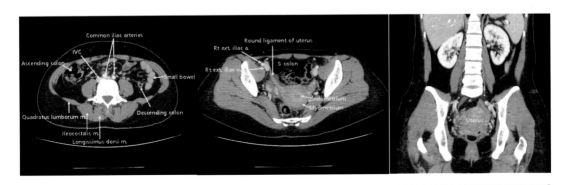

그림 1-9. Pelvis in female. 자궁과 부속기(난소 등)가 있다.

X 위장관 내시경

1. Upper endoscopy

상부내시경은 식도, 위, 십이지장을 관찰하므로 esophagogastroduodenoscopy (EGD)라는 용어를 사용한다. 의사들은 '이지디'라 부르고, 일반인에게는 '위내시경'이 익숙하다.

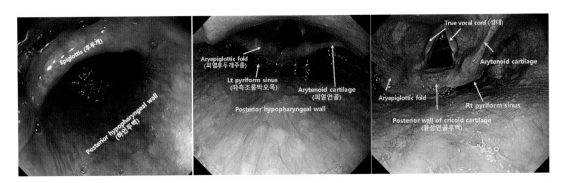

그림 1-1. **Pharynx의 정상 내시경 소견**

내시경 scope을 pyriform sinus로 진입시키면 UES (upper esophageal sphincter)를 지나 식도내강이 나타난다. 좌우측 pyriform sinus로 모두 진입 가능하나 주로 왼쪽으로의 진입이 수월하다.

식도는 pharynx 아래(UES)부터 stomach 시작부위(GE junction)까지이고 18–25 cm 길이이다. 3층(mucosa, submucosa, muscularis propria)으로 이루어져 있으며, 다른 위장관과 달리 serosa가 없고 adventitia가 있다. Serosa는 mesothelial cells로 이루어지는 내부 장기를 보호하는 membrane이고, adventitia는 주위 조직에 고정시키는 connective tissue이다. 식도는 serosa가 없으므로 다른 위장관보다 천공의 위험이 높고 천공되면 사망률이 ~50%로 매우 위험하다. 일반 검진내시경으로 천공이 되는 경우는 거의 없으나 치료내시경은 천공의 위험이 높다. 식도에서 대표적 치료내시경은 ESD (endoscopic submucosal dissection), pneumatic dilatation, stent 시술, 이물제거(foreign body extraction) 등이다. 그 외 내외과적 esophageal myotomy의 합병증으로 생길 수도 있다.

위장은 2–4 L 정도의 volume이다. Cardia(분문), fundus(저부), body(체부), antrum(전정부)의 네 부분으로 나눈다. 위장 상부(fundus, upper body)는 음식저장 기능(large reservoir)을 하고, 위장 하부(lower body, antrum)는 강한 peristaltic movement를 통해 음식을 부수어(grinder) pylorus를 통과하여 십이지장으로 내려 보낸다. Gastric motility는 neuronal (parasympathetic = vagus n.) and hormonal (gastrin, CCK) control 받는다. 참고로 peristaltic movement는 stomach 3회/min, duodenum 12회/min, colon 6회/min이다.

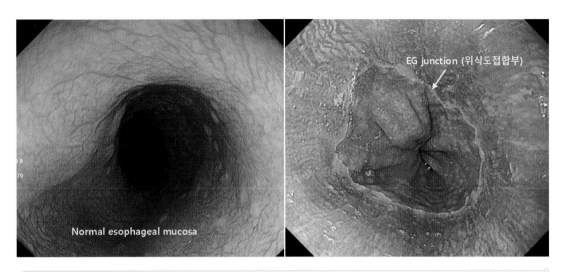

그림 1-2. 식도점막과 위식도접합부 정상소견

정상 식도점막의 혈관상 모양이다. EG junction을 경계로 식도점막은 stratified squamous epithelium이고 위점막은 columnar epithelium이다. 근육층은 inner circular muscle layer와 outer longitudinal layer 두 층으로 이루어진다. Inner circular muscle layer는 peristaltic contraction하여 음식을 위강으로 내려 보내는 역할을 한다. 근육층 상부의 1/3은 striated muscle, 하부 1/3은 smooth muscle, 중간 1/3은 혼합되어 있다.

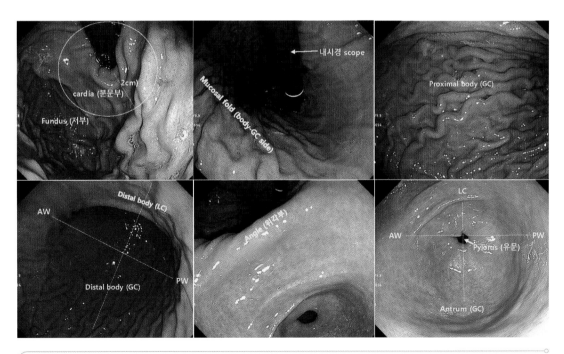

그림 1-3. 정상 위강의 내시경 소견

Cardia는 EG junction (Z-line)으로부터 반경 2 cm 이내를 말한다. 위주름(Gastric rugae)이 있는 부분이 body이고, 없는 아래쪽은 antrum이다. 또는 위각부(angle)에서 위쪽은 body, 아래쪽은 antrum이다. Body에서 주름이 있는 부분은 greater curvature(대만) side이고, 반대편은 lesser curvature(소만) side이다. Antrum에서 pylorus를 바라보는 기준으로 좌우는 각각 전벽(anterior wall)과 후벽(posterior wall)이다.

위장에서 물, 전해질 흡수는 극히 미미하다. Iron, alcohol, some drugs은 빠르게 흡수된다. 식도를 제외한 모든 위장관은 mucosa, submucosa, muscle, serosa 네 층으로 구성된다. 위점막에는 많은 분비샘(glands)이 있어 위액을 분비한다. 위액의 주성분은 위산이나 분비샘에는 다양한 세포들이 있어 각각 분비하는 위액 성분이 다르다.

- Parietal cells(벽세포)-위산(HCl)과 내인자(intrinsic factor; IF)
- Chief cells(주세포)-pepsinogen (= pepsin precursor)
- ECL (enterochromaffin-like) cells-histamine
- D cells-somatostatin

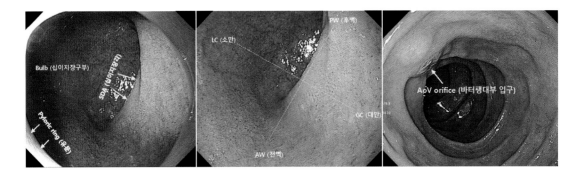

그림 1-4. **십이지장은 세 부분으로 나뉜다.** First (bulb), second & third portion

EGD로 관찰 가능한 범위는 주로 십이지장 2nd portion까지이다. 십이지장궤양은 대표적 소화기질환이다. 대부분의 궤양은 1st portion (bulb)에 생긴다. Second portion에 ampulla of Vater가 좌측에 보인다. Ampulla of Vater 관찰도 중요하다. SDA, superior duodenal angle.

2. 소장과 Capsule endoscopy

소장은 ~300 cm 길이로 duodenum(십이지장), jejunum(공장), ileum(회장)의 세 부분으로 이루어진다. Fold, villi, microvilli로 되어 있어 실제의 기능적 표면적은 단순 면적의 600배 더 넓다. Intestinal epithelial cells은 crypt base에서 tip까지 자라 나오는 데 48-72시간 정도로 매우 빠른 turnover rate를 보인다. 그러므로 설사 때 빠른 호전을 보이고, chemotherapy 때 GI side effect가 흔한 이유가 된다.

소장은 흡수가 중요한 기능이다.

- Proximal small intestine: iron, calcium, water-soluble vitamins (B, C), fat
- Proximal ~ mid jejunum: sugar
- Mid jejunum: amino acids
- Terminal ileum: bile salts, vit B12

소장(jejunum & ileum)은 내시경으로 도달하기 어려운 부분이다. 그러므로 임상에서 어려운 소장관련 문제는 small bowel bleeding이다. Small bowel bleeding 관련하여 시행할 수 있는 세 가지 내시경 방법은 capsule endoscopy, push enteroscopy (proximal and mid-jejunum 까지 도달 가능), double-balloon enteroscopy이다. Push enteroscopy와 double-balloon enteroscopy는 내시경과 동시에 치료적 시술이 가능하다는 장점이 있으나 상급대학병원의 숙련된 내시경의가 있는 일부에서만 가능하고, 시간이 많이 걸리고 힘든 고난이도 검사이다. Capsule endoscopy는 카메라가 장착된 캡슐을 삼키고, 검사 후 전송된 사진기록을 검토하여 진단한다.

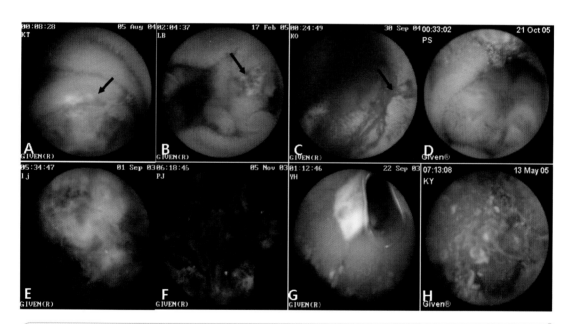

그림 1-5. 소장출혈 환자에서 캡슐내시경으로 진단된 증례들

Erosion과 ulcer가 보인다(A, B). Active bleeding이 포착되었다(C). Intraluminal protruding mass가 보이는데(D, E, F), 수술 후 gastrointestinal stromal tumor (D, E)와 lymphangioma (F)로 진단되었다. luminal stenosis with ulcer (G). 수술 후 ischemic ulcer로 진단되었다. luminal obstructing mass가 보이는데(H), large amount of fecal material로 시야가 매우 불량하다. CT에서 terminal ileum의 mass로 판명되었고, 수술 후 malignant lymphoma로 진단되었다.

3. 대장과 Colonoscopy

대장내시경검사 시 대장을 완전히 단축시켜 직선화시키면 ~80 cm 정도의 길이이다. 대장은 cecum, ascending colon, transverse colon, descending colon, sigmoid colon, rectum의 여섯 부분으로 나눈다. 주 기능은 수분 흡수이다. 하루 ~9 L 정도의 액체가 위장관을 통과한다. 이 가운데 ~1 L 정도가 colon에 도달하며, 대부분 흡수되고 0.2 L 정도가 대변으로 배출된다. 대장은 microorganisms (anaerobic bacteria)의 도움으로 unabsorbed carbohydrates를 소화, 흡수시키는 역할도 한다. 남은 내용물은 solid stools을 형성한다. A & T-colon은 건강인에서 reservoir function (average transit time 15 hours)을, D-colon은 conduit function (average transit time 3 hours)을 담당한다. Reservoir function에 이상이 생기면 설사 또는 변비가 생긴다. Colon short duration or phasic contractions으로 내용물을 mix한다. High-amplitude propagated contractions (HAPCs)은 mass movement를 일으킨다. 정상적으로는 하루 5회 정도의 HAPCs가 일어나는데 주로 자고 일어났을 때와 식후에 흔하다. HAPCs가 과도할 때 diarrhea or urgency가 초래된다. 식후 ~2시간은 colon contractility가 증가한다. 식사 직후 ~10분 동안(initial phase)은 mechanical gastric distension에 대한 반응으로 vagus nerve를 통해 일어난다. 이후는 caloric stimulation (> 500 kcal)이 필요하고, 적어도 부분적으로는 호르몬(gastrin, serotonin 등) 조절을 받는다.

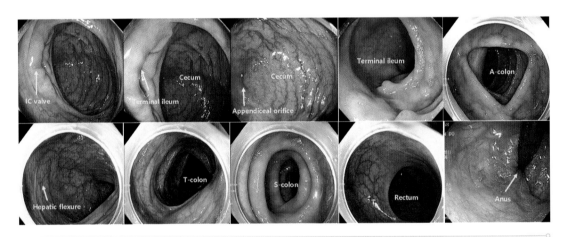

그림 1-6. 정상 대장내시경 소견

IC valve로 진입하면 terminal ileum이다. 내시경으로 대장 내 정확한 위치를 알기 어려운 경우가 있다. A-colon은 IC valve와 cecum을 보고 알 수 있다. Hepatic flexure는 뒤편에 liver가 있어 푸른빛을 보고 알 수 있다. T-colon과 D-colon은 내강의 모양으로는 구분이 어려운 수가 있다. 대장이 직선화한 상태에서 항문에서의 거리가 30-40 cm 사이가 D-colon이다. 항문에서 바라보는 내강이 rectum으로 대략 ~15 cm(굴곡이 시작되는 RS junction)까지이다.